SELÇUK ALTUN

SUŁTAN BIZANCJUM

Z języka tureckiego przełożyła
Dorota Haftka-Işık

WYDAWNICTWO
SONIA DRAGA

Tytuł oryginału: BİZANS SULTANI

Copyright © SELÇUK ALTUN, Kalem Agency
Copyright © 2018 for the Polish edition by Wydawnictwo Sonia Draga
Copyright © 2018 for the Polish translation by Wydawnictwo Sonia Draga

Projekt graficzny okładki: Mariusz Banachowicz
Redakcja: Magdalena Stec
Korekta: Iwona Wyrwisz, Marta Chmarzyńska, Izabela Sieranc

TA PUBLIKACJA OTRZYMAŁA WSPARCIE
SHARJAH INTERNATIONAL BOOK FAIR TRANSLATION GRANT FUND.

منحة الترجمة
Translation Grant
صندوق منحة الشارقة للترجمة
Sharjah Translation Grant Fund

ISBN: 978-83-8110-483-8

WYDAWNICTWO SONIA DRAGA sp. z o.o.
ul. Fitelberga 1, 40-588 Katowice
tel. 32 782 64 77, fax 32 253 77 28
e-mail: info@soniadraga.pl
www.soniadraga.pl
www.facebook.com/wydawnictwoSoniaDraga

Skład i łamanie: Wydawnictwo Sonia Draga

Katowice 2018. (N718)

Książkę wydrukowano na papierze CREAMY 70g, vol. 2,0
dostarczonym przez Zing sp. z o.o.
ZiNG
www.zing.com.pl

Dla Münevver i Mustafy Dalokay

W dolinie jej piersi białych tryska źródło Zamzam,
Napiję się, to mnie stracą, nie wypiję – skonam.

ALFA

Zawsze gdy się przedstawiałem, musiałem wyjaśniać, co po arabsku oznacza moje imię. Zawsze też wstydziłem się, gdy błędnie wymawiano jego ostatnią sylabę. Kiedy pewnego dnia zażądałem od babki wyjaśnień, westchnęła tylko: „To po twoim pradziadku". Moi przodkowie z Trabzonu trudnili się handlem zagranicznym i byli ponoć najzamożniejszym rodem w regionie Morza Czarnego. Miałem dość wysłuchiwania, jak urodzeni po wojnie krymskiej ich „niefrasobliwi" potomkowie strwonili cały nasz majątek.

Fakt, że moja matka po ukończeniu liceum w Trabzonie dostała się na Wydział Prawa Uniwersytetu Stambulskiego, był dla mojego dziadka pretekstem, aby zadekować się w Stambule. Mamie nie pozwolono jednak na praktykę adwokacką inną niż załatwianie spraw dotyczących zamieszkiwanej przez nich kamienicy w Galacie oraz biurowca w Şişli. A miłość najukochańszej córeczki do ich amerykańskiego lokatora była powodem ostatniej sprzeczki między moimi dziadkami. W końcu, uzyskując zgodę mojego dziadka, mama wyszła za Paula Hacketta, pracującego dla międzynarodowego czasopisma. Rok później w szpitalu fundacyjnym, położonym w odległości siedemdziesięciu kroków od naszego domu, przyszedłem na świat. Kiedy miałem dwa lata, zmarł mój dziadek, a cztery miesiące później rodzice się rozwiedli. Po tym, jak Paul Hackett udał się w podróż powrotną do swojego kraju, by nie dać już więcej znaku życia, my przeprowadziliśmy się do sąsiadującego z naszym mieszkania babci. Mieszkaliśmy razem aż do ukończenia przeze mnie liceum. U babci panowała hierarchia, w której to ona była „matką tego domu", a ja i moja mama zachowywaliśmy się jak wiecznie skłócone rodzeństwo. Kiedyś zapytałem: „Czy nie mamy żadnej fotografii ojca?", na co babcia odfuknęła: „Jak chcesz zobaczyć tego nikczemnika, to spójrz w lustro!". Za sprawą mojego nikczemnego ojca nie byłem, dzięki Bogu, podobny do matki – kobiety o ciągle wybałuszonych oczach, końskiej twarzy i kręconych włosach. Nie było więc nic dziwnego w tym, że większość czasu spędzała w salonach piękności. Cechowały ją ambicja, skuteczność, jubilerska precyzja i tajemniczość, a do tego bywała zaskakująco perfidna. Jakby mało jej było trzydziestu czterech najemców w biurowcu i dwunastu lokatorów w kamienicy, kupiła w bardzo okazyjnej cenie trzy budynki ulicę dalej.

Powodem tak wczesnego rozpadu naszej rodziny był romans Paula Hacketta z ponętną Kanadyjką. Miałem osiem lat, gdy z polecenia babki dozorca wyposażył mnie w tę wiedzę. Matka co rano wzdrygała się na mój widok. Stary żydowski psycholog, do którego mnie prowadzano, żarliwie przysięgał, że to odruch bezwarunkowy matki w reakcji na wspomnienie ojca. Jej odraza trwała do czasu, kiedy nadeszła wiadomość o śmierci Hacketta.

Mama nigdy nie kupowała mi zabawek, nie wyprawiała urodzin ani nie interesowała się moimi wynikami w nauce. Przez pewien czas żyłem w obawie, czy w ten sposób przypadkiem nie mści się zaocznie na swoim byłym mężu. Kiedy potrzebowałem pomocy w lekcjach, leciałem do Eugenia Geniale, nazywanego przez nas Władcą Galaty. Ten Lewantyńczyk, na którego osiedleńcy z Anatolii wołali Engin Baba, był emerytowanym profesorem historii sztuki. To od niego – mądrego człowieka, dla mnie zawsze wyglądającego na sześćdziesiąt lat – nauczyłem się studiować encyklopedię hasło po haśle, czytać słowniki od deski do deski, odgadywać style architektoniczne po fasadach opuszczonych kamienic, wydawać rozkazy morzu i zadawać zagadki niebu.

Tego roku, gdy miałem rozpocząć naukę w szkole podstawowej, Eugenio kupił mi wypchanego zimorodka i od tamtego momentu inne moje zabawki popadły w niełaskę. Ptak był długi na dwadzieścia centymetrów, jego grzbiet i ogon były jaskrawoniebieskie, skrzydła ciemnozielone, gardło białe, a dziób ostry. Kto wie, za czyją sugestią nazwałem ptaka Tristan.

Najbardziej efektownym budynkiem na ulicy Hacı Ali była nasza kamienica Ispilandit. Stojące w tym samym szeregu zmęczone domy opierały się na jej ramionach, te naprzeciwko chyliły się w jej stronę i wszystkie wyglądały, jakby odprawiały jakiś święty rytuał. My zajmowaliśmy dwa przestronne mieszkania na najwyższej kondygnacji. Zawsze gdy w zabytkowej windzie wyciągałem rękę w stronę przycisku siódmego piętra, wiedziałem, że powiew chłodu pogłaszcze mnie po twarzy. Każdego, kto wchodził do salonu, z otwartymi ramionami witał widok morza rozciągającego się od Bosforu po Złoty Róg – sceneria, którą uzupełniały wysuwające się na pierwszy plan bizantyjskie i osmańskie zabytki. Ta zamglona panorama była moim placem zabaw. Gdy tylko kończyłem odrabiać lekcje, przyklejałem się do drzwi balkonowych i udając, że trzymam w dłoni pilota zdalnego sterowania, zarządzałem ruchem przepływających statków. Zmniejszałem morze Marmara do wielkości sadzawki i improwizowałem romanse między kontenerowcami, promami, kutrami i statkami pasażerskimi. A kiedy słońce wznosiło się i niczym reflektor wisiało wysoko nad wodą, rozpoczynałem wojnę między dwiema wrogimi falami. Armia napierająca od strony morza w kierunku Bosforu nazywała się Marmara, rebeliantów szturmujących z naprzeciwka nazwałem zaś Aramram. Podczas gdy ja ze wszystkimi niezbędnymi efektami odgrywałem wojenne sceny, malutki Tristanek drżał ze strachu w moich ramionach. W Galacie mewy stanowią naturalny ornament dachowy budynków, z których najmłodszy liczy sto pięćdziesiąt lat. Polubiłem pewną mewę z wyszarpanym ogonem, która mimo sprzeciwu Tristana często przysiadała na naszym balkonie. Nasza mewa została przeze mnie nazwana Ewą. Kiedy pewnego dnia zobaczyłem, jak zjada własne odchody, obraziłem się i postanowiłem zostać wegetarianinem. W dowodzie miałem wpisane nazwisko matki (Asil), do niej samej zwracałem się po imieniu. W dniu, w którym odbierałem świadectwo ukończenia liceum, powiedziałem jej: „Dziękuję ci za wszystko, co zafundowałaś mi w dzieciństwie, Akile. Gdyby nie ty, nie odkryłbym tak wcześnie przyjemności bycia samowystarczalnym".

Kiedy zatęskniłem za moim talizmanem – wieżą Galata – biegłem co tchu do kuchni. Odsłaniałem koronkową firankę, a niemal siedemdziesięciometrowy cylindryczny monument ruszał w moją stronę. Jak tylko mój wzrok napotykał jego stożkową czapeczkę, od razu nabierałem ochoty na lody w rożku. Ponieważ żaden poeta ani malarz nie rzucił się z balkonów wieży Galata, nie pokładałem nadziei w tureckiej literaturze i sztuce. Gdy wypatrywałem przez lornetkę tajemniczych twarzy, jakiś przewodnik o aparycji robota opowiadał znużonej grupie turystów, że postawiona w 528 roku z rozkazu cesarza bizantyjskiego Justyniana wieża pierwotnie była drewniana, następnie w 1348 roku Genueńczycy przebudowali ją na kamienną, a w 1510 roku odrestaurowali ją Osmanowie. Przyglądając się jej kamień po kamieniu, nauczyłem się wyruszać na trójwymiarowe safari w tunelu czasu. Eugenio mawiał, że wieża Galata jest mediatorem między Bizancjum a Imperium Osmańskim.

Eugenia Geniale, zatwardziałego kawalera, którego uważałem za swojego duchowego ojca, poznałem przez Alberta. Aż do czasu studiów z Albertem Longo uczęszczaliśmy do tych samych szkół. Jego matka oraz siostra Elsa mieszkały w Galacie w monumentalnej kamienicy Doğan i były sąsiadkami Eugenia. Posiadający włoskie korzenie ojciec Alberta porzucił swoją pochodzącą z Chios żonę i osiedlił się w Melbourne. Alberto jednak, w przeciwieństwie do mnie, przynajmniej jeden letni miesiąc mógł spędzać ze swoim będącym kapitanem jachtu ojcem. Jego matka pracoholiczka kierowała działem księgowym hotelu i zawsze, śmiejąc się, mówiła moje imię od tyłu. Starsza ode mnie o dwa lata zielonooka Elsa była moją pierwszą miłością. A że kiedy szliśmy razem do kina, brała mnie pod rękę i czasem szczypała w policzek, myślałem, że też się we mnie kocha. Tego roku, gdy miała iść do liceum, wyjechała do swojej ciotki w Genui, gdzie odkryła, że jest lesbijką, i ostatecznie zamieszkała w Wenecji.

Od razu polubiłem położoną w odległości dwustu dwudziestu dwóch kroków od naszego domu szkołę podstawową imienia Okçumusy. Gmach szkoły miał w sobie coś dramatycznego, jakby rzucał wyzwanie nachyleniu stromej ulicy. W podstawówce, zostając najlepszym uczniem w klasie, próbowałem zaimponować babci, w liceum świadectwem z wyróżnieniem starałem się zrobić wrażenie (na próżno) na aroganckich dziewczętach. Po Elsie już się więcej nie zakochałem. Nie przeżyłem oszałamiającej przygody miłosnej. Robiło mi się niedobrze na myśl o chłopakach, którzy żeby omamić dziewczynę, posuwali się nawet do błazeństwa, ale najbardziej bałem się odrzucenia. Babcia, według której zbytnio kierowałem się dumą, mawiała: „Wy-ka-pa-ny dzia-dek".

Gdy zdałem do liceum austriackiego, oddalonego od naszego domu o sto pięćdziesiąt pięć kroków, Eugenio skwitował mój wybór słowami: „Nauczysz się porządnie angielskiego i niemieckiego", po czym zamilknął. W modzie było wtedy przyrównywanie szkół do więzień; według mnie jednak bardziej przypominały one przeładowane szpitale z filmów epickich. Dziwiłem się uczniom, którzy bali się lekcji języka obcego; przyswojenie każdego nowego słowa było jak rozszyfrowanie kolejnego pola magicznego kwadratu i jeszcze bardziej zaostrzało mój apetyt. *Herr* T.B., który przy każdej sposobności cytował aforyzmy Eliasa Canettiego, był moim ulubionym nauczycielem. Kiedy uczył mnie grać w szachy, powiedział: „Nie wiń mnie, jeśli się uzależnisz". Po tym, jak rozpoznał u mnie wrodzony poliglotyzm, nie przyniosłem mu wstydu; gdy w sto jedenastym roku działalności szkoły odbierałem dyplom, władałem już włoskim i francuskim, a żeby rozszyfrować inskrypcje na marmurowej płycie nieczynnego ujęcia wody sąsiadującego z wieżą Galata, nauczyłem się osmańskiego.

Kazałem też kupić babci tureckie wydanie encyklopedii *Britannica*, mówiąc, że jest to obowiązkowy podręcznik. Czytając codziennie po pięć stron, w osiem lat skończyłem dwadzieścia dwa tomy. Byłem w trzeciej klasie i w skupieniu czytałem hasło „entomologia", gdy wręcz ceremonialnie otworzyły się drzwi do mojego pokoju. Dwuznaczny uśmiech Akile z miejsca wzbudził moje podejrzenia.

Gdy mówiła: „Twój ojciec nie żyje", w tonie jej głosu wyraźnie słychać było ulgę, jaką niosą słowa otuchy. „Dobrze, że mamy to już za sobą".

Właśnie z pewnym sceptycyzmem czytałem, że: „Oprócz znanych gatunków owadów, których liczba przekracza siedemset tysięcy, zakłada się istnienie takiej samej liczby nieopisanych jeszcze naukowo gatunków", ale zaciekawiło mnie, skąd matka dowiedziała się o śmierci ojca.

Ograniczyłem się do pytania:

– Jak?

– Jedz winogrona, o winnicę nie pytaj – odparła Akile, a ja miałem wrażenie, że krew zamarza mi w żyłach.

Wiadomość o śmierci Paula Hacketta przyczyniła się do naszego pojednania. Akile wreszcie poczuła ulgę i ostatecznie przestała mi matkować. Dała mi odczuć, że gdybym czegoś potrzebował, to mogę na nią liczyć jak na starszą siostrę, a ja jej wybaczyłem.

Po śmierci męża, mojego dziadka, babcia udała się na pielgrzymkę do Mekki. Gdy ktoś zwrócił się do niej per hadżi* Ulviye, jeszcze gorliwiej przesuwała koraliki swojego różańca. Miała promienną twarz i nigdy nie przegapiła żadnego ze starych tureckich filmów pokazywanych w telewizji. Tylko po to, żeby usłyszeć, jak przeklina czarne charaktery, używając prawdziwych imion aktorów, przez jakiś czas ja też oddawałem się oglądaniu tych kiepskich produkcji. Żeby przypodobać się mojej babce o gruzińskich korzeniach, odmawiałem świąteczną modlitwę i pościłem na początku i pod koniec ramadanu. Z okna toalety, którą urządziła w orientalnym stylu, widać było pałac Topkapı. Hadżi Ulviye zawsze mnie upominała: „Nigdy nie patrz na pałac, gdy oddajesz stolec". W późniejszych latach nie potrafiłem już głośno puszczać wiatrów w toalecie.

Gdy schodziliśmy z Galaty do Tophane, odczuwaliśmy przyjemny dreszcz niepokoju wywołany faktem prześlizgiwania się z jednego miasta do drugiego. W liceum największego fioła mieliśmy na punkcie kawiarni U Neziha, znajdującej się na styku tych dwóch dzielnic. Do tego przesiąkniętego zapachem odstanej herbaty i nikotyny lokalu nie mogliśmy wchodzić bez łapówki. Moment, w którym gadatliwemu kelnerowi podawaliśmy paczkę papierosów, wzniecał w nas lawinę podniecenia. Przychodzący do Neziha kierowcy, emeryci i rozdrażnieni bezrobotni byli uzależnieni od hazardu i zakładów. Gdy graliśmy z Albertem w karty, modliliśmy się, żeby w kawiarni wybuchła pyskówka albo awantura, na które moglibyśmy popatrzeć. Pewnego razu jakiś młody zawadiaka ni stąd, ni zowąd ruszył w naszą stronę i wydarł się: „Wy niewierne bękarty z Galaty!". Nagle pomiędzy nami, zupełnie znikąd, pojawił się około trzydziestoletni mężczyzna mocnej postury. Chwycił napastnika za ucho, odprowadził do wyjścia i wyrzucił na zewnątrz. W ten sposób poznaliśmy jasnowłosego

---

* Hacı – przydomek określający muzułmanina, który odbył pielgrzymkę do Mekki. (Wszystkie przypisy pochodzą od tłumaczki).

Iskendera Elbasana o ksywce Albańczyk. Iskender Abi*, po tym jak stracił żonę z powodu komplikacji okołoporodowych, wyprowadził się z należącego do jego teścia mieszkania w Bakırköy i nie wiedząc czemu, zamieszkał w Galacie. Nigdy nie odwiedziłem znajdującego się na Krytym Bazarze sklepu ze srebrem, którego był współwłaścicielem. Kwitowałem śmiechem doniesienia stałych bywalców kawiarni, jakoby Iskender Abi parał się przemytem zabytkowych dzieł sztuki. Był cierpliwym słuchaczem, mówił jasno i treściwie, choć z wyraźnym akcentem migranta. Dzięki niemu pierwszy raz przekroczyłem próg tawerny. Słowiańska pielęgniarka, którą dla mnie znalazł, była moją pierwszą kobietą. Aż wreszcie pewnego dnia Iskender Abi wprowadził się do mieszkania na parterze kamienicy Indigo – leżącej po skosie od naszej – i z biegiem czasu został moim opiekunem i powiernikiem. Akile nazywała go Lumpenrycerzem z Galaty.

Bizantyjczycy ściągnęli Genueńczyków do Galaty, by ci zapewnili im obsługę logistyczną. Eugenio mawiał: „Jesteśmy krą, która osiemset lat temu oderwała się od góry lodowej o nazwie Genua i przywarła do Konstantynopola". Być może właśnie to spowodowało, że gdy w końcu zobaczyłem Genuę, poczułem się w niej jak w domu. Galata była dzielnicą zamieszkiwaną przez zacną mniejszość reprezentującą wyższą klasę średnią. „Gdy się sprowadziliśmy, było tu jak w obozowisku upiorów", powiedziała kiedyś babcia. To migranci ze Wschodu, którzy zajmowali na wpół opuszczone domy, ożywili Galatę. W latach dziewięćdziesiątych dwudziestego wieku zaczęto dostrzegać jej estetyczne i praktyczne walory. Zagraniczni nauczyciele prywatnych szkół, a zaraz po nich pisarze, malarze, artyści i czujący w sobie ducha bohemy trudniący się innymi profesjami zaczęli okupować kamienice, które skutecznie opierały się upływowi czasu. (Nowe kwadraciki mozaiki gładko wpisały się w nasz odwieczny porządek).

---

* Abi (też *ağabey*) – dosł. starszy brat, wyraz, przy użyciu którego Turcy zwracają się zazwyczaj do starszych od siebie mężczyzn.

Właścicielem bufetu Tigris przy ulicy Galata Kulesi był Devran z Diyarbakır. Powiadano, że został skazany za poglądy polityczne i przez pięć lat torturowano go w więzieniu. Wiedział, że młodzież właśnie z tego powodu przychodzi do bufetu, gdzie notabene jedzenie było marnej jakości. Na lewo od drzwi wisiała tablica z napisem „Iskra" u góry. Devran Abi wywieszał na niej szablonowe cytaty socjalistycznych myślicieli oraz fragmenty polecanych przez niego wierszy i wypiski z literatury faktu. Jedna z jego propozycji sprawiła, że pogodziłem się z poezją, do której zniechęcono mnie w liceum. Przez tomik wierszy Ahmeda Arifa *Tęskniąc do ciebie, kruszyłem okowy* zaczynałem dzień od czytania poezji. Przez *Tęskniąc do ciebie, kruszyłem okowy* założyłem własną biblioteczkę poetów. Kiedy oddawałem się lekturze wierszy, doznawałem rozkoszy z rozwiązywania równań, szusowałem po zawieszonej na niebie szachownicy o nieznanej mi liczbie pól. W poezji odnajdywałem ciszę, a jeśli akurat wtedy ktoś wchodził do pokoju, beształem go, nawet gdy była to babcia. Przedestylowany erotyzm utworów poety Karacaoğlana* był dla mnie nad wyraz prowokujący. Fakt, że masturbowałem się przy niektórych jego wersach, ukryłem nawet przed Iskenderem Abi. Wiersze, które pisałem w liceum, pokazałem tylko Selçukowi Altunowi. Był przyjacielem Eugenia i ponad pisarstwem stawiał swoje bibliofilskie zamiłowania. Gdy oznajmił: „Jest nadzieja", spróbowałem przekładu. Szkice tłumaczeń Montalego i Kawafisa sprawiały jednak, że czułem, jakbym patrzył na jedwabny dywan od spodu. Eugenio powiedział wtedy: „Co począć, jeśli dusze tych poetów nie są skłonne do współpracy?".

W lokalu sąsiadującym z bufetem Tigris, gdzie teraz mieści się agencja nieruchomości, niegdyś znajdowała się pracownia zegarmistrzowska Panayota Stilyanidisa. Gdy chodziłem do gimnazjum,

---

* Karacaoğlan – turecki pieśniarz i poeta ludowy, żyjący w XVII wieku, pochodził z plemienia turkmeńskich koczowników; jego poezja wywarła duży wpływ na twórczość aszyków, mistyków, poetów dworskich i współczesnych.

mistrz Panayot miał siedemdziesiąt lat i samotnie pracował w swoim zakładzie. Prawie nikt już wtedy nie oddawał zegarków do naprawy, a mistrz zmagał się jedynie z upartymi zegarami przysyłanymi przez sprzedawców antyków. Od chwili, w której dowiedział się, że pochodzę z Trabzonu, nazywał mnie „pontyjskim nasieniem". Cieszyłem się, gdy pozwalał mi przyglądać się jego pracy. Miło łechtały mnie odgłosy pojedynku na salwy znajdujących się w jego zakładzie antycznych zegarów ściennych i stołowych. Wstrzymywałem oddech, gdy osadzał w oku lupę i brał do ręki pęsetę. Moment, w którym jedno dotknięcie pęsety wskrzeszało skomplikowane niczym deska rozdzielcza w samolocie truchło zegara, był fantastyczny jak ożywienie się mumii. Mistrz chichotał, kiedy panikowałem, wykonując proste polecenia typu „zanieś, przynieś, pozamiataj". Pośrodku jego stołu stał zabytkowy francuski zegar, pamiątka po jego ojcu. Z otwartymi ustami przyglądałem się, jak umieszczony w metalowej klatce wielobarwny ptaszek co sekundę miota się to w prawo, to w lewo. Pięć dni po tym, jak podarował mi ten zegar, serce mistrza przestało bić. Nie miał dzieci. Był ostatnim ogniwem rodu Stilyanidisów, od czterech pokoleń parającego się zegarmistrzostwem. Po śmierci Panayota jego żona sprzedała ich kamienicę mojej matce i wróciła na Chios, zabierając ze sobą zasłużone zegary męża.

Na tablicy znajdującej się między wieżą Galata i ujęciem wody Bereketzâde widnieje napis:

„W latach 1705–1711 w Galacie żył
Isaac Rousseau (1672–1747),
słynny zegarmistrz dworski,
ojciec filozofa Jeana-Jacques'a Rousseau".

Kiedy tamtędy przechodzę mam wrażenie, że dobroduszny Panayot zawoła: „Pontyjskie nasienie!".

Zawsze gdy pytano mnie, kim zostanę, jak dorosnę, odpowiadałem: „Zegarmistrzem!". Kiedy babcia dociekała, co będę studiować, oznajmiłem, że semiologię. Moim marzeniem było zostać studentem Umberta Eco na Uniwersytecie Bolońskim. Gdy hadżi Ulviye dowiedziała się, że semiologia jest nauką o porozumiewaniu się za pomocą znaków, powiedziała: „Chłopcze, czy ty jesteś zboczony?". Za sugestią mojej mamy babcia obiecała wysłać mnie na studia do Ameryki, pod warunkiem jednak, że wybiorę inżynierię albo zarządzanie. Za sprawą Eugenia, który doktoryzował się na Uniwersytecie Kalifornijskim w Berkeley, złożyłem papiery na tuzin uczelni. Uległszy naciskom Selçuka Altuna, do mojej listy dopisałem jeszcze elitarny Uniwersytet Columbia. List obwieszczający, że zostałem przyjęty na Wydział Ekonomii tegoż uniwersytetu, przeczytałem trzykrotnie, każdorazowo o innej porze dnia. To, że moja uczelnia kwateruje w Nowym Jorku, odkryłem, wypełniając formularz zgłoszeniowy. Przez cztery lata miałem wrażenie, że doświadczam na własnej skórze, hasło po haśle, miejskiej encyklopedii. Prawdziwą przyjemność z Nowego Jorku czerpią w zasadzie jedynie nieskrępowani bogacze i śmiali biedacy, cała reszta zaś zadowala się filozofią przeciętności.

Czy to mnie się coś stało, czy mojej ojczyźnie? Gdy wsiadałem do samolotu relacji Nowy Jork–Stambuł, ciekaw byłem nowych nagłówków płcizny, które po wylądowaniu przyprawią mnie o trwogę. Większość moich rodaków w znacznie mniejszym stopniu martwiła się powszechną korupcją niż nietrafionym karnym swojej drużyny. Większość nie czytała nawet gazet, tylko wgapiała się w jałowe seriale telewizyjne. Byłem też uprzedzony do parlamentu, który wybrano.

Jednak kiedy tylko ukończyłem studia, wróciłem do kraju. Tak jakbym to ja miał obniżyć jego współczynnik płcizny. Rozpocząłem pracę w dziale zarządzania funduszami jednego z większych banków. Nie mogłem znieść beznamiętnych urzędników oraz ich gburowatych przełożonych i naprawdę nie lubiłem otrzymywać poleceń. Byłem pewny, że gdy z końcem pierwszego miesiąca złożę wypowiedzenie, babcia powie: „Wy-ka-pa-ny dzia-dek".

Postanowiłem zrobić karierę akademicką w dziedzinie ekonomii. Hadżi Ulviye lubowała się w poważanych stopniach i tytułach typu gubernator/generał/profesor. Pod warunkiem, że cały ten proces zakończy się moją profesurą, zadeklarowała finansowanie jego zagranicznego wymiaru. Ponieważ moim ulubionym wykładowcą na Uniwersytecie Columbia był Assael Farhi, którego rodzina miała korzenie w Balat*, aplikowałem na studia doktoranckie w londyńskiej School of Economics, w której murach kształcił się Farhi. Zostałem przyjęty od semestru zimowego, moje wakacje zatem wydłużyły się o trzy miesiące. Dwa z nich spędziłem we Włoszech; odwiedziłem też Elsę, która została kierowniczką galerii sztuki w Wenecji. Przypominający nawiedzony zamek dom dzieliła z malarką pachnącą rozpuszczalnikiem. Powiedziała mi wtedy: „Przypominasz antycznych arystokratów znad Morza Śródziemnego. Takich, do których kobiety aż rwały się, by ich unicestwić".

Odwiedziłem również Alberta, który wyemigrował do Australii, gdy tylko ukończył liceum. Był nauczycielem chemii w jednej ze szkół średnich w Sydney. Jego żona pracowała w dziale zasobów ludzkich jakiegoś szpitala i była starsza od Alberta o sześć lat. Z trudem wytrzymałem tydzień w ich pozbawionym duszy domu. W pojedynkę udałem się pociągiem aż do Adelajdy. Na odludnej stacji o nazwie Ararat zrobiłem sobie dwudniową przerwę.

Za sprawą Tristana znałem łacińskie nazwy setek gatunków ptaków. Gdy babcia nie kupiła mi akwarium, wyrecytowałem jej dwadzieścia siedem gatunków rekinów występujących w naszych morzach. Mój szacunek do zwierząt miał, jak się później okazało, wzrastać

---

* Balat – historyczna dzielnica znajdująca się po europejskiej stronie Stambułu, niegdyś zamieszkiwana przez Żydów sefardyjskich.

w miarę poznawania ludzi. Lubiłem dzieci, a szczególnie filuterne, zasmarkane dziewczynki. Czasami chodziłem na plac Tünel, tylko po to, by dać parę groszy żebrzącym dzieciakom. „Jeśli ja nie przekażę w spadku mojego majątku Urzędowi ds. Opieki nad Dziećmi, ty dopuścisz się tego szaleństwa" – mawiała babcia.

Moim ostatnim po Sydney przystankiem była Aleksandria. Gdy zwiedzałem miejsca, gdzie niegdyś ukrywał się Kawafis, z pamięci recytowałem wiersz, który zatytułował po turecku *Dünya güzeli*, czyli *Najpiękniejsza na świecie*. Do Stambułu wróciłem w połowie jesieni. Nudziłem się na przyjęciu weselnym, na które siłą zaciągnął mnie kolega z liceum. Z powodu serwowanego tam taniego wina bolała mnie głowa. W drodze powrotnej do domu przysiadłem na jednej z ławek w okolicy wieży Galata i rozmawiałem przez chwilę z dzieciakami ze wschodniej Turcji. Nie udało mi się im zaimponować znajomością nazw subprowincji, na jakie podzielone są dystrykty, z których pochodziły. Wiedziony nadzieją, że dojdę do siebie, delektując się samotnością w tę błogą noc, wstałem i ruszyłem za delikatną jesienną bryzą. W uliczce tak wąskiej, że nawet rower by nią nie przejechał, ogarnął mnie strach. Przed na wpół opuszczonym budynkiem, w którym na jednym z pięter paliło się światło, stała dziewczynka i płakała. Miała siedem lub osiem lat. Była bosa, ubrana w cienki dres, za mały o jeden rozmiar. Cała się trzęsła, a ja nie mogłem pozbyć się myśli, że jej łzy mają więcej uroku niż perły. Byłem poruszony, zdjąłem marynarkę i otuliłem nią małą. To była Hayal, córka Devrana, śniada dziewczynka o oliwkowych oczach. Jej świętej pamięci ojciec często przyprowadzał ją do bufetu. Słodka i pełna wdzięku, kiedy tylko mnie widziała, podbiegała i czepiała się mojej nogi. Dwa lata temu, gdy byłem w Nowym Jorku, Devran zmarł na nowotwór. Wdowa ponownie wyszła za mąż, za znajomego Devrana, którego ten nazywał odszczepieńcem. Od Hayal usłyszałem, że ojczym wyrzucił ją z domu zaraz po tym, jak wczoraj jej matka zmarła w szpitalu.

Choć wiedziałem, że nikt się nie odezwie, kilkakrotnie wcisnąłem przycisk dzwonka do mieszkania tego parszywca. Następnie zwróciłem się do Hayal, która nadal cała dygotała:

– Kochanie, tę noc spędzisz u nas, a jutro, jak Bóg da, uwolnisz się od tego alkoholika.

Wziąłem ją na plecy. Łkała jeszcze przez jakiś czas, a potem zasnęła. Ciepło jej ciała i bicie malutkiego serca sprawiły, że nie wytrzymałem i z moich oczu popłynęły łzy. Byłem bumelantem jakich mało i dotychczas nikomu nie wyświadczyłem żadnej przysługi. Matka o niespodziance dowiedziała się, oglądając w telewizji program rozrywkowy.

– Akile, od dzisiaj ta księżniczka jest naszą siostrą – powiedziałem.

Nazajutrz po południu pochowaliśmy z Iskenderem Abi matkę Hayal. Jej ojczym za stosowną opłatą miał przekazać nam władzę rodzicielską i opuścić Galatę.

Hayal okazała się bystra jak jej ojciec. Traumę pokonała bez pomocy psychologa. Wyrosła na mądrą i atrakcyjną dziewczynę. Chciała uczyć się w liceum austriackim, a w przyszłości zostać pediatrą. Robi sobie przedziałek pośrodku, bo wie, że tak lubię. Babcię nazywa hadżi babcią, a moją matkę – mamą Akile. Hadżi babcię zabiera na grób dziadka, do źródeł termalnych w Gönen oraz do jej siostry mieszkającej w Artvinie. Czy tradycja czyha na człowieka, gdy ten jest jeszcze w kołysce? Hayal wierzy, że dopóki się nie ożenię, na nią też nie przyjdzie kolej.

– Mamo Akile, czy przez brata mam zostać starą panną? – utyskuje.

Przez cztery lata mieszkałem w budynku sąsiadującym z Muzeum Brytyjskim. Na uczelnię chodziłem pieszo i zajmowało mi to piętnaście minut. Ceglasty budynek przypominał od frontu budowlę z klocków Lego. Dopiero gdy się wprowadziłem, zauważyłem powieszoną w holu tablicę upamiętniającą fakt, że żył tam noblista Bertrand Russell. Z okazji święta Kurban Bajram mama i Hayal złożyły mi wizytę. Hayal uparła się, żebym zabrał ją do londyńskiego zoo. Wcześniej nie byłem nawet w cyrku, gdyż uważałem, że to symbol niewoli. Czy śniłem, stojąc przed wybiegiem dla lwów? Była tam młoda lwica. Nasze spojrzenia się spotkały. Cierpliwie zmierzyliśmy się wzrokiem, po czym lwica podeszła do kraty i wyciągnęła w moją stronę łeb, jakby chciała, żebym ją pogłaskał. Jej rodzina rzucała w moją stronę empatyczne spojrzenia i sprawiała wrażenie, jakby czekała, żebym dał im sygnał do ataku. Tygrysy i pantery z oddali przesyłały pozdrowienia, machając do mnie ogonami. W następnym miesiącu ponownie odwiedziłem zoo. I tym razem zostałem uprzejmie powitany. Szlachetne koty już na pierwszy rzut oka poznają się na swoim naturalnym przyjacielu, pomyślałem i z tęsknotą wspomniałem Tristana.

Od sześciu lat dwa dni w tygodniu prowadzę wykłady na Uniwersytecie Bosforskim. Gdy w zeszłym roku uzyskałem stopień docenta, babcia zapytała:

– A co to takiego?

– Jeśli profesor to jakby generał, można powiedzieć, że jestem pułkownikiem – wyjaśniłem jej.

– No to gratuluję – odparła

Raz w tygodniu zacząłem też chodzić na Uniwersytet im. Kadira Hasa. Nigdy się nie nudzę, podążając pieszo do nostalgicznego budynku nad Złotym Rogiem. Gdy studenci, którzy tracą swoją niewinność, jak tylko zaczynają zarabiać pieniądze, zwracają się do mnie per *hodża*, robi mi się cieplej na sercu. Poza tym czytam poezję, studiuję semiologię, gram w szachy lub rozwiązuję sudoku. Kiedy nieopatrznie udaję się do miasta, monstrualne wieżowce wzbudzają we mnie lęk, a gdy widzę poubieranych w dżinsy ludzi, którzy niczym roboty są w nieustannym pędzie, odczuwam smutek. Tak jak wyjawiłem to kiedyś Tristanowi, gotów jestem stanąć do walki przy boku porządnego lidera, który uchroni kraj przed przemianą w Płycistan. Innego powodu, dla którego miałbym opuścić Galatę, nie znalazłem.

Tego lata, gdy po raz pierwszy przyleciałem z Nowego Jorku, wprowadziłem się do mieszkania, które moja matka trzymała puste, i w ten sposób zostałem bezpośrednim sąsiadem babci. Mieszkanie umeblowałem antykami pochodzącymi z rezydencji w Galacie. Biurko, sfatygowany fotel, stoliki kawowe i popiersia są członkami mojej rodziny. Kiedy Eugenio usłyszał, że przedstawiłem je Tristanowi, powiedział: „Jesteś jedynym animistą, jakiego znam". W salonie, w pustych miejscach między regałami na książki, porozwieszałem mapy. Spośród wszystkich dzieł, o których nawet babcia nie wiedziała, po którym dziadku bądź pradziadku nam zostały, najbardziej intrygująca była mapa rytowana, którą w szesnastym wieku sporządził Sebastian Münster. Dokument, porównywany przez Hayal do jednostronicowego komiksu, ukazywał Stambuł i Galatę z czasów sprzed podboju. Z mapy nie wynika jasno, z ilu stron nasza dzielnica otoczona była murami obronnymi, a sąsiadująca z akweduktem wieża przypomina nafaszerowaną hormonami latarnię morską.

Za pieniądze, które wyłudzałem od matki, twierdząc, że są na podręczniki, kupiłem wiele zabytkowych atlasów. Aby móc je dokładnie przestudiować, uczęszczałem na kursy łaciny. Nie było na tych mapach ani jednego miasta, którego nazwa nie brzmiałaby poetycko. Analizowałem je litera po literze, a one pozwalały mi przekraczać swoje mury. Zabierały mnie na pouczające wędrówki, jakby ktoś chciał, żebym dogłębnie doświadczył wszystkiego, co spotkało ludzkość z powodu błędów jednostek. Ja zaś, mówiąc w sześciu językach: „Przecież ze mnie taka niedorajda", sprawiałem im przykrość.

Matka Alberta, chcąc rozjaśnić synowi umysł, codziennie zmuszała go do półgodzinnego słuchania muzyki klasycznej, lecz mimo to Alberto ściągał ode mnie przy każdej sposobności. Dla mnie muzyka klasyczna była jak bukiet władczych kołysanek, a muzyka pop kojarzyła mi się z warzywną potrawką w puszce. Większość sklepów muzycznych mieściła się na ulicy Galipa Dede, łączącej Galatę z ulicą Istiklâl. Hayal, której powiedziałem, że zawsze szybko między nimi przemykam, gdyż znajdujące się w witrynie instrumenty ciskają we mnie antymuzycznymi nutami, zapytała:

– Bracie, czy wzbudzając mój śmiech, próbujesz jednocześnie skłonić mnie do myślenia?

Nutami mojej muzyki są szum wiatru krążącego w zamkniętym obiegu labiryntu naszej ulicy, krzyki mew, odgłosy statków, melodia ezanu*, bicie dzwonów, śmiech małej dziewczynki; dźwięki naturalne i tworzone bezinteresownie. Gdy mam ochotę posłuchać symfonii, wybieram się w bardzo długą podróż.

Nasze dochody z czynszów gromadzone są na rachunku bankowym babci. Następnie połowa tego, co zostanie po odliczeniu kosztów, wpłacana jest w lirach na założone dla naszej trójki lokaty terminowe, druga połowa zaś trafia na nie w dolarach. Babcia zabroniła zarówno mnie, jak i matce ruszać tych pieniędzy. Co miesiąc przelewa na moje konto siedem i pół tysiąca dolarów; kwota ta jest wyliczana na podstawie miesięcznego wynagrodzenia premiera. Jestem przekonany, że pensję mojej matki babcia indeksuje według zarobków prezydenta. Gdy Hayal odbiera kieszonkowe, musi w tradycyjny sposób ucałować dłoń babci.

Kolekcjonuję zegary i zegarki, odbywam też podróże tematyczne. Źródłem mojej wolności jest fakt, że nie mam powodu, dla którego musiałbym oszczędzać pieniądze. W latach studenckich do syta zwiedziłem całą Anatolię – zobaczyłem znajdujące się tam twierdze, stare mosty i latarnie morskie. Dla witryn pracowni zegarmistrzowskich udałem się do Genewy, dla orek – do Tarify, dla płaszczek byłem w Ummanie, a na partyjkę szachów z szachistą transwestytą skoczyłem do Odessy. Wszyscy byli zdziwieni, gdy w namibijskim

---

* W islamie wezwanie do modlitwy, melodyjnie recytowane przez muezzina z minaretu.

rezerwacie Harnas podczas pikniku z Marietą i Schalkiem nie rozpoznałem małomównej kobiety z naszej grupy. Marieta i Schalk były na wpół oswojonymi lwami, fiołkowooka kobieta zaś okazała się być gwiazdą Hollywood i nazywała się Angelina Jolie.

Hayal lubi przyglądać się wędkarzom na moście Galata. Gdy jest skłócona z chłopakiem, ja dotrzymuję jej towarzystwa. Zgodnie z tym, o czym informują proporce rozwieszone przez radnych na filarach mostu, dzisiaj, to jest dwudziestego dziewiątego maja 2008 roku, przypada pięćset pięćdziesiąta piąta rocznica zdobycia Stambułu! Czyli jutro będę miał trzydzieści trzy lata. Te tradycyjne proporce przypominają mi o urodzinach, których nigdy nie świętowałem. Oscar Wilde powiedział: „Po dwudziestym piątym roku życia wszyscy są w tym samym wieku".

Powinienem znaleźć jakąś budkę i zadzwonić do madame Olgi, która znała mnie jako Engina z Galaty. Emerytowana Olga mówiła do mnie „Mój sułtanie", ale nie dlatego, że uprawiam seks z dwoma dziewczynami naraz, lecz ponieważ czytałem jej poezję Josifa Brodskiego, pochodzącego z tego samego miasta co ona.

BETA

Gdy rozpoczynałem pracę wykładowcy, Eugenio powiedział: „Twoi studenci to świeczki powierzone twojej opiece, pamiętaj o tym".

Zrobiłem coś więcej: w ich drżącym płomieniu ogrzewałem swoje wnętrze. Na zajęciach nie stwarzałem stresującej atmosfery, a kiedy zaistniała taka potrzeba, zostawałem powiernikiem tych młodych ludzi. Raz do roku przyjmuję ich w Galacie i oprowadzam po labiryncie dzielnicy. Mam studentki piszące do mnie listy miłosne i studentów, którzy mając na względzie moje zamiłowanie do poezji, typują dla mnie dziewczyny z Wydziału Literatury. Jestem świadomy tego, że dzięki moim nietypowym podróżom cieszę się respektem.

Piętnastego czerwca 2008 roku miałem w planach wylot do stolicy Erytrei. Chciałem zapoznać się z minimalistyczną architekturą Asmary i rozegrać partyjkę szachów z Leo Punto, który osiedlił się w tym mieście ze względu na jego piękną nazwę. Następnie, spotkawszy się w Dar es Salaam z moim przyjacielem ze studiów doktoranckich Jamesem Hillem, razem, jadąc przez Serengeti, mieliśmy udać się na podbój Kilimandżaro.

Kiedy jednak piątego czerwca otwierałem dostarczoną przez kuriera kopertę, zawładnęło mną przeczucie, że nie będę mógł wyjechać do Asmary. Treść zaproszenia widniejącego na fioletowym papierze, jaki wypadł z koperty, była dość osobliwa:

Wielce Szanowny Panie,
jestem przyjacielem Pańskiego świętej pamięci dziadka. Chciał-
bym spotkać się z Panem jutro o godzinie 14:00 w hotelu Four
Seasons na placu Sultanahmet. Idąc na spotkanie, proszę zabrać
ze sobą znajdującą się w Pańskim domu mapę Christophora de
Bondelmontibusa, pamiętając, by nie wyjmować jej z ram. Nie
mam propozycji związanej z mapą Konstantynopola, to rzecz
znacznie większej wagi. Mam dla Pana wieści więcej niż po-
myślne.
Mój asystent spotka się z Panem w lobby. Proszę, by nasze
spotkanie pozostało tajemnicą.

Z wyrazami głębokiego szacunku
Nikos Askaris

Dwukrotnie przeczytałem napisaną wiecznym piórem wiadomość. Tym, co wywołało u mnie dreszcz na plecach, był przesadny szacunek rzekomego przyjaciela mojego dziadka; pomyślałem, że może być to oznaką nadchodzącej katorgi. Odkurzyłem mapę, którą duchowny Bondelmontibus z Florencji ukończył w 1422 roku, i zanim położyłem ją na biurku, zaciekawiony, pomyślałem o Askarisie, który nie pominął cyrkumfleksu w moim imieniu. Gdy spojrzałem na rytowaną mapę spoczywającą za matową szybką, mój wzrok padł najpierw na Galatę. Mury obronne otaczające dzielnicę od północy i zachodu okoliły wieżę, jakby tańczyły tradycyjny taniec *halay*. Znajdujące się w pierścieniu murów bizantyjskie zabytki wyglądały na spłoszone niczym rozrzucone po szachownicy pionki. Zadzwoniłem do hotelu, prosząc, by połączono mnie z Nikosem Askarisem. Odebrał mężczyzna o cienkim głosie.

– Dzwonię, aby mieć pewność, że nie zaproponuje mi pan nic niezgodnego z prawem – powiedziałem.

Askaris, który swoją pozbawioną obcego akcentu tureczczyzną poprawnie wypowiedział również drugą sylabę mojego imienia, odparł:

– Proszę się nie obawiać.

A ja poczułem ulgę. Starannie owinąłem niedużych rozmiarów mapę i przygotowałem się na spotkanie. Zaniechałem dzwonienia do madame Olgi; nabrałem nieodpartej ochoty na Jorgosa Seferisa. Wyjąłem z biblioteczki zbiór wszystkich jego wierszy i zacząłem czytać je losowo:

Czego tu szukasz, mój stary przyjacielu?
Po latach spędzonych w oddaleniu przybywasz,
niosąc ze sobą wspomnienia,
któreś przechowywał pod obcym niebem,
z dala od swej ziemi.*

Ilekroć schodzę na plac Sultanahmet, każdorazowo wysiadam na innym przystanku tunelu czasu. Tym razem znalazłem się w samym sercu wrzawy bizantyjskiego hipodromu. Fanatyczne okrzyki dopingującej publiczności towarzyszyły mi aż do chwili, gdy dotarłem do Błękitnego Meczetu...

Hotel Four Seasons zdawał się czatować na skraju placu. Budynek, który w zeszłym stuleciu wybudowany został jako gmach użyteczności publicznej, swego czasu zasłynął jako więzienie dla skazanych za przestępstwa polityczne.

Gdy wszedłem do cichego lobby, wyrósł przede mną brodaty, dobrze zbudowany mężczyzna.

---

* Fragment wiersza Jorgosa Seferisa w przekładzie Arkadiusza Nakoniecznika, zaczerpnięty z powieści Stephena Kinga *Miasteczko Salem*.

– Witam pana, jestem Theo Pappas. Pozwoli pan, że zaprowadzę go do pana Askarisa – powiedział bliską poprawnej tureczczyzną.

Krocząc za wyglądającym na około czterdzieści lat i mającym pulchne policzki Theo, pomyślałem, że w jego posturze jest zarówno coś z duchownego, jak i z szefa ochrony. Zadbany dziedziniec, którym przeszliśmy, niegdyś był zapewne spacerniakiem.

– Apartament pana Askarisa był podobno gabinetem naczelnika więzienia – oznajmił Theo, uśmiechając się.

Nikos Askaris wyglądał na sześćdziesiąt lat i był brodatym, nieurodziwym mężczyzną drobnej postury; miałem wrażenie, że ma na twarzy maskę. (Ciekaw byłem jego atutów, które przyćmią brak walorów zewnętrznych). W przestronnym pokoju przebywał jeszcze drugi asystent, Kalligas, rudobrody mężczyzna w okularach. Brody i garnitury, jakie mieli na sobie, były ich wspólną cechą; mógłbym iść o zakład, że pracowali dla kościoła lub jakiejś fundacji. Na biurku leżały dwie paczki. Położyłem obok nich torbę z mapą. Poprosiłem o białe wino z minibaru. Askaris wziął dla siebie wodę gazowaną i zaprosił mnie do stołu. Pappas i Kalligas przysunęli dwa krzesła i usadowili się za jego plecami. Wyglądający na trzydzieści pięć lat Kalligas mówił płynnie po turecku i dość szybko przywykłem do wysiłków, jakie czynił, aby nie dopuścić się wobec mnie nietaktu.

– Zanim przejdę do meritum, pozwoli pan, że zadam mu pytanie. Jak w dwóch zdaniach zdefiniowałby pan Bizancjum? – zapytał Askaris.

– Niegdyś Bizancjum było synonimem intrygi, ale z czasem wizerunek ten uległ zmianie. Sądzę, że Bizancjum, które łączy Zachód ze Wschodem, stało się najważniejszą cywilizacją swojej epoki, dając podwaliny renesansu.

– Świetnie pan to ujął! Należy również dodać, że de facto żadne cesarstwo poza Bizancjum nie przetrwało tysiąca stu lat. Władza w Bizancjum nie musiała przechodzić z ojca na najstarszego syna.

Przewidziano dość elastyczny proces elekcyjny, ze względu zaś na wynikające z tego zawikłania dochodziło do krwawych konfliktów. Lecz czy podobne problemy nie istniały w starożytnej Grecji i Rzymie? Brakuje historycznych źródeł, gdyż wówczas komunikacja i przekaz nie były tam tak rozwinięte jak w Bizancjum.

Potęga Bizancjum ma swój początek w pretensjach, jakie cesarstwo rościło do cywilizacji greckiej i rzymskiej, których było naturalnym spadkobiercą. Jak pan raczył zauważyć, dziedzictwo to zostało wzbogacone o retusze ze Wschodu.

Bizancjum dało podwaliny pod modernizm. Zainicjowało publiczną i społeczną instytucjonalizację. Armia zdyscyplinowała struktury edukacyjne, finansowe, prawne i teologiczne. Sport i rozrywkę uczyniono stałymi elementami życia. W celu podwyższenia jego jakości zreformowano służbę zdrowia, urbanistykę, rzemiosło, modę, jubilerstwo, savoir-vivre. Jako państwo przywódcze poprzez naukę, kulturę i sztukę Bizancjum wywarło duży wpływ na sąsiednie kraje. Sam pan również podkreślił, że bizantyjscy mentorzy, którzy rozpierzchli się po Europie po upadku Konstantynopola, byli swoistym *spiritus movens* renesansowych przemian.

Przez wieki średnie to Wschód przewyższał Zachód pod względem wielkości armii. Zapobiegając przedostaniu się wschodnich wojsk na obszar Europy, Bizancjum ocaliło przyszłość tego nieprzygotowanego na atak kontynentu. Reasumując, Bizancjum było kluczową cywilizacją w historii, i jeśli człowiek miałby modlić się w podzięce za dobra, które posiada, słowo „Bizancjum" powinno znaleźć się zaraz po Bogu, wyprzedzając Jezusa.

To, że Askaris był „amigo Bizancjum", nie zrobiło na mnie wrażenia. Zanim wysłuchałem związanego z tematem naszego spotkania dalszego ciągu jego monologu, przyhamowałem go nieco, prosząc o jeszcze jeden kieliszek białego wina. Ciekaw byłem propozycji, jaką zamierza mi złożyć, choć wiedziałem, że na nią nie przystanę. Moja swoboda i spokój zapewne zaskoczyły ekipę. Najbardziej jednak interesowało mnie, jak to możliwe, że ci trzej przynudzający Grecy tak płynnie mówią po turecku.

Askaris i pozostali ponownie zajęli swoje miejsca, po czym mężczyzna o końskiej twarzy cienkim głosem kontynuował swój wywód.

– Przez jedenaście wieków Bizancjum rządziły trzy dynastie. Za panowania Paleologów, czyli ostatniej z nich, władającej cesarstwem od połowy trzynastego do połowy piętnastego wieku, przez sto dziewięćdziesiąt dwa lata na tronie zasiadło w sumie jedenastu cesarzy. Założyciel najdłużej panującej dynastii w najtrudniejszym okresie w historii Bizancjum Michał Paleolog wywodził się z arystokratycznej rodziny. Jego nazwisko dosłownie oznacza „prastare słowo" i wskazuje na głębokie korzenie rodu. Mając na względzie panujące wówczas warunki, można uznać, że dynastia wykazała się wielkimi umiejętnościami w sprawowaniu władzy. Gdy w tysiąc czterysta czterdziestym dziewiątym roku ostatni cesarz Konstantyn Jedenasty zasiadł na tronie, miał czterdzieści pięć lat. Był władcą godnym naśladowania, zaakceptowanym przez armię i społeczeństwo. Kiedy odrzucił propozycję sułtana Mehmeda Drugiego, który zażądał oddania mu stolicy, drugiego kwietnia tysiąc czterysta pięćdziesiątego trzeciego roku osiemdziesięciotysięczna armia osmańska obległa Konstantynopol. W szeregach armii bizantyjskiej, która miała bronić sześćdziesięciotysięcznego miasta, znajdowało się około siedmiu tysięcy żołnierzy. Cesarz pokładał nadzieje w murach obronnych, których od ośmiuset lat nie udało się sforsować okupantom, oraz we wsparciu ze strony papieża Mikołaja Piątego i przychylnych mu europejskich królów. Pomoc, jaka nadeszła podczas trwającego pięćdziesiąt pięć dni oblężenia, była symboliczna i spóźniona. Można powiedzieć, że papież zadał nieuznającemu jego zwierzchnictwa prawosławnemu Bizancjum cios w plecy.

W słabnącej armii oraz niedożywionym ludzie narastał niepokój. Konstantyn społeczeństwo zwodził obietnicami, a przetapiając znajdujące się w świątyniach metalowe przedmioty, na czas wypłacał żołnierzom należny żołd. Lecz nadzwyczajne wysiłki cesarza nie wystarczyły. Dwudziestego dziewiątego maja tysiąc czterysta pięćdziesiątego trzeciego roku Konstantynopol upadł! Po mieście obwożono odziane w szaty cesarskie ciało ze zmasakrowaną twarzą, głosząc, że to zwłoki Konstantyna Jedenastego. Jednak pięćdziesiąt trzy tysiące cywili i żołnierzy, którzy trafili do niewoli osmańskiej, przekonane było, że ciało nie należy do ich władcy. Większość z nich wierzyła, że cesarz ukrył się w murach obronnych, by opuścić je w dniu wyzwolenia miasta.

Jerzy Sfrantzes napisał, że Konstantyn Jedenasty zmarł podczas walki stoczonej w obronie murów, a twierdzenie to zyskało charakter informacji oficjalnej. Dziejopis ten podał też, że armia osmańska przybyła na oblężenie miasta z dwustoma tysiącami żołnierzy. Urodzony w tysiąc czterysta pierwszym roku Sfrantzes był równocześnie powiernikiem, swatem i prywatnym asystentem cesarza. Historyk Nicola della Tuccia, poeta Abraham z Angory oraz biskup bizantyjski Samile pisali, że cesarz zbiegł drogą morską.

W czasie oblężenia Konstantyn Jedenasty miał czterdzieści dziewięć lat. Jeśli wziąć pod uwagę średnią długość życia w tamtej epoce, cesarz nie mógł być silniejszy niż obecnie siedemdziesięciopięcioletni dziadek. Nie był w stanie stanąć do walki na miecze z żołnierzami armii osmańskiej, ale zrobił coś więcej. Wraz ze sztabem oficerów na liczących siedem kilometrów murach obronnych koordynował działania swojej armii stawiającej czynny opór wrogom. Kiedy zajęcie miasta przez Osmanów było już tylko kwestią czasu, najbliżsi cesarza błagali go, by wycofał się na Moreę, gdzie, podobnie jak założyciel dynastii Michał, miałby spędzić pewien czas na uchodźstwie, po czym ponownie objąć tron, gdy powstałyby ku temu odpowiednie warunki. Nie mogąc patrzeć na dziesiątkowaną armię ani przyjąć uwłaczających honorowi cesarza propozycji, Konstantyn doznał załamania nerwowego i zemdlał. W jego szaty odziano zwłoki oficera ze zmasakrowaną twarzą, on sam zaś po tym, jak skrępowano mu ręce i zasłonięto oczy, został wsadzony na pokład ostatniego genueńskiego statku opuszczającego miasto. Kronikarzom umknął fakt, że w rzeczywistości cesarz został uprowadzony.

Na liście pasażerów statku znajdowało się sześciu Paleologów, dwóch Kantakuzenów, dwóch Komnenów, dwóch Laskarysów i dwóch Notarasów. Megaduks Łukasz Notaras był pierwszym ministrem w pałacu cesarskim. Choć zarówno Notaras, jak i Sfrantzes byli zięciami Paleologów, nie darzyli się sympatią. Notaras był tajemniczym mężem stanu; miał obywatelstwo Genui i Wenecji oraz posiadał wielki majątek ulokowany w tamtejszych bankach.

Z racji tego, że sułtan darował życie arystokratom, Notaras i Sfrantzes oddali się w ręce Osmanów. Tydzień po upadku Konstantynopola Notaras z nieznanych przyczyn został zamordowany, Sfrantzes zaś znalazł schronienie w Mistrze, będącej ostatnim należącym do cesarstwa terytorium.

Powróćmy jednak do kwestii genueńskiego statku. Wedle relacji kapitana Zorziego Dorii uciekinierzy z Bizancjum opuścili pokład na Chios i Krecie. Stamtąd rozpierzchli się po Morei, Korfu i różnych włoskich miastach. Konstantyn wraz ze swymi krewnymi oraz córką i siostrą Łukasza Notarasa w pierwszej kolejności udali się do Wenecji. Tam cesarz przelał na konta swych krewnych zdeponowany na rachunkach rodziny Notaras, lecz należący do niego majątek.

Po tej operacji stopa Konstantyna nie stanęła więcej w Wenecji ani w Genui. Żył, ukrywając się w różnych włoskich miastach. Posługiwał się nazwiskiem swojej matki (Dragasz). Poślubił pochodzącą z arystokratycznego rodu wdowę z Rawenny, a urodzonej z tego związku córce nadał imię swej matki (Helena). Prawdziwą tożsamość ukrywał przed wszystkimi. Jego żona miała go za podstarzałego bizantyjskiego księcia. Poprzednie małżeństwa cesarza nie trwały długo. Obie pechowe cesarzowe, które były Włoszkami, zmarły przedwcześnie. Konstantyn żył jeszcze dwadzieścia dwa lata, tłumiąc w sobie depresję; umarł w wieku siedemdziesięciu jeden lat. Wiedział, że nigdy nie wróci do Konstantynopola, lecz nie spoczął na laurach i przygotował listę zemsty. Europa, pozostawiając Bizancjum samemu sobie w walce z Osmanami, dopuściła się niewybaczalnej zdrady wobec cesarstwa, które broniło jej przed azjatyckimi barbarzyńcami. Nie jestem kompetentny, by przedstawić panu szczegółowe informacje związane z tą listą. Mogę podać jednak dwa przykłady. Śmierć wyklętego przez Bizancjum papieża, zmarłego w wieku pięćdziesięciu ośmiu lat, wywołała szok. Mikołaj Piąty nie miał problemów ze zdrowiem i nigdy poważnie nie chorował. Mówi się, że chcąc ukryć fakt, iż został otruty, ogłoszono, że przyczyną jego śmierci była podagra. Gdy w tysiąc czterysta osiemdziesiątym pierwszym roku zmarł czterdziestodziewięcioletni wówczas sułtan Mehmed Zdobywca, historycy odnotowali te same przyczyny śmierci: podagra lub otrucie. Na Wschodzie mówi się, że otruli go chrześcijanie, na Zachodzie zaś, że został otruty z rozkazu swojego syna Bajazyda Drugiego. Ja sądzę, że były to dwa pierwsze nazwiska na liście zemsty.

Konstantyn nie spotkał się więcej ze Sfrantzesem, być może chciał uniknąć ryzyka. Jego powiernik przed śmiercią w tysiąc czterysta siedemdziesiątym siódmym roku schronił się w klasztorze na Korfu. Trzech znajdujących się na statku możnych do końca służyło cesarzowi. Gdy w tysiąc czterysta siedemdziesiątym piątym roku Konstantyn zmarł, im właśnie został powierzony cesarski majątek i tron na uchodźstwie. Oni również są założycielami tajnej organizacji Nomophylax (Nomo), której nazwę przetłumaczyć można jako Strażnicy Prawa. Pomnożyli powierzony im majątek, a polecenia z listy wypełniali pozycja po pozycji.

Massimo d'Urbino, jedyny wnuk cesarza, był ambitnym kupcem. Na Wschodzie nie było portu, do którego by nie zawinął. Poślubiwszy

Greczynkę z Izmiru, w tysiąc pięćset trzecim roku osiedlił się w Stambule. Jedyna córka d'Urbino Irene poślubiła syna paszy i gdy przeszła na islam, zmieniając przy tym imię na Emine, obowiązek podtrzymania Cesarstwa Bizantyjskiego na uchodźstwie przypadł Osmanom. Rolą Nomo był wybór cesarza z rodu Emine. Życzeniem Konstantyna było, aby misję wyznaczoną w liście zemsty wypełniali jego wybitni potomkowie. Stąd też, jeśli cesarz elekt nie został uznany za jednostkę wybitną, nie przydzielano mu tego zadania.

Nomo działa już od pięciuset trzydziestu trzech lat, a bizantyjski tron na uchodźstwie nigdy nie pozostał pusty. Cesarz składa przysięgę milczenia, swej tajemnicy nie może zaś wyjawić nawet własnej małżonce. Karą za zdradę jest... śmierć!

Askaris zrobił pauzę, by wybadać moją reakcję. Musiałem mieć jednak wyraz twarzy znużonego scenariuszem aktora, gdyż poprosił o zgodę na otwarcie torby, którą ze sobą przyniosłem. Z niepokojem przyglądałem się, jak wyjmuje pincetę. Przytknął ją do punktu w rogu mapy, a wtedy spodnia część metalowej ramy się rozpołowiła. Zmrużył oczy i miałem wrażenie, że zaczął odmawiać modlitwę; byłem pewien, że nie zarejestrowałby w tym momencie żadnego mojego ruchu. Spomiędzy pleców ramy i mapy bardzo ostrożnie wyciągnął kawałek papieru. Czy na kwadratowej kartce widniała połowa portretu? Mój wzrok napotkał spojrzenie brodatego mężczyzny o podłużnej twarzy. Na jego hełmie znajdował się dwugłowy orzeł; jego wysokość zdawał się czekać na natchnienie, by kogoś zbesztać. Askaris tymczasem z leżącego na stole fioletowego pokrowca wyjął jeszcze jedną mapę. W ten sam sposób wydobył z niej kawałek papieru i przyłożył do tego pierwszego. Teraz portret obejmował całość: od głowy po zdobiony pas, a jego wysokość wyciągał ramiona, jakby błagał o pomoc.

Askaris i jego dwaj asystenci nagle zerwali się z miejsc i przyjmując zasadniczą postawę, spuścili wzrok. Askaris rzekł:

– Czcigodny panie, to rycina przedstawiająca ostatniego cesarza Bizancjum Konstantyna Jedenastego Paleologa zwanego Dragazesem... Pan zaś jest jego ostatnim potomkiem, a co za tym idzie, cesarzem Bizancjum na uchodźstwie Konstantynem Piętnastym Paleologiem...

Poczułem, jak opieram się łokciami o blat stołu. Nie kazałem facetowi z aparycją sowy powtarzać ostatniego – wystarczająco przerażającego – zdania. Mój mózg zalewały strumienie sygnałów wysyłanych z każdej komórki ciała. Czy nagle miała mnie rozboleć głowa, a na języku pojawić się afta? Musiałem być ofiarą swego rodzaju zorganizowanej pomyłki. Poprosiłem, by trzej mężczyźni, którzy sterczeli przede mną niczym ochroniarze, usiedli.

– Ciekaw jestem, jakie ma pan dowody oraz jak to możliwe, że tak perfekcyjnie mówi pan po turecku, choć Turkiem nie jest – powiedziałem.

Askaris zachłannie pochylił się nad stołem. Z leżącej tam skórzanej torby wyjął fioletowy album i przysunął się do mnie. Na ceremonialnie przewracanych stronicach znajdowały się grawiury bądź ryciny przedstawiające jedenaście osób, począwszy od d'Urbino, a skończywszy na mnie. Każdą z nich Askaris opatrywał komentarzem biograficznym, który zapominałem, jak tylko przewracał stronę. Jedyną korzyścią, jaką miałem z tego seansu, była informacja, że w Trabzonie osiedliliśmy się w osiemnastym wieku. Im dłużej sowogłowy mówił, tym bardziej moje szanse na wyłapanie błędu malały. Dokonałem szybkiego podsumowania ciągu zdarzeń. Kiedy w życie weszła ustawa o nadawaniu nazwisk, mój dziadek wybrał to najbliższe naszemu statusowi (Asil – Szlachetny). Poza moim imiennikiem wszystkim pradziadkom nadawano imiona będące w islamie odpowiednikiem imienia cesarza bizantyjskiego (Yahya: Jan / Mikail: Michał / Ishak: Izaak / Rumi: Roman). Już chciałem zażartować, że w procedurze tej nie pominięto również mojej matki (Akile: Zofia), lecz pewien fakt zaprzątnął mi myśli. Gdy po moim dziadku Yahyi Asilu przyszła kolej na mnie, byłem niemowlęciem, i odczekano aż trzydzieści lat, by wyjawić mi prawdę. Po mojej głowie, niczym odpowiedzi testu wielokrotnego wyboru, zaczęły krążyć najbardziej dramatyczne scenariusze. Kiedy poprosiłem o informację na temat Nomo, Nikos Askaris zmarszczył czoło.

– Misję kontynuowali wnukowie trzech arystokratów będących założycielami organizacji. Zwierzchnictwo w Nomo przechodziło zazwyczaj z ojca na syna; jeśli zaś ktoś nie miał potomka, adoptował dziecko. Nawet ich małżonki miały swych mężów jedynie za zamożnych inwestorów. W zarządzie organizacji zasiadały zawsze trzy osoby i nigdy nie dochodziło do waśni.

Pomnażając powierzony im majątek, nigdy nie dopuścili się malwersacji czy niepotrzebnego ryzyka. Nie wiadomo, ile miliardów dolarów osiągnął budżet Nomo, mówi się jednak, że organizacja nie inwestuje w nieruchomości ani akcje. Tajemnicą jest również miejsce pobytu członków Nomo oraz to, gdzie i w jaki sposób zwołują zgromadzenia. Obserwują wybranych cesarzy, lecz spotykają się jedynie z tymi, których uważają za wybitnych. Polecenia przekazuje mi osoba kryjąca twarz pod makijażem. Możliwe, że ona także nie ma bezpośredniego kontaktu z członkami Nomo. Obecność tutaj zawdzięczam znajomości tureckiego. Nic więcej nie mogę powiedzieć. Z pewnością zdaje pan sobie sprawę z tego, że wypełniając misję, nie podajemy naszych prawdziwych nazwisk.

Możemy pokazać panu kopię testamentu podpisanego i złożonego na ręce Nomo przez pańskiego pradziada. W prawym dolnym rogu mapy, którą pan przyniósł, widnieje taka sama sygnatura. Gdy złoży pan przysięgę i zostanie koronowany na cesarza, zostanie panu powierzona szczególna misja.

– Nawet jeśli uwierzę, że moim przodkiem był Massimo d'Urbino, nie dowodzi to faktu, że jestem praprawnukiem cesarza!

– W testamencie zawarte są wskazówki, które można by traktować jak dowód. Prawdą jest jednak, że na tym etapie nie będzie pan mógł ich zgłębić. Jeżeli dojdzie do pańskiego spotkania z Nomo, być może przedstawią panu nawet dowód w postaci wyników testu DNA. Zdaje się, że aby do tego doszło, musi pan zdać egzamin. Za pańskim pozwoleniem będziemy do pana dyspozycji w czasie przygotowań. To punkt przełomowy dla naszej historii. Nadszedł czas na wykonanie ostatniego polecenia z listy Konstantyna Jedenastego. Gdy misja zostanie wypełniona, a wielki egzamin zdany, wówczas pan i członkowie Nomo podejmiecie decyzję co do przyszłości organizacji. Ponoć może się to skończyć rozwiązaniem Nomo...

– Najpierw chciałbym poznać powód, dla którego to ja zostałem wybrany do sfinalizowania misji, oraz dowiedzieć się, dlaczego dopiero teraz zostało mi to obwieszczone.

Uświadomiłem sobie, że Askaris i jego asystenci w jednej chwili poczuli ulgę, a to oznaczało, że zadałem im pytanie, którego oczekiwali. Kalligas, który otrzymał zgodę na udzielenie mi odpowiedzi, skojarzył mi się z pełnym dylematów rabinem z kina artystycznego. Jego ruda broda mogła być sztuczna i korciło mnie, by za nią pociągnąć.

– Choć Bizancjum inspirowało się Wschodem, nigdy nie wyrzekło się wierzeń z epoki politeizmu. Z respektem odnoszono się do tajemnych mocy. Proszę zauważyć, że istniejącym przez jedenaście wieków Bizancjum rządziło jedenaście dynastii, a ostatnia z nich wydała jedenastu cesarzy; pan zaś jest kandydatem do tytułu jedenastego cesarza na uchodźstwie... Symbolem Bizancjum jest dwugłowy orzeł, co odpowiada liczbie jedenaście; jedenastka symbolizuje przywództwo i jedność... Straciliśmy Konstantynopol dwudziestego dziewiątego maja; pan urodził się trzydziestego maja nad ranem; nie było dotąd cesarza, który przyszedł na świat w tak znaczącym dniu... Pięć oznacza cel; obchodzimy pięćset pięćdziesiątą piątą rocznicę utraty Konstantynopola... Trójka zwiastuje wytchnienie, a pan właśnie skończył trzydzieści trzy lata...

Podam przykłady z pańskiego życiorysu. Mimo zatargów w rodzinie nie dorastał pan jako trudne dziecko. Był pan uczniem pilnym, uczciwym i lubianym. Pasmo sukcesów ciągnęło się za panem również w czasie studiów na światowej renomy uczelniach. Jest pan władającym pięcioma językami intelektualistą, estetą i altruistą, a do tego jest pan taktowny i hojny. Nie próbował pan za wszelką cenę uchylić się od obowiązkowej służby wojskowej; jeśli zajdzie taka potrzeba, odda się pan polityce kraju, którego paszportem się posługuje. Pańska duma nie pozwala panu na spełnianie czyichś poleceń ani na flirtowanie z dziewczętami. Jeśli już, to bierze pan do łóżka dwie dziewczyny naraz. Pańskie spojrzenie wystarczy, by lew zamienił się w potulnego kociaka. Tajemnicza aura wokół pana budzi respekt. Jest pan cesarzem, na którego Bizancjum na uchodźstwie czekało od pięciuset pięćdziesięciu pięciu lat! Dzięki panu dusza pańskiego dziadka, który opuścił ten świat pogrążony w lęku, odzyska spokój. Będziemy zaszczyceni, mogąc tytułować pana naszym władcą.

Nużyły mnie już te pochlebstwa. Uwierzyłem jednak słowom Askarisa i jego asystentów i zacząłem darzyć sympatią organizację, która podążyła mym śladem aż do przybytków rozkoszy. Jako amator zagadek ciekaw byłem czekającego mnie egzaminu, a w szczególności ostatniego punktu testamentu Konstantyna XI. Być może w końcu odnalazłem coś, co wyciągnie mnie z Galaty.

– Moja babcia twierdzi, że człowiek, nawet kupując bieliznę, powinien zastanowić się dwa razy – odparłem i tym stwierdzeniem zakończyłem nasze spotkanie.

Gdy Theo, z całej trójki najbardziej powściągliwy, acz sympatyczny, szykował moją torbę, w jego spojrzeniu było coś z naiwności dziecka ufającego swojemu lekarzowi. Odprowadzili mnie aż do wyjścia. Kiedy przechodziliśmy przez dziedziniec, Askaris powiedział:

– Hotel ten wyrósł na podwalinach Wielkiego Pałacu, Palatium Magnum, którego budowę rozpoczęto w czwartym wieku z rozkazu Konstantyna Pierwszego. W tysiąc dwieście drugim roku łacińscy grabieżcy pod przykrywką wyprawy krzyżowej splądrowali go, a potem podpalili. Umówiliśmy się na spotkanie nazajutrz o tej samej porze. Gdy się żegnaliśmy, wiedziałem, że nie zostanę poproszony o dyskrecję w kwestii dzisiejszej rozmowy.

Będąc dzieckiem, myślałem, że moje ciało powinno być przepołowione, jego prawa strona jest bowiem turecka, a lewa – amerykańska. Kiedy zobaczyłem sąsiadujący z hotelem teren wykopalisk, których celem były ruiny bizantyjskiej budowli, dość żałośnie nawiązałem do dzieciństwa, zastanawiając się, czy teraz od pasa w dół jestem osmański, a tułów mam bizantyjski.

Czy idąc w stronę placu Sultanahmet, zmęczonego serca Bizancjum, stąpałem po polu usianym rozstawionymi przez moich przodków, acz wygasłymi już minami? Gdy z osmańskich meczetów rozległy się nawoływania do modlitwy, spostrzegłem, że teraz mocniej przyciskam do ziemi duże palce u stóp, i uniosłem ramiona. Mijając Sirkeci, udałem się spacerem w stronę mostu Galata.

Krążący w mojej głowie czterowiersz Karacaoğlana przyprawił mnie o dreszcze:

Odszedł z świata tego i sułtan Sulejman,
Góry w gruz się rozpadną dnia pewnego,
Dusze, co sczezły w odwiecznej tułaczce,
Na rozkaz Stwórcy wstaną dnia pewnego.

GAMMA

W CZASACH, GDY STAMBUŁ nie był nawet Konstantynopolem, region ten nazywano Sikodis, co po grecku znaczy „gaj figowy". Zdawało się to dość aluzyjne, biorąc pod uwagę fakt, że do nas należały ostatnie trzy drzewa figowe w Galacie. W przylegającym do kamienicy ogrodzie była też sadzawka; babcia zabroniła mi do niej wchodzić, mówiąc, że przypomina „grobowiec niewiernych". Gdy latem zapach fig wypełniał ulicę, babcia mawiała: „Drzewo płacze, bo nie wydaje owoców". Wciągałem w nozdrza tę woń, a robiąc to, zawsze zamykałem oczy. Kiedy chodziłem do liceum, zapach drzew figowych oznaczał dla mnie tajemnicę.

Ucieszyłem się, gdy wyczytałem, że nasza dzielnica zawdzięcza swą nazwę barbarzyńskim Galatom. Po raz pierwszy usłyszałem wtedy słowo „barbarzyńca", a Galatów miałem za pochodzących od Galów, nigdy niezsiadających z konia walecznych wojowników.

Golibroda Apostol uważał, że w drugiej kolejności po prorokach najbardziej pobożnymi sługami byli cesarze bizantyjscy, którzy chrześcijaństwo uczynili oficjalną religią i ujednolicili Ewangelię. Ilekroć siadałem na jego zabytkowym fotelu, zaciskał ostrza nożyczek na mym uchu i żartował, mówiąc: „O mały włos bym je uciął". Jego synowi udało się go od nas oderwać i zabrać do Salonik dopiero wtedy, gdy

nogi golibrody zaczęły odmawiać mu posłuszeństwa. Apostoł twierdził, że kiedy Bizancjum oddało Galatę Genueńczykom, ogoniasty
wiatr przeleciał nad dachami dzielnicy.

Uliczki Galaty przypominają talię kart, z których każda jest inna.
Celem zanurzenia się w tym labiryncie nie jest wyjście cało w jednym
z jego krańców. Tam każda uliczka jest poetyckim wersem, którego
nie miałem sumienia nauczyć się na pamięć. Zdaniem Tristana Galata i ja byliśmy brakującym rozdziałem w *Podróżach Guliwera*. Zabytkowe kamienice rozpoznawałem po ich westchnieniach, a uliczki
wyłożone kamieniami z murów obronnych co krok całowały me stopy.
Podróż w tunelu czasu rozpoczynałem, głaszcząc poczerniałe mury
Palazzo Comunale z czternastego wieku. Z niepokojem przyglądałem się ceremonialnemu przemarszowi armii mrówek, wychodzącej
spod głównej bramy. Schody Camondo serpentyną zdążające ku ulicy
Bankalar określane są „najbardziej estetycznymi schodami na świecie". Rodzina bankiera Camondo, który szczodrze obdarował Luwr,
ponoć była niegdyś właścicielami naszej kamienicy. Z powodu zyg-
zaków w dzielnicy miastu nie udało się zrównać z ziemią naszych na
wpół opuszczonych, lecz zabytkowych budynków; dla mnie są one
jak arystokracja odziana w tiulowe smokingi lub wytworne suknie.
Tutaj ezan, bicie dzwonów i wrzaski mew z szacunkiem odnoszą się
do naszego współczynnika ciszy. Ilekroć widzę w komiksach statecz-
ne, geometryczne miasta, nabieram ochoty, by późnym popołudniem
wejść w którąś z uliczek Galaty.

Czy sfatygowane budynki tulą się do siebie, by zwierzyć się sobie
z trosk i bolączek? Jeśli ktoś chciałby sprawdzić, jak niewielkim jesteśmy plemieniem, powinien zliczyć pojedyncze mieszkania, w których
pali się światło. Nocą na jaw wychodzi prawda, że w Galacie budynków więcej jest niż ludzi, a ich ranga maleje, w miarę jak oddalają się
od wieży. Ulice, które za dnia nie rozbrzmiewają głosami dzieci, nocą
porzucane są też przez koty. Te opustoszałe pasma stały się moimi

nauczycielami muzyki. Mieszkaniec Galaty posturę ma teatralną (przywykłem już do niej) i może cieszyć się życiem w innej strefie czasowej. Czy żegnałem się z ulicami mojej dzielnicy, oddając się rozmyślaniom? Kiedy przechodziłem przed szpitalem, w którym się urodziłem, miałem wrażenie, że znad mojego karku uniósł się dym i uskrzydlony wzbił się do nieba. Byłem skrępowany tą chwilą, gdyż po Eugeniu to ja miałem zostać Władcą Galaty.

Ilekroć wchodzę na wieżę Galata, mam ochotę melodyjnie wyrecytować długi ezan. Spacerując po balkonie wieży już jako „kandydat na cesarza Bizancjum na uchodźstwie", w żadnym z pięciu znanych mi języków nie odnalazłem przymiotnika, który adekwatnie opisałby moją sytuację. Gdyby Eugenio był na moim miejscu, uniósłby prawą pięść i wygłosił tyradę, zaczynając od słów: „Miasto niewdzięczne, co żeś niegdyś własnością przodków moich było!". Ja zaś skupiłem swoją uwagę na osmańskich meczetach kryjących się za kruchą zasłoną mgły. Kiedy po raz pierwszy, patrząc przez okno naszego salonu, bezbłędnie wymieniłem ich nazwy, babcia dała mi pięćdziesiąt dolarów. Miała sześćdziesiąt lat, gdy dowiedziała się, że jej gruzińscy przodkowie byli nawróconymi na islam neofitami, przez co była wdzięczna losowi, że w drodze małżeństwa trafiła do muzułmańskiego rodu czystej krwi.

Nawet jeśli powierzona mi tajemnica była tylko matactwem, kusiło mnie, by ją zgłębić. Ciekaw byłem ostatniego punktu z testamentu Konstantyna XI i chciałem zdać ten tajemniczy egzamin jedynie po to, by osobiście spotkać się z Nomo. W przeciwnym razie ilekroć siadałbym do szachów, tonąłbym w dylematach. Babcia twierdziła, że istnieje anioł o imieniu Hâtif, którego głos można usłyszeć, choć on sam jest niewidzialny. Lubiłem go ze względu na dwie pierwsze litery jego imienia. Przekonałem sam siebie, że podczas mojej terapeutycznej przechadzki po cylindrycznym balkonie wieży usłyszałem będący mieszanką ludzkiego głosu i śpiewu ptaka dźwięk, który brzmiał jak: „Bądź". Z poczuciem ulgi, jaką dała mi świadomość, że uzyskałem aprobatę czcigodnego Hâtifa, ruszyłem w dół i powróciłem do rzeczywistości.

Zakład fryzjerski Apostola został przerobiony na szpanerski butik. Kiedy go mijałem, podszedłem i pogłaskałem żeliwną klamkę drzwi. Zawsze gdy mył moje włosy, wyczekiwałem, aż powie: „Przystojny to ty nie jesteś, ale twoja twarz, nicponiu, przypomina królewskie popiersia". Oddawał mi połowę kwoty należnej za strzyżenie i mówił: „Kup sobie batona". Byłem jedynym studentem podczas kolacji wydanej na cześć Apostola w wigilię jego wyjazdu do Salonik i recytując wiersz Oktaya Rıfata, wzruszyłem starego fryzjera do łez.

OBUDZIŁ MNIE DŹWIĘK porannego ezanu dobiegający z meczetu Bereketzâde – pierwszej świątyni wybudowanej po zdobyciu Konstantynopola. Gdy usiadłem do komputera, żeby odświeżyć swoją wiedzę na temat Bizancjum, zapomniałem o śniadaniu. Ekipa czekała na mnie w lobby hotelu. Rozdrażniła mnie ich elegancja; wszyscy trzej ubrani byli w czarne garnitury i założyli fioletowe krawaty. (Fiolet był oficjalnym kolorem pałacu władców Bizancjum). Czy to, że przewidzieli moją odpowiedź już w pierwszej rundzie, zaszkodziło mojej reputacji? Kiedy schodziliśmy do znajdującej się piętro niżej sali konferencyjnej, przyszły mi do głowy więzienne wersety; ciekaw byłem, jak smakuje pobyt za kratkami.

Zostałem posadzony na wcześniej przygotowanym fotelu. Askaris i jego dwaj asystenci przedłożyli mi dokumenty napisane po turecku, grecku i łacinie traktujące o mojej nominacji na cesarza Bizancjum na uchodźstwie. Pod tureckim dokumentem widniały trzy sygnatury złożone w imieniu Paleologów, Kantakuzenów i Komnenów. (Dynastia Komnenów panowała w latach 1081–1185, pamiętałem też dwóch cesarzy z dynastii Paleologów noszących nazwisko Kantakuzen).

– Dlaczego Nomo nie zaszczyci nas swoją obecnością podczas tej historycznej chwili? – zapytałem, szykując się do ceremonii zaprzysiężenia i zakładając fioletową pelerynę. – Czyżbyście to wy byli jego członkami?

Pomagający mi się ubrać Pappas nie wytrzymał i się uśmiechnął, lecz Askaris skarcił go wzrokiem, po czym odparł:

– Czcigodny panie, nawet jeśli nas teraz nie obserwują, to z pewnością nas słyszą. Wszystko dla dobra pańskiego i Bizancjum.

Po chwili położyłem prawą dłoń na srebrnej bryle w kształcie półkuli, na której widniało godło Bizancjum, i przysiągłem, że: „Nikomu nie wyjawię mojej tajemnicy… Będę działał w imię najwyższej korzyści Bizancjum…". Ceremonia dobiegła końca, gdy jako Konstantyn XV złożyłem swój podpis pod wszystkimi dekretami. Askaris, Kalligas i Pappas uklękli przede mną na prawe kolano i swoimi chropowatymi głosami zanucili passus brzmieniem przypominający psalm.

Zostałem poinformowany o moich obowiązkach. Po trwającym dwa miesiące szkoleniu na temat „prawdy o Bizancjum" miała się rozpocząć procedura egzaminacyjna. Warunkiem zdania egzaminu było rozszyfrowanie treści ostatniego punktu testamentu Konstantyna XI. Dopiero wówczas miałem spotkać się z Nomo i wypełnić misję do końca. Pokonując przeszkody, spełnię kryterium „wybitności" określone przez mojego prapradziada. Miałem czas do wieczora trzydziestego września 2009 roku.

Do tego momentu musiałem podawać się za badacza ekonomistę pracującego dla londyńskiej instytucji finansowej, a na moje konto co miesiąc miało wpływać trzydzieści tysięcy funtów szterlingów. (Musieli być szanowanymi klientami spółki inwestycyjnej, gdyż nie tylko wiedzieli, że mam konto w Barclay's Bank, ale znali też numer mojego rachunku). Edukację odebrać miałem również w Londynie w Centrum Badań nad Historią Bizancjum. (Zapewne byli jej anonimowymi sponsorami).

Jak ma to miejsce w przypadku każdego fasadowego władcy, na mnie również nałożono ograniczenia: miałem nie pytać o działalność Nomo i moich pradziadów oraz nie zgłębiać życiorysów ekipy.

NA UCZELNIACH, GDZIE wykładałem, wziąłem roczny urlop bezpłatny. O tym, że będę pracował w londyńskiej instytucji finansowej jako ekonomista, w pierwszej kolejności poinformowałem rodzinę. Mama zapytała, jak znalazłem tę posadę. (Za pośrednictwem znajomego z London School of Economics). Wiedziałem, że babcia będzie zachwycona, gdy usłyszy, że moje wynagrodzenie czterokrotnie przewyższy pensję prezydenta.

Podczas wypełniania formularzy aplikacyjnych przyszło mi do głowy, że gdy Kalligas mówił w samych superlatywach o moim życiorysie, nie wspomniał o zamiłowaniu do szachów. Czyżbym w jego oczach nie był dobrym graczem?

DELTA

Byłą to metropolia nie tak stara jak Stambuł ani nie tak młoda jak Nowy Jork. Sporo czasu minęło, nim przywykłem do Londynu, kiedy pojechałem tam jako doktorant. Nazwa dzielnicy Piccadilly brzmiała bardzo melodyjnie, a gmach Royal Academy of Arts przypominał mi seldżucki karawanseraj. Byłem też przekonany, że goście hotelu Le Meridien Piccadilly przybyli do miasta w bardzo ważnych sprawach.

Gdy recepcjonista z Le Meridien dowiedział się, że zatrzymam się w hotelu być może nawet trzy tygodnie, przydzielił mi znajdujący się na ostatnim piętrze apartament o numerze dziewięćset pięć. Spodobał mi się ten pokój przestronny na tyle, by móc w nim gościć dwie prostytutki jednocześnie. Kiedy zbliżyłem się do przypominającego klatkę okna, przede mną niczym miraż rozbłysła historyczna panorama miasta. Natychmiast skierowałem wzrok na wieżę zegarową Big Ben; była wątła jak znana osobistość zmęczona ciągłym pozowaniem fotografom. (W dzieciństwie wyobrażałem sobie, że wszystkie wieże na świecie są kuzynkami). Gdy powoli przesuwałem spojrzenie niżej, moją uwagę przykuł znajdujący się po drugiej stronie ulicy sklep Waterstone's. Prawdopodobieństwo, że w największej europejskiej księgarni czeka na mnie ostatni tomik przeoczonego poety, było bardzo kuszące.

Gmach New Chatham House był najbardziej przygnębiającym budynkiem ulicy znajdującej się na tyłach galerii wystawowej Royal Academy. Nie chcąc chodzić na skróty, przemierzałem Burlington Arcade. Pasaż handlowy, gdzie w każdym sklepie sprzedawano luksusowe towary, zatrudniał ochroniarzy ubranych jak cyrkowi konferansjerzy. Wyglądali dość komicznie, kiedy napinali się i splatając z tyłu ręce, upominali przechodzących pasażem i pogwizdujących ludzi. Ilekroć tam byłem, przez chwilę przyglądałem się nieporadnemu, lecz za to odzianemu w uniform pucybutowi. Miałem wrażenie, że chciał oszczędzić ozdobną szczotkę i zamiast nią machał na lewo i prawo swoją wielką głową. Wszystkie znajdujące się tu klaustrofobiczne sklepy, być może od 1819 roku prowadzone przez te same rodziny, miały dwie kondygnacje. Wyobrażałem sobie, że gdy nadchodzi godzina zamknięcia sklepu, ich właściciele idą na piętro, by się tam zadekować.

New Chatham House z daleka przypominało prostokątną bryłę węgla, a jego szpetota wzmagała się w miarę przybliżania się do budynku. Głównym zadaniem recepcjonisty kryjącego się za frontowymi drzwiami było uniemożliwienie człowiekowi dobrego rozpoczęcia dnia. Ostatnią kondygnację w całości zajmowało Centrum Badań nad Historią Bizancjum; firmy wynajmujące pomieszczenia na pozostałych piętrach nie wzbudziły mojego zainteresowania. Według danych z internetu w bibliotece Centrum znajdowało się czterdzieści tysięcy woluminów oraz teczek z wynikami badań w siedemnastu językach. Pozostałą część, liczącą dwa tysiące metrów kwadratowych, stanowiły sale konferencyjne i wystawowe oraz archiwum. Całe wyposażenie segmentu bibliotecznego, oprócz regałów na książki, było nowoczesne. Harmonia fioletowych dywanów i szarego granitu podłogi zrobiła na mnie duże wrażenie.

Po krótkim rekonesansie podszedłem do kontuaru oznaczonego jako „Informacja". Siwowłosa pracownica, która na swoim krześle siedziała w pozie, jakby była tam tylko dla ozdoby, poprosiła, bym zajął miejsce w fotelu naprzeciwko niej. Odczekała chwilę, bym mógł odczytać jej imię z zawieszonego na łańcuszku identyfikatora (Mrs Jocelyn L. Hartley-Singros). Gdy przetrawiłem już jej dostojne personalia, przedstawiłem się pospiesznie i szeptem.

– Jestem pracownikiem naukowym ze Stambułu. Moja dziedzina to ekonometria. Pragnę solidnie poznać historię Bizancjum. Będę wdzięczny, jeśli mną pani pokieruje, pani Hartley-Singros – powiedziałem.

– Mój mąż pochodził z Cypru, a pan wymówił jego nazwisko niemalże jak rodowity Cypryjczyk. Cieszę się, że wreszcie gościmy w naszych progach Turka! Czy mogę zapytać, ile czasu chce pan poświęcić na osiągnięcie celu?

Marszcząc brwi w reakcji na tanią ironię ukrytą w jej głosie, odparłem:

– Przy sprzyjających okolicznościach być może miesiąc.

Nie wiem, co takiego było w moim spojrzeniu, lecz pani Hartley-Singros pospiesznie nachyliła się nad biurkiem.

– Bardzo mnie cieszy, że tak młody naukowiec interesuje się Bizancjum – rzekła. – Proponuję panu dwuetapowy program pracy. Na początek historia w porządku chronologicznym, następnie pozycje dotyczące cywilizacji bizantyjskiej i procesu jej instytucjonalizacji. Mogę również przygotować panu listę lektur, jeśli pan sobie życzy.

Podczas gdy pani Hartley-Singros w panice przygotowywała listę, ja rzuciłem okiem na broszurę informacyjną Centrum Badań nad Historią Bizancjum. Centrum, prawdopodobnie za pieniądze mojego prapradziadka, powstało w 1853 roku. Oficjalnie jego założycielem był armator o greckich korzeniach. Koszty związane z działalnością Centrum były rzekomo pokrywane z zysków, jakie przynosił fundusz wydzielony ze spadku tego dostojnika. Fakt, że nie przyjmowano nowych członków ani darowizn, jedynie potwierdzał moją hipotezę.

Bym mógł poznać historię Bizancjum od jego narodzin po upadek (330–1453), zaproponowane mi zostały trzy pozycje źródłowe. Miałem wybrać jednego autora spośród trzech, z których dwóch pierwszych było wykładowcami akademickimi. Postanowiłem przeczytać wszystkie trzy książki. Zaplanowałem, że dwa tysiące dwieście dwadzieścia dwie strony przeczytam w dziesięć dni. Ciekaw byłem, jak to jest obejrzeć ten sam dramat wyreżyserowany przez trzy różne osoby.

Cierpliwie pochłonąłem książki łącznie z aneksami. Miałem wrażenie, że poluję na szyfr, który przypomnę sobie, gdy tylko go zobaczę. Ponieważ podczas moich wielokrotnych wypraw w tunelu czasu, jakie odbywałem między czwartym i piętnastym wiekiem, nie odczuwałem niepokoju, nabrałem wobec siebie samego pewnych podejrzeń.

W ciągu dwustu lat od powstania Bizancjum stało się najpotężniejszym i najbardziej cywilizowanym imperium rozciągającym się od Kaukazu po Hiszpanię i od południowej Europy po północną Afrykę. Od tamtej chwili jednak wskutek zmian terytorialnych i konfliktów wewnętrznych topniało niczym kupka piasku przesypująca się w ogromnej klepsydrze. Gdy Mehmed II Zdobywca w 1453 roku wkroczył do Konstantynopola, miasto było już tylko stolicą dogorywającego cesarstwa. Śmiertelny cios zadała mu znacznie wcześniej armia, która z rozkazu papieża wyruszyła na czwartą wyprawę krzyżową. Zaraz po tym, jak ta rozjuszona hołota zatrzymała się w mieście i je splądrowała, utworzono rzekomo Cesarstwo Łacińskie. Kiedy w 1261 roku łacinnicy uciekli, zostawili Konstantynopol biedny i zrujnowany. Już nigdy nie odzyskał duchowej równowagi.

Wewnętrzną przyczyną żałosnego kresu Bizancjum były elastyczne zasady wyboru władcy. Nie tylko cesarz miał prawo wskazać swojego następcę, lecz w proces ten często ingerowali armia, Kościół, a nawet przywódcy świeccy. Celem było objęcie tronu przez „najlepszego".

A gdy zdarzyło się, że w wyniku intrygi lub taktyk oportunistycznych tron obejmował ktoś wcześniej nieprzewidziany, akceptowano go jako wyraz „woli nieba". Niefortunnym przykładem „woli nieba" może być objęcie władzy przez wieśniaka z Adrianopola Bazylego I Macedończyka (867–886) oraz nadanie mu tytułu „Wspaniały" podczas koronacji. Chaos wywołany tą sytuacją był nieunikniony. Cesarstwem rządziło osiemdziesięciu ośmiu władców; sześćdziesięciu pięciu padło ofiarą zamachów stanu, dwudziestu dziewięciu zostało bestialsko zamordowanych, a trzynastu schroniło się w klasztorze.

Gdybym musiał zdefiniować historię w kilku słowach, mój wzór wyglądałby tak: „Historia = ambicja + fart – banalne błędy".

Pod koniec trzeciego dnia ja i konsultantka biblioteczna Jocelyn bardzo się do siebie zbliżyliśmy. Siadaliśmy razem w przerwach na kawę i szeptem zadawaliśmy sobie bizantyjskie zagadki:

– Jak nazywał się cesarz, który objął tron po swoim synu?

– Zenon, który panował w latach czterysta siedemdziesiąt cztery – czterysta dziewięćdziesiąt jeden.

– Śmierć którego ze ściętych cesarzy zasmuciła cię najmniej?

– Fokasa, który rządził od sześćset drugiego do sześćset dziesiątego! Był najbardziej nieudolnym, zdziczałym i najbrzydszym ze wszystkich cesarzy. Dobrowolnie zgłosił się do armii, po czym wszczął w niej bunt. Zanim wydał rozkaz zmasakrowania cesarza Maurycjusza, kazał bestialsko zamordować jego synów, łącznie z niemowlęciem w kołysce. Był tak szpetny, że zapuścił brodę, aby zamaskować swą brzydotę.

– W jaki sposób Herakliusz, który objął tron po Fokasie, wyruszając na wojnę z Persami, przedostał się z części europejskiej miasta na jego azjatycki brzeg?

– Bał się widoku wody. Dlatego aby mógł pokonać Bosfor suchą stopą, między brzegami cieśniny ustawiono statki, a po obu stronach szlaku rozmieszczono roślinne panele, dzięki czemu cesarz nie widział tafli wody. Z wyprawy wrócił zaś zwycięsko.

– Najsłynniejsze zodiakalne Bliźnięta Bizancjum?

– Cesarzowa Irena, panująca w latach siedemset dziewięćdziesiąt siedem – osiemset dwa! Aby samodzielnie sprawować władzę, kazała wyłupić oczy własnemu synowi Konstantynowi Szóstemu, uwięziła go w jego komnacie, po czym ogłosiła się cesarzem. Karol Wielki, ojciec europejskiego imperium, chciał ją poślubić, gdyż w ten sposób doszłoby do powstania największego królestwa wszech czasów. Gdy jednak obmyślali sposób przeniesienia stolicy nowego mocarstwa z Akwizgranu do Konstantynopola, Irena została obalona.

– Matka którego z cesarzy miała chazarskie pochodzenie?

– Leona Czwartego, cesarza z lat siedemset siedemdziesiąt pięć – siedemset osiemdziesiąt.

– Najskuteczniejsza wiadomość wysłana z Bizancjum sąsiadom agresorom?

– Nadawcą jej był Bazyli Drugi, rządzący od dziewięćset siedemdziesiątego szóstego roku do tysiąc dwudziestego piątego. Po unieszkodliwieniu armii bułgarskiej kazał oślepić wszystkich jeńców, zostawiając tylko co setnemu jedno zdrowe oko, by mógł przewodzić oddziałowi w drodze powrotnej. Mówi się, że car Samuel zmarł w wyniku cierpienia i żalu dwa dni po tym, jak zobaczył przed sobą czternastotysięczną armię w takim stanie.

Autorami dwóch pozycji, które wybrałem spośród książek analizujących Bizancjum pod kątem cywilizacji i socjoekonomii, byli Steven Runciman i Cyril Mango. Tym, co łączyło obu naukowców, był fakt, że obaj przez wiele lat żyli w Stambule. Czytając ich dzieła, ilekroć przewracałem stronę, przyznawałem Askarisowi rację: Bizancjum swym współczesnym podarowało cywilizację, a ludzkości nowoczesność. Z każdym kolejnym akapitem miałem wrażenie, że unoszę się o stopień wyżej w stronę chmur, i modliłem się, aby nie okazało się, że padłem ofiarą okrutnego żartu.

Bizancjum, które przejęło spuściznę kultury zarówno rzymskiej, jak i helleńskiej, uznane zostało za boskiego wybrańca. Jako architekci pierwszego chrześcijańskiego państwa oraz najbardziej majestatycznej świątyni Hagia Sophia Bizantyjczycy mieli prawo gardzić katolikami. Pozbawienie kogoś edukacji było przez nich postrzegane jako zły los, a nawet jako przestępstwo. Dzięki wprowadzeniu porządku prawnego opartego na spisanych i skodyfikowanych ustawach Bizancjum przetrwało jedenaście stuleci, lecz jego lud żył w chaosie, gdyż nigdy nie spisano i nie ujednolicono zasad sprawowania władzy.

Przestudiowałem również albumy z reprodukcjami ikon, mozaik, manuskryptów i fresków. W codziennym ubiorze mieszkańców, w mundurach piechoty, a nawet w siodłach i strzemionach koni należących do armii można było doszukać się atrakcyjnego wzornictwa.

Natknąłem się na nią w dziale książek o architekturze. Leżała na specjalnym stoliku, jakby zdawała się czekać tam na mnie. Na skórzanej fioletowej oprawie ogromnego tomu widniał wytłoczony pozłacanymi literami tytuł *Promenade in Byzantium* (*Wędrówka po Bizancjum*). Zabytkowa księga, wydana w ograniczonym nakładzie (999), miała sygnaturę 003. To dzieło, które postawiło mnie przed kolejnym dylematem, stało się punktem zwrotnym w moim życiu. Każdego ranka pierwszą rzeczą, jaką robiłem, było wąchanie strony redakcyjnej i mocne przytulenie książki. Ilekroć przewracałem którąś z jej trzystu trzydziestu trzech stron, czułem niedosyt niczym dziecko przedwcześnie zawołane z placu zabaw. Książka zawierała szkice komputerowo zrekonstruowanych na podstawie zachowanych obiektów nieocalałych zabytkowych bizantyjskich budowli.

Sto jedenaście arcydzieł architektury – estetycznych w swej prostocie i symetrii, funkcjonalnych i powstałych z poszanowaniem przestrzeni! Pałace, bazyliki, mury obronne, hipodrom, akwedukty, wieże, koszary, szkoły, szpitale, biblioteki, obeliski, cysterny, sadzawki, parki, kładki, stadion, hotel, łaźnia, punkty służby publicznej, fontanny, stajnie… Wszystkie miały dostojne i oryginalne oblicze. Pomyślałem zawiedziony, że gdyby przetrwały, Stambuł nadal byłby symboliczną metropolią świata. Pod wizualizacjami przedstawiającymi każdy obiekt z różnych perspektyw znajdował się jego opis w czterech językach. Największym zainteresowaniem cieszył się Wielki Pałac, którego budowę rozpoczęto w czwartym wieku z rozkazu protoplasty Bizancjum Konstantyna I. Przez kolejne sześć stuleci rozbudowywano pałac, dodając kolejne elementy. Ten monumentalny obiekt sam w sobie był zabytkowym miastem. Kompleks pałacowy rozciągał się od miejsca, w którym obecnie znajduje się Błękitny Meczet, aż po wybrzeże morza Marmara. Wybiegające poza swoją epokę arcydzieło architektury zostało splądrowane i obrócone w ruinę przez krzyżowców, którzy podczas wyprawy do, jak sądzę, Jerozolimy, zatrzymali się na postój w Konstantynopolu. Kamień po kamieniu kroczyłem śladami tego baśniowego miasta i przeklinałem pogardliwie nazywaną przez Bizantyjczyków łacinnikami swołocz, dyrygującego nią papieża oraz kolaborującego z nim weneckiego hrabiego. Nigdy nie zapomniałem, że sułtan Mehmed II Zdobywca nie pozwolił ruszyć żadnego z bizantyjskich zabytków, które wziął w swą pieczę, w tym głównie świątyni Hagia Sophia. (Ciekaw jestem, czy Europa plądrującym doszczętnie miasto i niszczącym unikalną Bibliotekę Konstantynopolitańską krzyżowcom okazała choć jedną dziesiątą reakcji, z jaką odniosła się do Arabów grabiących Bibliotekę Aleksandryjską).

Cesarz Konstantyn I nie pokładał wielkich nadziei w zdegenerowanym przez politeizm Rzymie. Przyjął chrześcijaństwo i wybudował nową stolicę. Gdy w 330 roku na obszarze określanym jako Wschodni Rzym kładł podwaliny miasta nazwanego od jego imienia Konstantynopolis, dążył do tego, by stworzyć metropolię równie wspaniałą jak Rzym. Następcy Konstantyna Wielkiego respektowali dążenia poprzednika. (W efekcie Konstantynopol przez dziewięć stuleci był stolicą nie tylko cesarstwa, lecz całego świata).

Byłem oczarowany grawerowaną mapą znajdującą się pośrodku *Wędrówki po Bizancjum*, która rozciągała się na cztery stronice.

W reprodukcji, na której sto jedenaście obiektów naniesionych było na mapę, dostrzegłem subtelność miniatury. Do przewracania stron miałem specjalną rękawiczkę, a do przyjrzenia się grawiurze – lupę. Ilekroć, wypowiedziawszy basmalę*, brałem do ręki lupę, wyruszałem w podróż między czwartym a piętnastym wiekiem; wszystkimi zmysłami chłonąłem głośne bluzgi rybaków wypływających z portu Teodozjusza, pomruki wartowników patrolujących Zwycięski Trakt, szum zmęczonej wody przepływającej pod akweduktem Walensa, zgiełk zgromadzonego na hipodromie tłumu, w każdej chwili gotowego wszcząć wrzawę, dobiegające z kościoła Pantokratora drżące dźwięki psalmów, chichot młodych kobiet spacerujących bulwarem Mese, aromaty przypraw unoszące się znad podpływających do portu Phosphorion statków, okrzyki dobiegające z tawerny przy bramie Platea, powiew wiatru znad Złotego Rogu płochliwie smagającego mury obronne na Fener, zapach pleśni dobywający się z cysterny Egeusza oraz niepokój cesarza posępnie udającego się na spoczynek.

Świeckie obszary miasta, które w piątym wieku miało ponad pół miliona mieszkańców, zaznaczono posrebrzanymi prostokątami. Rezydencje zamożnych mieszczan posiadały dziedziniec; pozostałe miały balkon lub przynajmniej wykusz. Przeczytałem, że urbanistyczne detale, takie jak szerokość ulic czy wysokość budynków, zależne były od spisanych zasad planowania.

Nie wypuszczałem z dłoni lupy z fioletowym trzonkiem do chwili, gdy na mapie nie było już ani jednej niespenetrowanej przeze mnie uliczki i ani jednej niezgłębionej cysterny. Poziom nasycenia tajemnicą moich wypraw rósł coraz bardziej. Cesarzy, których spotykałem w pałacach, łączyła wspólna cecha: byli albo znużeni, albo niewiarygodni.

---

* W islamie formuła rozpoczynająca prawie każdą z sur Koranu; zwrot używany przez muzułmanów przed przystąpieniem do wykonania ważnej czynności, przed podróżą, posiłkiem itp.

Aby ukończyć kwerendę w Centrum, musiałem jeszcze przeczytać dwie pozycje dotyczące dynastii Paleologów oraz obejrzeć film dokumentalny nagrany na sześciu DVD. Cały ten proces, choć z początku miał być dydaktyczny, okazał się kuszący i prowokujący. Jeśli Nomo mnie obserwuje, mój debiut powinien im zaimponować.

Nagłówek *IMPERIAL TWILIGHT* (*Zmierzch Imperium*) w kontekście panowania ostatniej dynastii brzmiał uderzająco. Miałem wrażenie, że książka autorstwa Constance Head szamotała się, gdy wyciągałem ją z narożnika regału. Drugim powodem, dla którego ją wybrałem, był fakt, że liczyła sto sześćdziesiąt dziewięć stron, a ja nie miałem ochoty czytać zbyt długiej historii o tragedii moich przodków. Najpierw zanurzyłem się w morze czarno-białych fotografii; na większości z nich były przedstawiające pałace grawiury, przechowywane w europejskich bibliotekach publicznych. W rzucanym jakby ukradkiem spojrzeniu wzbudzającego kontrowersje założyciela dynastii Michała Paleologa dostrzec można było cień aluzji. Dziewięciu cesarzy widniejących na kolejnej rycinie wyglądało tak, jakby dostali rozkaz, by uśmiechnąć się nieśmiało. (A może była to wspólna prośba o wybaczenie?) Wszyscy mieli pociągłe twarze, długie nosy i kozie bródki; nie miałbym problemu, żeby wyobrazić sobie dziadka i mamę zaraz pod nimi na wspólnym drzewie genealogicznym.

Dynastia Paleologów była ostatnim i najdłużej panującym rodem w historii Bizancjum (1261–1453). Podczas gdy w przypadku jedenastu cesarzy z jedenastu dynastii tron przechodził z ojca na syna, ze starszego brata na młodszego lub z dziada na wnuka, Jan V przez krótki okres współdzielił władzę ze swym teściem Janem VI Kantakuzenem.

Paleologowie położyli kres grabieżczemu i szabrowniczemu Cesarstwu Łacińskiemu (1204–1261) i mimo ograniczonych środków dołożyli starań, by odbudować zrujnowaną stolicę. Próbowali żyć w pokoju z europejskimi królestwami, Watykanem, Seldżukami i Osmanami. Poza Konstantynopolem w rękach Bizancjum pozostawało pięć niewielkich wysp na Morzu Egejskim, Mistra na południu Peloponezu i jej okolice. Natomiast kłótnie o tron, w które często wmieszane były także kobiety, przypominały przepychanki o miejsce na nieopróżnionym jeszcze mostku kapitańskim powoli tonącego, zatęchłego transatlantyku.

Historia pisana po raz pierwszy napotyka Michała Paleologa w Izniku, w pałacu Jana III Watatzesa. Michał wywodzi się z arystokratycznego rodu, a cesarz na zesłaniu uznaje go za swojego syna. Jest charyzmatycznym, ambitnym i dobrym żołnierzem. Będąc gubernatorem Tracji, zostaje aresztowany z powodu podejrzenia o spiskowanie przeciwko cesarzowi. Dzięki swej elokwencji nie tylko unika kary, lecz także poślubia cioteczną wnuczkę cesarza Teodorę. Rok później, po tym, jak ówczesny cesarz nie przeżywa napadu astmy, tron obejmuje jego syn Teodor II (1254–1258). Michał, który zdaje sobie sprawę z tego, co sądzi o nim nowy władca, znajduje schronienie u Turków seldżuckich, u boku których walczy przeciwko najazdom mongolskim. Teodor II nawiązuje pokojowe relacje z Seldżukami, odbiera im Michała i każąc przysiąc sobie lojalność, przywraca go na poprzednie stanowisko. Przy pierwszej sposobności Michał ponownie zostaje aresztowany, lecz i tym razem znajduje sposób, by odzyskać wolność. Teodor II sprawuje władzę przez cztery lata. Gdy umiera wskutek choroby, tron obejmuje jego siedmioletni syn Jan IV. Michał każe zamordować regenta młodziutkiego cesarza, po czym zostaje koronowany na współcesarza i odsuwa Jana IV na drugi plan.

Gdy zimą 1261 roku pozbawiano jedenastoletniego cesarza wzroku, zastosowano najbardziej delikatną z metod. Oczy Jana IV zostają wystawione na działanie ostrego i w efekcie oślepiającego światła. Patriarcha Arseniusz ekskomunikuje okrutnego cesarza, który odbiera mu stanowisko, a zwierzchnictwo nad patriarchatem powierza duchownemu, który uznaje jego cesarski tytuł. (Istnieje wiele sprzecznych hipotez dotyczących ostatnich dni Jana IV. Według niektórych źródeł aż do śmierci więziony był w twierdzy na wybrzeżu morza Marmara lub Morza Czarnego; inne podają, że został umieszczony w klasztorze, jeszcze inne, że odzyskawszy wzrok, prawdopodobnie zbiegł na Sycylię).

Latem 1261 roku Michał wkracza do Konstantynopola. Łacinnicy uciekają, nie stawiając oporu. Cesarz zobowiązuje armię do odbudowy obróconego w ruinę „miasta wszystkich miast"; nakłada też na lud specjalne podatki. Po zapewnieniu wewnętrznej dyscypliny nawiązuje skierowaną przeciwko Wenecjanom współpracę z Genueńczykami, a z Mongołami i Tatarami sprzymierza się przeciwko Seldżukom. To wtedy Genueńczycy osiedlają się w Galacie. Król Sycylii Karol jest teściem syna króla łacińskiego Baldwina II, wygnanego przez Michała VIII z Konstantynopola. W akcie zemsty szykuje wyprawę na Bizancjum, na którą otrzymuje papieskie przyzwolenie.

Michał VIII staje przed obliczem papieża, prosząc go o mediacje. Otrzymuje jasny przekaz: „Jeśli prawosławni nie przyłączą się do katolików i nie zapobiegną schizmie w Kościele, Bizancjum będzie zdane tylko na siebie". Cesarz przysięga, że doprowadzi do zawarcia unii, co nie kończy się jednak powodzeniem i wywołuje reakcję Kościoła, armii i ludu. Dzięki osobliwemu rozwojowi zdarzeń nie dochodzi do agresji Europy na Bizancjum. Michał VIII umiera z powodu przeziębienia podczas wyprawy mającej na celu stłumienie wewnętrznego buntu i zostaje potraktowany jak zdrajca ojczyzny. Nawet jego żona, działając pod naciskiem Kościoła, rzuca klątwę na cesarza, który tak wiele uczynił dla przyszłości Bizancjum.

Bizancjum przestaje być obiektem zainteresowania ambitnych i żądnych władzy królów europejskich. Jest słabe na tyle, że jego cesarze nie mogą sobie pozwolić na żaden niedorzeczny błąd. Z powodu waśni o tron imperium niknie niczym piasek w klepsydrze; czasem tylko, gdy tron obejmuje przywódca obdarzony zdrowym rozsądkiem, proces ten nieco spowalnia. Do czasu przejęcia władzy przez Manuela II cesarze Bizancjum traktowani są jak kupcy bankruci. Filozof, bibliofil, dyplomata i esteta Manuel II (1391–1425) w chwili objęcia tronu ma czterdzieści lat. (Zwróciłem uwagę również na fakt, że pisał dzienniki). Jego postura wzbudza respekt; utrzymuje dobre i pokojowe relacje zarówno z europejskimi królami, jak i z Osmanami. Gdy w wieku siedemdziesięciu czterech lat doznaje paraliżu, używając przydomka brat Maciej, zaczyna wieść mnisze życie w klasztorze, gdzie po kilku tygodniach umiera. Ze związku z córką serbskiego magnata Heleną ma sześciu synów, z których najstarszego, Jana VIII (1425–1448), mianuje swoim następcą.

Jan VIII jest arystokratą. Cechują go towarzyskość, melomania i aura tajemnicy. Jest dobrym żołnierzem i myśliwym. Sercem wspiera unię Kościołów prawosławnego i katolickiego. Trzykrotnie żonaty, nie posiada dzieci. Ze względu na sympatię okazywaną Kościołowi katolickiemu nie pochowano go z należnym cesarzowi ceremoniałem. Jan VIII ufa tylko najstarszemu ze swych braci – Konstantynowi. Zgodnie z ostatnią wolą cesarza to jemu należy się tytuł. Gdy mimo to nieudolny młodszy brat Demetriusz podejmuje próbę przejęcia tronu, ich zmyślna matka Helena Dragasz szybko temu zapobiega.

Matka założyciela Bizancjum, Konstantyna I, również nosiła imię Helena. Przepowiednia mówi, że gdy władzę obejmie kolejny Konstantyn, którego matka ma na imię Helena, nastąpi kres cesarstwa.

Gdy syn Heleny Dragasz Konstantyn XI (1449–1453) w wieku czterdziestu czterech lat został cesarzem, nie zmieniając imienia, historycy zapalczywie odnotowali na marginesach swych kronik wzmiankę o przepowiedni.

Przeczytałem uważnie książkę, często niczym nadgorliwy student notując uwagi na marginesie. Sprowadzając desperację moich przodków do kilku jałowych zdań, miałem poczucie, że cierpliwie wypisuję sobie amulet. Zatrzymałem się na sto czterdziestej trzeciej stronie i zamiast w trzech rozdziałach pobieżnie poznać Konstantyna XI, wybrałem cienką pozycję na temat jego biografii. Książkę Donalda M. Nicola *The Immortal Emperor* (*Nieśmiertelny cesarz*) zamierzałem skończyć w dwa posiedzenia. Coś mnie tknęło i ruszyłem w stronę regału ze zbiorami tureckimi. Oprawy wszystkich stu pięćdziesięciu pozycji, z których większość stanowiły wydawnictwa uniwersyteckie, były nowe, być może dlatego, że oryginalne okładki zrobiono z kartonu. Sięgnąłem po *Architekturę Bizancjum u schyłku* Semaviego Eyice, w której opracowane zostały zabytki stolicy z czasów panowania dynastii Paleologów.

W rozdziale, w którym opis renowacji kościoła Chora wzmocniony został osmańskimi wyrazami, znajdowała się sporządzona fioletowym atramentem uwaga: „Te freski właśnie czynią kościół Chora ważniejszym od Hagii Sophii!". Zadrżałem. Stylizowany na gotycki charakter pisma wydawał mi się znajomy, miałem wrażenie, że w Stambule spotkałem się już z notatką, która wyszła spod tego samego pióra. Zrobiłem ksero tej strony, aby móc ją później porównać. Jeśli mam rację, będę musiał pójść pewnym tropem w Stanach Zjednoczonych i uczynić to w tajemnicy przed Nomo. Być może moja misja miała ukryty drugi, subtelny wymiar. Moja wizyta w Stanach musiała mieć rozsądne uzasadnienie. Poszukałem go w internecie. Na pierwszy plan spośród tamtejszych centrów związanych z Bizancjum wysuwał się Dumbarton Oaks. Instytucja ta znajdowała się w Waszyngtonie i posiadała bibliotekę naukową ze zbiorami dotyczącymi Bizancjum oraz niewielkie muzeum. Gdy Jocelyn mówiła: „To numer jeden w Ameryce w tej dziedzinie", w jej głosie nie zabrakło nuty pogardy.

W księgarni akademickiej Blackwell's nabyłem *Nieśmiertelnego cesarza*. Wystraszyłem się, gdy zdałem sobie sprawę, że z umiłowaniem patrzę na posąg Konstantyna XI widniejący na okładce książki. (Postanowiłem, że przeczytam ją w Stambule). W ciągu dwóch kolejnych dni miałem obejrzeć filmy dokumentalne w Centrum i wracać do domu. Poinformowałem Askarisa, że gdy odwiedzę bizantyjskie zabytki w Stambule, wybiorę się do Dumbarton Oaks, aby tam dokończyć szkolenie. Byłem zadowolony, widząc, jak otworzywszy szeroko oczy, z szacunkiem pochylił głowę.

BIBLIOTEKĘ ZAMYKANO O 17:30. Po anonsie o zamknięciu wychodziłem z tunelu czasu z pulsującą głową. Próby odnalezienia przeze mnie równowagi w enigmatycznym tempie Londynu sprawiały mi przyjemność. Czyżby babcia posłała w ślad za mną anioła Hâtifa? W szczególnych momentach dnia wyszeptywał mi do ucha dwa zdania i uciekał.

Co drugi dzień chodziłem na kolację do Heave(geteria) na Bentinck Street. Tę wegetariańską jadłodajnię znalazłem, idąc do księgarni Daunt. Na znajdującym się po skosie rozwidleniu trzech ulic stoi efektowny budynek przypominający wieżę Galata. Jeśli nie miałem sprecyzowanego planu dnia, po kolacji chodziłem do mieszczącej się naprzeciwko hotelu księgarni Waterstones. W pięciopiętrowym budynku znajdowały się dwa miliony książek. Najważniejsze jednak było to, że zamykano ją o dwudziestej drugiej. Tam właśnie odkryłem poetkę Pascale Petit oraz czytałem dramaty Ajschylosa. Próbowałem domyślić się, którzy z otaczających mnie zmęczonych ludzi są tropicielami Nomo. Wiedziałem jednak, że ten odruch nie może wejść mi w nawyk. Pomyślałem, że jeśli jestem śledzony, chodzi wyłącznie o moje bezpieczeństwo. Wizyta w kawiarni w Golders Green, uczęszczanej przez moich znajomych szachistów, raczej nie była wskazana. Ukrywając przed Nomo swoje zasoby, postanowiłem nie ujawniać zbytniego zaangażowania. (Cesarz Bazyliskus zmarł w 477 roku zagłodzony w lochach, Zenon w roku 491 został pogrzebany żywcem…)

Na wizytę do znajomych antykwariatów i sklepów z antykami oraz na przyglądanie się witrynom sklepów z zegarkami nieopatrznie wyszedłem w czasie, kiedy na ulicach aż wrzało od ludzi. Pomyślałem, że rodowici Anglicy zamykają się w domu, gdyż przedstawiciele siedemdziesięciu innych narodów kaleczą ich język. Czasem wybierałem się nocą na rundkę wzdłuż okien wystawowych sklepów światowych marek. Pozdrawiałem zmęczone manekiny. Po zmierzchu kroczyłem śladem zabytkowych kamienic. Odpoczywałem w pubach o tragikomicznych nazwach i piłem rumianek, żeby rozśmieszyć prostackich pijaczków. Gdy w moim pokoju oglądałem kolejne filmy braci Coen, dbałem o to, by zawsze mieć pod ręką butelkę wódki. (Cesarz Maurycjusz został pozbawiony życia w 602 roku przez ścięcie, Fokas w 610 roku przez poćwiartowanie, Herakliusz w 641 roku w czasie tortur...)

To był mój pierwszy weekend w Londynie. Poprosiłem Askarisa, żeby znalazł dla mnie dwie prostytutki. Obaj byliśmy zawstydzeni, gdy powiedziałem, że nie powinny być zbyt chude i zrzędliwe. M. z Pragi i O. z Brna, które odwiedziły mnie tamtej nocy, były atrakcyjne i wyższe ode mnie o dwadzieścia centymetrów. Żeby zaimponować dziewczynom, wyrecytowałem im po angielsku czterowiersz poety Jaroslava Seiferta, ich krajana i noblisty z 1984 roku. Spłoszyły się niczym kandydatki na zakonnice, które wysłuchały treści pornograficznego graffiti. (Cesarz Konstantyn III zmarł w 641 roku w wyniku otrucia, Konstans II w 668 roku przez śmiertelne pobicie, Leoncjusz i Tyberiusz w 705 roku przez ścięcie...)

W londyńskim ogrodzie zoologicznym od razu skierowałem się do wybiegu lwów. Abi, która była figlarnym kociakiem, kiedy ją ostatnio widziałem, teraz panoszyła się w klatce. Podczas gdy ona rozleniwiona leżała na drewnianej platformie, jej mąż Lucyfer spał głębokim snem.

– Abi! Abi! – zawołałem, a ona się wzdrygnęła.

Przez jakiś czas patrzyliśmy sobie w oczy, aż w pewnej chwili lwica zaczęła kiwać łbem w górę i w dół. Jakby pozowała rzeźbiarzowi, powoli rozprostowała przednie łapy i uniosła się na nich. Wskazała łbem na śpiącego po prawej stronie Lucyfera, zupełnie jakby chciała powiedzieć: „Przez tę kreaturę nie mogę do ciebie podejść". Odwiedziłem londyńskie akwarium Sea Life. Okrzyki dzieci rozbrzmiewające w przyciemnionym pomieszczeniu z początku wzbudziły we mnie lęk; uświadomiłem sobie, że w dzieciństwie nigdy nie krzyczałem z radości. Obejrzałem płaszczki, rekiny i pławikoniki będące mieszanką konika morskiego i roślin. Czy płaszczki poruszały się wyzywająco? Gdy z odległego zakamarka akwarium podpływały do ludzi ustawionych w rzędzie, rzucały w ich stronę groźne spojrzenia, a wycofując się, zamaszyście podwijały poły swych peleryn i rzucały klątwę.

– Gdybym był cesarzem, miałbym akwarium wypełnione płaszczkami i rekinami – westchnąłem.

Pospiesznie przeszedłem przed moim dawnym domem i udałem się do Muzeum Brytyjskiego. Stojąc wśród eksponatów nazwożonych z czterech kontynentów, byłem chyba zażenowany mizernością działu poświęconego Bizancjum. Usadowiłem się na najniższym stopniu chłodnych schodów na dziedzińcu. Zamknąwszy oczy, złożyłem głowę na przedramieniu, a ramię na kolanach. Znad Anatolii, Mezopotamii, Egiptu i Chin uniosły się cztery bezgłośne tornada, po czym zespoliły się w powietrzu. I ta muzyka, gdy zaczęły gnać zdyscyplinowane niczym gwiazd gromada… (Cesarz Justynian II stracił życie w 711 roku przez ścięcie głowy, Filipikos w 713 roku w wyniku wyłupienia oczu, Konstantyn VI w 797 roku również przez oślepienie, Leon V w 820 roku przez zadanie ran ciętych i ścięcie, Michał III w 867 roku został zasztyletowany…)

Pewnej nocy w pokoju odwiedziły mnie dwie dziewczyny z Jamajki. Nie wiedziałem wcześniej, że są jednojajowymi bliźniaczkami. M. nosiła protezę poniżej lewego kolana. Ponieważ czytała poezję Dereka Walcotta, nieopatrznie obiecałem jej, że zabiorę ją kiedyś na *The Mousetrap* (*Pułapkę na myszy*). Coś we mnie zadrżało, gdy oglądając wystawianą od 1952 roku już po raz dwadzieścia trzytysięczny sztukę Agathy Christie, domyśliłem się, kto zabił, kiedy morderca tylko pojawił się na scenie. Umysł zaprzątała mi arena egzaminacyjna, na której miałem stanąć za sześć tygodni. M. miała mnie za dziedzica instytucji parającej się na wpół podejrzanymi interesami. (Cesarz Konstantyn VII w 959 roku został otruty, Roman II zmarł w 963 roku również w wyniku otrucia, Nicefor w 989 roku w wyniku rany ciętej i ścięcia, Jan I w 976 roku otruty, Roman III w 1034 roku w wyniku zatrucia i uduszenia, Michał V w 1042 roku po wyłupieniu oczu…)

Nie było mi wiadome, gdzie zatrzymali się moi trzej asystenci. Raz spotkałem się z nimi podczas kolacji w restauracji hotelowej. Dialog Askarisa z kelnerem zrobił na mnie duże wrażenie. Mówił z akcentem arystokraty i posługiwał się bogatym słownictwem. Mógłbym iść o zakład, że ukończył elitarną brytyjską uczelnię i żyje w Londynie. Angielski Kalligasa był dobry, on sam zazwyczaj sprawiał wrażenie pewnego siebie. Pappas zaś nie radził sobie w tym języku i fakt, że miał trudności z wybraniem dania z karty, rozbawił mnie. Zastanawiałem się, na ile prawdopodobne było, że dostał tę pracę po znajomości. Był najmniej utalentowany, lecz najsympatyczniejszy.

Mogłem mojej ekipie rozkazywać i żądać wyjaśnień, lecz nie mogłem pytać o ich przeszłość. Aby uratować wieczór, przeskakiwałem z tematu na temat, a im większe było ich zdziwienie wywołane moimi słowami, tym więcej mówiłem. Po streszczeniu im mojego wykształcenia zacząłem zanurzać się w pasaże autobiograficzne. Askaris był mądry i skuteczny. Miałem wrażenie, że próbuje ukryć przede mną swoje walory. Wiedziałem, że krępował go fakt, iż jem kolację przy jednym stole z Kalligasem i Pappasem. Przed moim powrotem do Stambułu widzieliśmy się jeszcze dwa razy, ale już sam na sam. Askaris był konkretny i wyważony, zacząłem go nawet lubić. Byłem pewny, że ze względu na swą tajemniczą misję nie ożenił się i nie poświęcał żadnemu hobby. Gdy po raz pierwszy spotkaliśmy się w hotelowym barze, po wypiciu drugiej wody mineralnej zażenowany poprosił, abym pozwolił mu odejść, gdyż musiał zdążyć na pociąg do Winchesteru. (Cesarz Roman IV zginął w 1071 roku oślepiony i otruty, Aleksy IV w 1183 roku uduszony i ścięty, Andronik I w 1185 roku zamęczony i zmasakrowany, Izaak II w 1193 roku po wyłupieniu oczu, Aleksy IV w 1204 roku uduszony, Aleksy V w 1261 roku po wyłupieniu oczu i wyrwaniu języka, Jan IV w 1261 roku po tym, jak został oślepiony…)

Gdy rozstawałem się z Centrum, podarowałem Jocelyn perfumy.

– Nie próbuj przede mną ukrywać, że prowadziłeś tu badania do swojej powieści o Bizancjum – powiedziała, tak pewna siebie, że nie miałem sumienia wyprowadzać jej z błędu.

– Albo do pełnej tajemnic sztuki, w której i mnie nie zabraknie.

– Masz już tytuł?

– Sułtan Bizancjum.

– Dla Angloamerykanów, którym nie są obce pojęcia „sułtan" i „Bizancjum", brzmi kusząco. Sułtan Bizancjum to jednocześnie przydomek sułtana Mehmeda II Zdobywcy, który podbił Konstantynopol.

(Cesarze Andronik IV i Jan VII w 1374 roku częściowo oślepieni z polecenia podpuszczonego przez Osmanów Jana V, ojca Andronika IV i dziadka Jana VII…)

EPSILON

GDY PO MOIM pierwszym spotkaniu z Askarisem na Sultanahmet wieszałem mapę na miejsce, przypomniałem sobie przedmiot stojący pod półką z atlasami. Ponieważ zawsze zdawało mi się, że to kolejne nietrafione przedsięwzięcie dziadka, nigdy wcześniej nie sięgnąłem po opasły tom z napisem *Manassis* na grzbiecie. Gdy odmawiając basmalę, uniosłem okładkę, księga skojarzyła mi się ze słomianą szkatułką. Została wydrukowana w 1729 roku w Wenecji; stronice miały strukturę delikatnej tkaniny, kolumny po lewej stronie zapisane były po łacinie, a te po prawej greką. W książce oprócz tekstu Constantiniego Manassisa znajdowały się również fragmenty dzieł dwóch twórców, na nazwiska których nie natknąłem się w żadnym innym źródle. Z moich ustaleń wynikało, że tych żyjących w dwunastym i trzynastym wieku historyków nic nie łączyło z Paleologami. Miałem wrażenie, że książka służyła komuś za aktówkę; znalazłem w niej karty adresowe sprzed pięćdziesięciu lat. Na pożółkłej kartce w kratkę ktoś spisał po turecku adresy klubów nocnych; biorąc pod uwagę błędy ortograficzne, autorem tych zapisków z pewnością był mój dziadek.

Na innej, nieco mniej sfatygowanej kartce widniał narysowany symbol pentagramu. Od gwiazd na sztandarach różnił się tym, że przedłużone linie tworzyły pięć trójkątów równoramiennych, a ramiona pozostające wewnątrz symbolu wykropkowano. Podczas gdy pola dwóch trójkątów wypełniały cyfry, dwa pozostałe zapełnione zostały literami łacińskimi, a w piąty trójkąt wpisane było zdanie po arabsku. Pomyślałem, że rysunek ten jest listą sekretnych wskazówek dla karciarzy albo graczy w ruletkę. Czy stosując gotycką czcionkę, podwyższono współczynnik tajemnicy tych niedorzeczności spreparowanych tylko po to, żeby wyciągnąć od dziadka jeszcze więcej pieniędzy?

Pierwszą rzeczą, jaką zrobiłem po powrocie z Londynu do Stambułu, było porównanie przywiezionej fotokopii z tym dokumentem. Mogłem iść o zakład, że oba napisy wyszły spod tej samej ręki. Teraz tylko musiałem dowiedzieć się, czy ta ręka należała do Paula Hacketta, który przez trzy lata odgrywał rolę zięcia w kamienicy Ispilandit. Zostałem uwarunkowany tak, żebym nienawidził ojca, który doprowadził do rozpadu naszej rodziny. Ponieważ babcia mówiła, że dumę i marudzenie odziedziczyłem po matce, a całą resztą wdałem się w ojca, Paul Hackett budził we mnie szczere zainteresowanie.

Kiedy w ostatniej klasie liceum składałem papiery na światowe uczelnie, Eugenio zapytał: „Nie wybrałeś Virginii, bo to uniwersytet twojego ojca?". Nigdy nie zapomnę, jak kręcił głową, gdy się zorientował, że nie wiedziałem, który uniwersytet ukończył ojciec. Spółka wydawnicza, którą reprezentował Paul Hackett, zbankrutowała. Jedyną szansą, jaka mi pozostała, było znalezienie wskazówki na uniwersytecie Virginia. Idąc jej tropem, mogłem wyruszyć do przeszłości ojca. Zanim spłoszyło mnie prawdopodobieństwo, że pismo może należeć do niego, wymyśliłem pewne pocieszenie. Nie zasłużyłem na posunięcie, które moje życie z powieści tajemnic zamieni w serial telewizyjny. Nie wiedzieć czemu ironiczne zdanie widniejące na murze w London School of Economics nie dawało mi spokoju: „Gdzie kończy się nauka, pozostaje modlitwa".

Tego dnia, gdy wróciłem z Londynu, wieczorem udaliśmy się całą rodziną do Müzedechangi. (Lubię tę restaurację na Emirgân również dlatego, że płytcy burżuje jeszcze jej nie odkryli). Rozsiedliśmy się przy stoliku z widokiem na znajdujący się po azjatyckiej stronie miasta pałac Kedywa. Gdy otwierałem drugą butelkę białego wina, zdawało mi się, że na pałacowej wieży widzę muezzina ubranego w turkusowy kaftan. Czy ogarniając okolicę pełnym nadziei spojrzeniem, zamierzał śmiało wyrecytować poemat Yahyi Kemala*? Muezzin jednak powoli się rozpłynął, znikając za zasłoną mgły. Gdybym uległ tej iluzji w czasie studiów, nie zadałbym sobie trudu, by pomyśleć: „Zapewne nadal istnieją ludzie, którzy widzą człowieka w turkusie, ale kto wie, ilu ich zostało?".

Tej nocy przejrzałem czasopisma poetyckie, które miałem w domu. Zdawało mi się, że rytmiczny szelest przewracanych stron zuchwale rzucał wyzwanie nocy. Wraz ze wzrostem współczynnika ciszy kartki strzelały niczym bicze. Wstałem i wyszedłem na balkon. Uwagę skupiłem na starym Stambule. Na oświetlonym przez meczety i kościoły płaskim terenie dostrzegłem oddział kawalerii, na przedzie którego siwy rumak raz po raz podrywał się na tylnych nogach, jakby chciał ponaglić nadejście swojego dowódcy. Czy śniłem we śnie? Byłem podekscytowany jak dziecko, które po raz pierwszy poszło do wesołego miasteczka.

WYBRAŁEM DWADZIEŚCIA DWIE zabytkowe bizantyjskie budowle, których dotychczas nie odwiedziłem w mieście. Poza czterema, ich nazwy i oblicza były mi obce. Moje przedsięwzięcie Nomo mogło uznać za technikę zamydlenia oczu. Wyprawa ta nie miała żadnego szczególnego celu, liczyłem jednak na to, że podczas dwudziestu

---

* Yahya Kemal Beyatlı (1884–1958) – turecki poeta, politolog, dyplomata; w latach 1926––1929 ambasador Republiki Turcji w Warszawie; znany głównie ze swych wierszy o tematyce stambulskiej.

dwóch przystanków otrzymam jakiś znak. *Serendipity* – słowo, które podarował nam język perski – „szukając konkretnego piękna, natrafić na takie, którego się nie szukało".

Byłoby brakiem szacunku wobec chronologii, gdybym nie rozpoczął mej wędrówki w tunelu czasu od murów obronnych miasta. Slalomem przemieszczając się między Sarayburnu i Ayvansaray, z Yedikule do Topkapı, krążyłem pomiędzy piątym a piętnastym wiekiem. Trasę wzdłuż masywnych kamiennych murów, dzięki którym Konstantynopol postrzegany był jako najlepiej strzeżone miasto na świecie, pokonywałem na piechotę lub autem. Lancię, którą raz w miesiącu wyjeżdżałem z garażu, tym razem prowadził Iskender Abi. Wiedziałem, że przy pierwszej nadarzającej się okazji zapyta o „długość tej wielkiej ściany". Jego ciekawość nagrodziłem informacją, że mury liczą dwadzieścia dwa kilometry, i dodałem, że posiadają dziewięćdziesiąt sześć baszt. Nie spodziewałem się jednak pytania „Co to jest baszta?".

Gdy w Samatyi, której nazwa pozostała niezmieniona od czasów Bizancjum, wydostaliśmy się poza mury, doznałem osobliwego uczucia, jakie towarzyszy przy wjeździe do sąsiadującego kraju bez paszportu. Niegdyś mury otaczać miała szeroka fosa, a za nią znajdował się podobno szereg wybudowanych jeden przed drugim i wysokich na dziesięć metrów murów zewnętrznych. Najeźdźcy, którym udało się pokonać te dwie przeszkody, spod trzydziestometrowych murów obronnych zawracali z pustymi rękami. Mury, które gdy szło się bezpośrednio wzdłuż nich, wiły się niczym wąż upleciony z obejmujących się ramionami zapaśników wagi ciężkiej, od wewnątrz sprawiały wrażenie drużyny ledwo trzymających się na nogach emerytów. Obraz ten stanowił swoistą karykaturę Bizancjum, jakie przejęli Paleologowie.

Patrzyłem na mury, lekceważąc zrekonstruowany i wystający niczym czyrak w leiszmaniozie fragment. Przypatrywałem się im bacznie, jakbym wróżył sobie z fusów. Żaden szczególny znak się wtedy nie pojawił, pomyślałem więc: „Droga wolna!". Sprawiało mi przyjemność, gdy Iskender Abi sceptycznie przyglądał się temu tawafowi* wokół murów, jakby patrzył na rytuał dewianta.

Krążyłem tam i z powrotem między koordynatami wyznaczonymi przez meczet Imrahora (Studion – klasztor pod wezwaniem św. Jana Chrzciciela), meczet Mołły Güraniego (kościół św. Teodora), meczet Fethiye (kościół Teotokos Pammakaristos) oraz meczet Róży (kościół św. Teodozji z Konstantynopola); niczym morskie pływy poruszałem się od piątego do dziesiątego stulecia, z wieku trzynastego wracałem do dwudziestego pierwszego. W najbardziej tajemnicze zaułki miasta zaprowadził mnie bizantynista Cevat Mert. Powiedział, że po raz pierwszy w swojej trzydziestotrzyletniej karierze pełni funkcję przewodnika podczas takiej wycieczki.

– Robię wstępne badania dla Selçuka Altuna w związku z jego nową powieścią – wyjaśniłem mu. Jestem pewny, że mi uwierzył.

Kiedy wchodziłem do przechrzczonych na minimuzea kościołów i meczetów, wspomniałem moim zdaniem najważniejszego w historii dramaturga – Samuela Becketta. (Gdy w 1953 roku po raz pierwszy wystawiono jego główne dzieło *Czekając na Godota,* zalała go fala niewłaściwych pytań. On zaś, podkreślając, że cała sztuka jest symbiozą, zrobił gest w stronę areny teatru. Przeoczenie tej wskazówki było tragikomiczne, stanowiło jakby „sztukę w sztuce". Termin *symbioza* wywodzi się z biologii i oznacza „współistnienie dwóch odmiennych gatunków wzajemnie na siebie wpływających". Wychodząc z tej definicji, można było zrozumieć, że słowo *Godot* powstało z połączenia słów *God* <Bóg> oraz *Idiot* <Idiota>. Jasne stałoby się też, że główni bohaterowie Vladimir i Estragon odgrywają role Boga i Idioty oraz że udało im się uchwycić pewną harmonię poprzez zdeterminowane emocjonalną parabolą zamienianie się rolami. Zrozumiano by również, że tak naprawdę czekali na siebie, a gdy się spotkali, żartując sobie, zaoferowali widzowi udział w szaradzie).

---

*   Tawaf – w islamie rytualne okrążenie Kaaby.

Wszystkie zabytki bizantyjskie, co do których miałem pewność, że widzę je pierwszy i ostatni raz, symbiotycznie współegzystowały z otoczeniem. Podczas gdy one zrobiły krok naprzód, cała reszta się cofnęła, dzięki czemu wszystkie spotkały się w połowie tunelu czasu. Wyglądały, jakby przywdziały takie same ubiory z wypłowiałej tkaniny. Legły, by móc delektować się ciszą, i czekały na rozkaz. Pojedyncze samochody przejeżdżające prowizorycznymi drogami nie trąbiły, a w uliczkach nie rozbrzmiewały okrzyki dzieci. Na twarzach przechodzących tamtędy i co raz zatrzymujących się na odpoczynek starców malowało się coś pomiędzy szczęściem a żalem, emocja będąca wyrazem poddania się woli boskiej. Nie miałem wątpliwości, że czują oni buchający z opuszczonych sadów zapach fig. Oswoiłem się również z widokiem osmańskich cmentarzy, które nagle wyrastały przede mną, kiedy pokonywałem wijące się niczym wątłe strumyki uliczki, oraz z obecnością aptek znajdujących się na parterach drewnianych domów, które wyglądały tak, jakby niebawem miały się zawalić.

W zabytkach, które z kościołów zostały przekształcone w meczety, nie było sztuczności. Może nawet dzięki nowemu wyposażeniu, głównie rozłożonym na podłodze dywanom, były bardziej przyjazne?

W uliczce na tyłach Błękitnego Meczetu jakiś wysiadujący bezczynnie przed zakładem fryzjerskim wąsaty młodzieniec zaczepił mnie po angielsku:

– Jesteś turystą czy terrorystą?

Jasne było, że korzystał z tej zaczepki, gdy tylko nadarzyła się okazja. Ruszyłem w jego stronę.

– To zależy od dnia – odparłem hardo.

– Wziąłem pana za turystę – powiedział szybko i uciekł do środka.

Ufałem, że gdyby jednak nie zląkł się i również na mnie ruszył, moi, jak zakładałem, przyznani mi przez Nomo niewidzialni ochroniarze zainterweniowaliby w odpowiednim momencie. Czyżbym chciał to sprawdzić?

Kiedy ja słuchałem o znaczeniu dla historii sztuki fresków pokrywających kopułę meczetu Fethiye, na zewnątrz czekała na mnie niespodzianka. Ulica przed muzeum, które w czasach osmańskich było również siedzibą patriarchatu, została wypełniona przez kobiety w czarnych czarczafach, brodatych mężczyzn ubranych w galabije oraz młodych chłopców w turbanach. Szyldy sklepów i bufetów opatrzone były boskimi epitetami. Na wystawie perfumerii widoczny był napis głoszący: „Nasze perfumy nie zawierają alkoholu". Przez chwilę miałem wrażenie, że znajduję się na planie filmu, którego akcja dzieje się w Afganistanie.

Najbardziej atrakcyjny architektonicznie był meczet Róży, znajdujący się na lewym brzegu Złotego Rogu. Grupa sędziwych mieszkańców dzielnicy Cibali przysiadła na krzesłach i wpatrywała się w fasadę budowli. Wyglądali tak, jakby rozkoszowali się, będąc w hipnozie. Gdy przed bramą meczetu uważanego za miejsce pochówku Konstantyna XI stanąłem w kolejce, żeby zdjąć buty, zainteresowanie turystów, jakim cieszył się ten obiekt, wprawiło mnie w zaskoczenie. Przede mną stała grupa leciwych, acz pełnych życia Amerykanek. Nigdy nie zapomnę, jak przechodząca akurat tamtędy kobiecina w szarawarach, która prawdopodobnie nigdy nie była nawet na placu Taksim, powiedziała:

– Te baby nic, tylko by podróżowały jak opętane.

Dysproporcja między powierzchnią posadzki a wysokością stropu meczetu była imponująca. Uwierzyłbym, gdybym w dzieciństwie usłyszał, że w miarę jak z czasem zmniejszała się powierzchnia podstawy dziewięciowiecznego zabytku, zwiększała się jego wysokość. Fakt, że po zdobyciu Konstantynopola budynek pełnił funkcję magazynu floty osmańskiej, był dla Cevata Merta drugorzędnym atrybutem tej zabytkowej budowli.

Meczet Zeyrek (dawny klasztor Chrystusa Pantokratora), jaki pozostawił nam w spadku dwunasty wiek, był zamknięty dla zwiedzających ze względu na szeroko zakrojone prace restauratorskie. Mimo to, wiedziony poczuciem obowiązku, udałem się do sąsiadującego z nim obiektu wybudowanego z rozkazu cesarzowej Ireny z dynastii Komnenów. Klasztor, w murach którego znajdowały się również szpital, przytułek dla starców i cmentarz, z zewnątrz przypominał karawanseraj. Było to także miejsce wiecznego spoczynku Michała VIII, założyciela dynastii Paleologów, oraz Manuela II, ojca Konstantyna XI. Pod murem cysterny, który wznosił się niczym koronkowa granica między meczetem Zeyrek a miastem, pożegnałem swojego przewodnika. Był przekonany, że nie poznawszy dogłębnie życiorysu sułtana Mehmeda Zdobywcy, nie zdołam dokonać wnikliwej analizy końca Bizancjum. Drewniane domy na moim szlaku były tak prowizoryczne, że sprawiały wrażenie, jakby miały runąć przy pierwszym podmuchu wiatru. A przecież te budynki, zapuszczone i poczerniałe jak węgiel, przetrwały niejedno trzęsienie ziemi. Dziwnie wyglądał ten najważniejszy klasztor w mieście, który w związku z pracami restauratorskimi został okryty ogromną plandeką. Myśl, że po odnowieniu mógłby przypominać hotel butikowy, przyprawiła mnie o niepokój. W oficynie znajdowała się kawiarnia, po której przechadzało się więcej kotów niż klientów. Z najbardziej oddalonego stolika można było patrzeć na defiladę bizantyjskich i osmańskich zabytków. Moje spotkanie się wzrokiem z wieżą Galata było nieuniknione; spłoszyło mnie jej dwuznaczne spojrzenie.

Wypiłem dwie herbaty i przeanalizowałem nabazgrane w pośpiechu notatki, jakie zrobiłem podczas wyprawy. Wziąłem taksówkę i pojechałem na bulwar Atatürka. Znajdujący się trzysta metrów ode mnie, po prawej stronie, akwedukt Walensa niczym miraż wdzięczył się do mnie z kokieterią. Z pewną obawą ruszyliśmy ku sobie. Wysoki na trzydzieści i długi na osiemset metrów obiekt niczym mitologiczny rozbójnik Deli Dumrul przecinał bulwar, a pojazdy przejeżdżające pod sześcioma arkadami robiły to jakby bojaźliwie. O akwedukcie – wytworze czwartego wieku – Eugenio mawiał: „Oderwał się od murów obronnych i położył się w centrum miasta ku przestrodze". Kiedy spostrzegłem biegające po nim dzieci, z ochotą skręciłem w prawo i zacząłem iść pod arkadami. W uliczce położonej najbliżej bulwaru panowała atmosfera etnicznej wystawy plenerowej. Widziałem rzeźników, którzy w specyficzny sposób cięli mięso na kebab z Siirt*, oraz delikatesy, gdzie sprzedawano wyłącznie pochodzące z tego miasta produkty. W kawiarniach siedzący na niewysokich taboretach klienci rozmawiali między sobą półszeptem po kurdyjsku i arabsku, po czym wybuchali głośnym śmiechem. W ostatniej z nich nie zabrakło nawet koguta nerwowo przechadzającego się wśród stolików.

W miejscu, gdzie zaczynał się akwedukt, jego wysokość odpowiednio do nachylenia terenu obniżała się mniej więcej trzykrotnie. Stała tam również zdezelowana budka. Krępowała mnie myśl, że wdrapując się po plastikowej beczce na dach budki, a stamtąd wspinając się na grzbiet akweduktu, rozśmieszę pracujących po sąsiedzku wulkanizatorów. Wewnątrz akweduktu było czyściej niż na plaży miejskiej. Stawiając pierwsze kroki, zachwiałem się niczym początkujący linoskoczek. Wchodziłem coraz wyżej i czułem, jak chłód ogarnia całe moje ciało. Z początku zlękłem się otaczającej mnie wolnej przestrzeni, przez którą poczułem się tak, jakbym siedział na diabelskim młynie. Pod jedną z arkad nad bulwarem dwóch może dziesięcioletnich chłopców paliło papierosy i rzucało kamieniami w przejeżdżające pod nimi samochody.

Zdziwili się, gdy mnie zobaczyli.

– Czego szukacie na akwedukcie mojego dziadka? – zagadnąłem ich żartobliwie.

– Nie wiedzieliśmy, że to akwedukt pana dziadka, naprawdę – odparł jeden z nich, wystraszony, ubrany w koszulkę reprezentacji FC Köln.

---

*   Siirt – miasto położone w południowo-wschodniej Turcji, centrum prowincji o tej samej nazwie.

Próbowałem zaprzyjaźnić się z Sadunem z Silvan i Hamdullahem z Eruhu, gdy nagle ogarnęła mnie senność i postanowiłem zrobić najbardziej osobliwą rzecz w życiu. Powiedziałem chłopcom, że prześpię się teraz pół godziny, a jeśli zaczekają przy mnie, aż się obudzę, to dostaną ode mnie po dwadzieścia lir. Ich oczy rozbłysły.

– Niech panu Allah wynagrodzi – rzucił jeden.

– Bardzo dziękujemy – dodał drugi.

Umościłem sobie posłanie z gazet i reklamówek, jakie tam poznosili. Gdy jako pierwszy cesarz, który zdrzemnął się na akwedukcie Walensa, będę przechodził do sekretnej historii Bizancjum, nie powinno zabraknąć wzmianki o tym, że po mojej lewej czuwał wtedy strażnik o arabskich korzeniach, a po prawej – strażnik kurdyjski.

Kiedy chłopak w koszulce z napisem po angielsku, który można by przetłumaczyć jako „Granice mojego języka to granice mojego świata", mnie obudził, nawoływanie do popołudniowej modlitwy właśnie dobiegało końca. Wsunąłem im w dłonie po pięćdziesiąt lir, a oni na siłę ucałowali moje ręce i pobiegli w kierunku, z którego przyszedłem. Wstałem i ruszyłem w przeciwną stronę. Męczyło mnie to, że z wyprawy, na którą się wybrałem, nie wiedząc, czego szukam, wrócę z pustymi rękami. Zejście z akweduktu Walensa, na który się wdrapałem po dość pobieżnym zwiedzeniu zabytków, przypominało mi wydłużające się schody świątyni Azteków. W momencie gdy uświadomiłem sobie, że zamęczam swoją wyobraźnię, moje stopy dotknęły ziemi. Byłem na tylnym dziedzińcu meczetu Kalenderhane (kościół Akataleptos). Zabytek, który w czasach osmańskich był klasztorem dla derwiszy, zwiedziłem już pierwszego dnia mojej eskapady. Poczułem w środku miłe ciepło, jakbym wrócił do przyjaznego mi labiryntu. *Serendipity?*

KSIĄŻKI HISTORYCZNE, HASŁA encyklopedyczne i strony internetowe zgodnie potwierdzały, że Konstantyn XI był cesarzem schludnym, powściągliwym i uczciwym. Poległ, heroicznie broniąc swej stolicy przed potężną armią osmańską. Za upadek Konstantynopola odpowiadał papież, który zwodził władcę obietnicami pomocy, a także Wenecja i Genua, które udzieliły jedynie symbolicznego wsparcia. W *Nieśmiertelnym cesarzu* autor zmieścił biografię władcy na stu dwudziestu ośmiu stronach, choć w bibliografii znajduje się dwieście pozycji. Jak gdyby pisarz Donald M. Nicol w imię nauki nie chciał wniknąć do wnętrza cesarza. Powinienem przeczytać tę książkę tak, jakbym przyglądał się partii szachów.

> (...) *Cesarz Jan VIII nie posiadał potomstwa. Planował, że po nim tron obejmie najstarszy i najzdolniejszy z jego trzech braci – Konstantyn. W dniu śmierci Jana VIII władzę próbowali zdobyć Tomasz i Demetriusz. Pierwszy do pałacu dotarł najmłodszy z braci – Tomasz, lecz Demetriusz, będący despotą Selymbrii i przeciwnikiem unii Kościoła prawosławnego z katolikami, również nie był bez szans. Wdowa po Manuelu II Helena popierała jednak kandydaturę swojego faworyta Konstantyna. Przekonała swoich pozostałych ambitnych synów i tym samym zapewniła tron i tytuł ostatniego cesarza Bizancjum Konstantynowi. W pierwszej kolejności obwieściła tę nowinę sułtanowi Muradowi II i uzyskała jego aprobatę. Między Konstantynem XI a jego braćmi panowały chłodne relacje. Kiedy cesarz ograniczonymi siłami bronił stolicy przed Mehmedem Zdobywcą, nie było przy nim jego braci. Po upadku miasta płacili sułtanowi trybut, dzięki czemu nadal mogli zarządzać Moreą. Wraz z potęgą stracili też honor.*
> *Syn Tomasza Andrzej Paleolog jako dziedzic sprzedał swoje prawo do tronu bizantyjskiego królowi Francji Karolowi VIII.*

Nie mogłem powstrzymać się od myśli, że gdyby na miejscu mojego prapradziada znalazł się Mehmed Zdobywca, pierwsze, co by zrobił, to nakazałby zamordować swoich braci, a dzięki bardziej efektywnym rządom zapobiegłby postępującej degeneracji.

(...) *Konstantyn XI, którego babka była z pochodzenia Włoszką, zanim jeszcze objął tron, był dwukrotnie żonaty z włoskimi arystokratkami. Były to krótkotrwałe małżeństwa zawarte z rozsądku. Obie jego małżonki zmarły z przyczyn zdrowotnych. Gdy został cesarzem, wysłał swojego nietuzinkowego przyjaciela Sfrantzesa do zaprzyjaźnionych królestw, aby znalazł mu żonę. Chciał w ten sposób wzmocnić słabnącą potęgę Bizancjum wpływowym małżeństwem, nawet jeśli miałoby być ono zawarte jedynie na pokaz. Swat cesarza z dwuletniej wyprawy wrócił z pustymi rękami, lecz przypomniał sobie wtedy o macosze Mehmeda Zdobywcy Marze Branković, która po śmierci Murada II wróciła do domu swego ojca Jerzego I Brankovicia, despoty serbskiego. Ród Brankoviciów był w zasadzie spokrewniony z rodziną matki cesarza. Gdy ta inicjatywa również spełzła na niczym, Konstantyn zrezygnował z poszukiwań małżonki.*

Miałem wrażenie, że życie mojego prapradziada minęło na odrabianiu prac domowych i trzymaniu warty. Nie sądzę, by czerpał z tego przyjemność. Mimo iż był sprawiedliwym i hojnym cesarzem, nie cieszył się pełnym poparciem ani ludu, ani Kościoła. Podobnie jak jego ojciec i starszy brat, był zwolennikiem unii Kościoła prawosławnego i Kościoła katolickiego z zachowaniem zwierzchnictwa tego drugiego. Według Konstantyna XI, miłośnika filozofii, powodem dychotomii w Kościele były mało istotne szczegóły. Dzięki unii cesarstwo miało zyskać wsparcie Europy przeciwko nadchodzącemu ze Wschodu zagrożeniu, następnie zaś Bizancjum, będące dziedzicem kultury rzymskiej i helleńskiej, miało znaleźć jakiś sposób, aby narzucić swoje zwierzchnictwo płytkim królestwom Europy. Dążenia tego nie podzielały jednak ani Kościół, ani lud. Łukasz Notaras, pełniący de facto funkcję pierwszego ministra, stwarzał pozory, jakoby popierał działania swojego cesarza; do historii przeszło zdanie, jakie za kulisami padło z jego ust: „Wolę widzieć w mieście turban imama niż mitrę łacińskiego biskupa".

Choć na postumencie posągu Konstantyna XI, którego reprodukcja widnieje na okładce książki, widoczna jest data urodzin cesarza: dziewiąty lutego 1404 roku, autor utrzymuje, że władca urodził się ósmego lutego 1405 roku. Pomyślałem, że zbieżność miesięcy pokrywa się z przeznaczeniem Bizancjum. Ta książka przypadła mi do gustu. To, co przeczytałem pod koniec, potwierdzało przypuszczenia Askarisa. W *Nieśmiertelnym cesarzu* podkreślono istnienie historyków głoszących, że mój prapradziadek nie umarł w walce, oraz odnotowano fakt, że nazwiska sześciu Paleologów widniały na liście pasażerów genueńskiego frachtowca, który jako ostatni opuszczał Konstantynopol…

Niezdolny do znalezienia sobie małżonki Konstantyn XI, który dopiero dzięki protekcji matki objął należny mu tron, choć nieustannie starał się działać dla dobra kraju, w życiu prywatnym raz za razem popełniał błędy. Historia ta przywiodła mi na myśl kogoś, kogo znałem. Mnie samego! Pomyślałem, że nawet w środku nocy na pustej drodze zawsze stosuję się do sygnalizacji świetlnej, nigdy nie ściągałem na egzaminach, nie zaczepiałem dziewcząt na ulicy, co więcej, nie zawołałem żadnej podniesionym głosem, wierząc, że może być to opacznie zrozumiane. Pobiegłem do budki telefonicznej i zadzwoniłem do mojego pełnoetatowego alfonsa.

ZETA

PODOBAŁY MI SIĘ geometryczne układy opisywanych numerami i literami ulic miasta młodszego od Stambułu o dwa tysiące czterysta lat, jednak wynosząca sześćset tysięcy liczba ludności stolicy potężnych Stanów Zjednoczonych – Waszyngtonu – nieco zawiodła moje oczekiwania. Miasto ze swymi przygnębiającymi budynkami oraz jakby na przemian przemierzającymi ulice ponurymi urzędnikami i oficerami przypominało mi Ankarę. Kiedy po raz pierwszy zobaczyłem mającą barwę cementu rzekę Potomac, pomyślałem, że dodaje stolicy kolorytu. Byłem wtedy na drugim roku studiów, wiosna dobiegała końca i bardzo przeszkadzała mi wilgoć. Gdy zwiedziwszy muzea w mieście, wracałem pociągiem do Nowego Jorku, dodałem Waszyngton do listy miast niewartych zobaczenia po raz drugi.

Tym razem jednak zaskoczyły mnie ceglaste kamienice zlokalizowane w strategicznych punktach. Jakby znajdująca się w pobliżu kopalnia cegieł nieprzerwanie zaopatrywała architekturę miejską, aż do całkowitego wyczerpania się złoża. Podczas gdy ceglasty pancerz hotelu Four Seasons wzbudził we mnie trwogę, luksusowe wykończenie i wyposażenie wnętrza miało kojące działanie, a personel mówił przyciszonym głosem, jakby nucił kołysankę. Park, który widziałem na horyzoncie, kiedy wyjrzałem z okna mojego znajdującego się na drugim piętrze apartamentu, miał w sobie usypiający stoicyzm. Czyżby hotel, w którym zatrzymałem się kierowany sugestią Askarisa, miał sprawić, że zacznę przyzwyczajać się do luksusu? Dumbarton Oaks, w którym mieścił się instytut badawczy, był prywatną posiadłością. Odnosiło się tam wrażenie, że ceglane mury polerowane są raz w miesiącu, a ptaki wydają się zbyt skrępowane, by śpiewać w zadbanym ogrodzie. Główny zakres działań badawczych instytutu obejmował Bizancjum oraz cywilizacje prekolumbijskie. Patrząc na znajdujące się w części muzealnej popiersia i maski rzucające ku sobie harde spojrzenia, łatwo było domyślić się, że te dwie dziedziny nie żyją ze sobą w symbiozie. Aby umocnić wizerunek biblioteki, której gmach przypominał schron, podkreślono, że zgromadzono w niej zbiory liczące dwieście tysięcy książek i dokumentów.

– Po tym, jak spędzę dwa dni w Dumbarton Oaks, moje osobiste szkolenie dobiegnie końca – poinstruowałem Askarisa. – Następnie odwiedzę przyjaciół i krewnych żyjących w Ameryce. Przez dziesięć dni wasze towarzystwo nie będzie mi potrzebne.

– Zrozumiałem, panie – odparł.

Sądzę, że gdy pospiesznie opuszczał wzrok, robił już w myślach listę ludzi, których za mną pośle.

Letni letarg panujący w bibliotece jedynie zaostrzył mój brak apetytu. Bezładnie chodziłem między regałami. Sięgnąłem po opasłą pozycję dotyczącą dojrzałości politycznej wzorowego Paleologa, Manuela II, i usiadłem ciężko przy odosobnionym biurku. Na przypadkowo otwartych przeze mnie stronach znajdowała się reprodukcja porozumień końcowych traktatu zawartego między Bizancjum a Wenecją. Sygnatura Manuela II, jaka znajdowała się w tym datowanym na 1406 rok dokumencie, nie zmieściła się w jednej linijce. Zawierała ponad pięćdziesiąt liter. Nie mogłem powstrzymać się od śmiechu. Miałem wrażenie, że za pomocą dużych ozdobnych liter próbowano zatuszować jakiś błąd. Wymawiając basmalę, wyciągnąłem z torby dwie książki historyczne, z których jedna napisana była po turecku, druga zaś po angielsku. Za chwilę, w najważniejszej bibliotece bizantynologicznej naszej planety, miałem zacząć czytać biografię kata Bizancjum – sułtana Mehmeda II Zdobywcy.

Według naszych podręczników Mehmed II Zdobywca był genialnym przywódcą, który dał początek nowej epoce i zakończył pewną erę. Bibliofil, miłośnik sztuki i myśliciel, niemający sobie równych sułtan, który gdyby nie został otruty przez prozachodnie stronnictwo, podbiłby cały kontynent europejski. Przez współczesnych mu Europejczyków przedstawiany był zaś jako bezlitosny wróg cywilizacji i chrześcijaństwa oraz załgany biseksualista otruty przez swojego syna Bajazyda II.

W rzeczywistości był poliglotą znającym osiem języków oraz estetą pasjonującym się filozofią i sztukami pięknymi; przestudiował klasyki Wschodu i Zachodu. Sympatia, jaką darzyłem go ze względu na to, że był skrytym poetą, przeobraziła się w szacunek – rozbudował Imperium Osmańskie, władając krajem niczym mistrz szachowy. Pałacowe intrygi, których był świadkiem w dzieciństwie, wiele go nauczyły. Posiadał swoich szpiegów nie tylko w Bizancjum, lecz także we wszystkich państwach, którym się przyglądał; jakichkolwiek posunięć strategicznych dokonywał po zapoznaniu się z informacjami wywiadu. W kwestiach bezpieczeństwa nie miał litości nawet wobec własnej rodziny; kiedy konieczne było wymierzenie kary za niepowodzenia, był bezwzględny również w stosunku do najbliższych dostojników. Historycy, którzy nie byli w stanie pogodzić się z upadkiem Konstantynopola, podawali trzykrotnie wyższą od rzeczywistej liczbę żołnierzy armii osmańskiej. Pominęli też postać wielkiego wezyra szpiegującego dla Bizancjum. Stracony po zdobyciu miasta Halil Pasza nie tylko przekazał plany jego oblężenia, lecz także deprymował osmańskich żołnierzy, głosząc, że zbliża się atak króla węgierskiego.

Sułtan Mehmed II Zdobywca czerpał zarówno z siły Bizancjum, jak i z jego przywar. Nie wpadł w zasadzkę papieża, próbującego omamić go słowami: „Twoja matka była chrześcijanką. Dołącz do nas, a zawładniesz całą Europą". Był inteligentny, dumny, miał postawę filozofa i lubił rozrywkę. Za cel stawiał sobie podbicie Zachodu i powtórzenie sukcesu, jaki Aleksander Wielki odniósł na Wschodzie.

Gdy w wyniku skrętu jelita lub otrucia zmarł, miał czterdzieści dziewięć lat. Czy Konstantyn XI, kiedy rzekomo poległ w walce, nie był w tym samym wieku? Nie jest niespodzianką, że historia przeoczyła tę zbieżność. Bardziej niż rozwiązywanie szyfrów interesuje ją bowiem układanie legend. Askaris twierdził, że mój prapradziadek kazał otruć Mehmeda Zdobywcę, gdy ten skończył czterdzieści dziewięć lat. Musiałem zaczekać na moment, w którym ta niemożliwa do udowodnienia aluzja zostanie mi wyłożona ze wszystkimi szczegółami. Kiedy wyobrażałem sobie portret tajemniczego sułtana, w moim umyśle wykluła się pewna hipoteza. Gdyby w przededniu czwartej wyprawy krzyżowej Bizancjum posiadało przywódcę kalibru Mehmeda II Zdobywcy, mapa dzisiejszej Europy byłaby bardziej przejrzysta, a globalna równowaga sił zdecydowanie mniej zatrważająca. Samuel Beckett mógłby tę koncepcję skrytykować, mówiąc z pogardą: „Ale bogowie przecież lubują się w chaosie".

Ilekroć udawałem się do biblioteki, spotykałem tam historyka z Ameryki Południowej. Jego wzrost ocierał się o górną granicę karłowatości, a jego głos był piskliwy. Wierzył, że gdy ukończy badania nad cesarzem bizantyjskim, zamiłowanym estetą Teofilem II (829–842), konieczne będzie ponowne napisanie książek do historii. Miał mnie za angielskiego naukowca, a ja nie kwapiłem się, żeby wyprowadzić go z błędu. Kiedy zapytał o mojego faworyta wśród cesarzy Bizancjum, w ostatniej chwili z moich ust zamiast Mehmeda Zdobywcy wypłynął Konstantyn XI.

– Ale dlaczego?

– Ponieważ to mój prapradziadek – odpowiedziałem i obaj wybuchnęliśmy śmiechem.

„VIRGINIA I CHARLOTTE TO dwie kapryśne królowe brytyjskiego pałacu". (Uniwersytet Virginia znajdował się w odległości trzech godzin jazdy od hotelu, w mieście Charlottesville). Byłem gotów przeczytać „The Washington Post" łącznie z ogłoszeniami, aby tylko Ed – gadatliwy kierowca limuzyny, którą wynająłem – nie burzył mojego spokoju innymi majestatycznymi szczegółami. Gdybym miał jednym słowem opisać uczucie, jakim darzę historię, musiałbym znaleźć określenie wyrażające równocześnie znużenie i trwogę. Zdaniem: „Charlottesville swoją gęstość zaludnienia zawdzięcza studentom oraz bogatym emerytom" Ed radośnie oznajmił, że dotarliśmy na miejsce. Budynki z cegły w kampusie przypominały rozproszone stado owiec, a będące dziełem prezydenta Thomasa Jeffersona zabytkowe kamienice – ich znużonych pasterzy. Zdumiałem się, kiedy w dziale informacyjnym zapytałem, gdzie przechowywane są stare Księgi Absolwentów, a moje pytanie nikomu nie wydało się dziwne; zostałem skierowany do Biblioteki im. Edwina Aldermana.

Poszukiwania śladów ojca planowałem rozpocząć od dyskretnego przejrzenia roczników z okresu, gdy kończył studia. Aby absolwenci mogli utrzymać ze sobą kontakt, czasem na tylnej okładce rocznika zapisywano adresy ich rodziców. Dzięki takiej wskazówce mogłem dotrzeć do kogoś z jego najbliższych krewnych i wybadać, czy odręczne pismo należy do niego.

Biblioteka Aldermana była pięciokondygnacyjnym budynkiem z cegły. Zaskoczyła mnie. Kolumny na froncie budowli wyglądały, jakby zostały wzniesione z materiału, jaki prawdopodobnie został po budowie kamienic, nie kłuły więc w oczy. Wchodząc przez główne drzwi, przez moment ciekaw byłem budynku tutejszego Wydziału Architektury.

Choć letnie wakacje powoli dobiegały końca, w bibliotece panował radosny gwar, a ja niespodziewanie zatęskniłem za swoimi studentami. (Niewiele brakowało, a westchnąłbym z żalem, zastanawiając się, co ja tu robię). Księgi Absolwentów, określane tu mianem *Corks and Curls*, przechowywane były na czwartym piętrze. Postanowiłem wejść tam, zwiedzając kolejno każde piętro; współczynnik mojej ekscytacji rósł wprost proporcjonalnie do zmniejszającej się liczby pozostających mi do przebycia schodów.

Mój ojciec urodził się w 1944 roku, dlatego poprosiłem dyżurującą studentkę o Księgi Absolwentów z lat 1966 i 1967. Choć zorientowałem się, że sympatyczna dziewczyna, która przyniosła to, o co prosiłem, jest cypryjską Turczynką, nie kwapiłem się, żeby przywitać się z nią po turecku.

Kiedy pośród zdjęć absolwentów z 1966 roku zobaczyłem portret Paula Hacketta w birecie, opadłem na najbliższe krzesło. Każdy, prócz mojej matki i babki, kto zobaczyłby tę twarz, na której udało się fotografowi wywołać lekki uśmiech, mógłby przysiąc, że to zdjęcie mnie sprzed dziesięciu lat. Paul Hackett miał w sobie niewinny urok i był dość przystojny. Ja przystojny raczej nie byłem i choć z twarzy przypominałem ojca, miałem wrażenie, że poszczególne jej części zostały umieszczone tam nieproporcjonalnie.

Na tylnej okładce nie było co prawda adresu, znalazłem jednak tajemniczą wskazówkę przy portrecie ojca. Osobą, która zostawiła tam pamiątkowy wpis złożony z łacińskich aforyzmów helleńskich filozofów, był Randolph S. Fitzgerald IV. Trudno mniemać, że istniał ktoś poza nim noszący tak nietypowe nazwisko. Poprosiłem wyszukiwarkę internetową mojego telefonu o informacje na jego temat. Okazało się, że przyjaciel mojego ojca, który zostawił mu tajemnicze życzenia, po ukończeniu studiów na Wydziale Literatury doktoryzował się tam, po czym jako emerytowany profesor college'u, którego nazwę widziałem po raz pierwszy, objął funkcję redaktora w niewielkim wydawnictwie w Nowym Jorku. Wypowiadając basmalę, wysłałem do niego mail, w którym napisałem, że jestem synem Paula Hacketta, że przebywam w Waszyngtonie służbowo i że chciałbym się z nim spotkać.

Gdy wracałem limuzyną do hotelu, dwukrotnie wymieniliśmy z Randolphem IV listy. Zaprosił mnie do swojego domu następnego dnia na godzinę 20:30, dodając: „Jeśli zamierzasz przynieść wino, preferuję margaux". Poczułem sympatię do wielmoży, który w odpowiedzi na moją propozycję: „Może wpadnę tylko na kawę, jeśli fakt, że jestem wegetarianinem, miałby stanowić problem?" odpisał: „Zrobię konieczne zmiany w jadłospisie, a ty za karę przyniesiesz dwie butelki margaux".

Przy zjeździe do Richmond Ed zapytał:

– Czy powodem, dla którego udał się pan do Virginii, może być tajny projekt powieści?

– Czy snucie teorii spiskowych jest wspólną cechą wszystkich kierowców z Waszyngtonu?

– Po prostu przypomniałem sobie, proszę pana, że Edgar Allan Poe również studiował na Uniwersytecie Virginia.

Przyszła mi na myśl powieść Selçuka Altuna zatytułowana *To było lata, lata temu*. Pomimo nacisków Eugenia nigdy nie przeczytałem tej książki, której tytuł brzmiał jak pierwszy wers wyzyskującego emocjonalnie odbiorcę wiersza Poego*. Askaris mógłby skwitować to zdaniem: „Przecedzone przez sito uprzedzenie jest świadectwem szlachectwa".

LUBIŁEM POPOŁUDNIA W NOWYM JORKU. To pora, kiedy miasto ulega czasowi. Nigdy nie uwierzę, że nie powstał wiersz, który opiewałby to zjawisko. Gdy z czwartego piętra nowojorskiego hotelu Four Seasons patrzyłem na Central Park, usiłowałem przypomnieć sobie jakiś film, którego akcja rozgrywa się w Nowym Jorku z pominięciem parku. Im dłużej przechadzałem się po hotelu, tym bardziej

---

* Mowa o wierszu E.A. Poego *Anabelle Lee*.

oswajałem się z jego godną piramidy statycznością. Wypiłem w barze dwa wytrawne martini i ruszyłem na Lexington Avenue, będące nostalgiczną i równocześnie mozaikowatą aleją tego miasta. Szedłem do chwili, w której zorientowałem się, że recytuję *Czekając na barbarzyńców* Kawafisa od tyłu. Skręciłem w Park Avenue, żeby znaleźć sklep z winem, który polecono mi w hotelu. Sprzedawczyni o aparycji zakonnicy traktowała swoją pracę z powagą, jakby sprzedawała relikwie czy dewocjonalia; cierpliwie zniosłem jej egzaltowaną prezentację. Ostatecznie poprosiłem, żeby zapakowała mi dwie butelki wina, które wybrałem dlatego, że cena jednej wynosiła sto pięćdziesiąt dolarów.

Znużony kierowca taksówki, do której wsiadłem, pochodził z Bangladeszu. Speszyłem go, gdy zanim podałem adres na Morton Street, powiedziałem: „Salam alejkum". W sierpniu ulice Nowego Jorku delektują się martwym sezonem. Im dalej na południe, tym bardziej miasto zaczyna przypominać kameleona, który w miarę jak się zmniejsza, nabiera coraz więcej uroku.

Surowy wystrój znajdującego się na poddaszu apartamentu Randolpha IV komponował się z panującą na ulicy atmosferą bohemy. Prawdopodobnie najbardziej współczesną pozycją w jego biblioteczce było coś Ernesta Hemingwaya. Wiszące w salonie masywne reprodukcje i leżące na podłodze geometryczne dywaniki modlitewne chyba chętnie zamieniłyby się miejscami.

Randolph IV był siwowłosym, pyzatym i krępym mężczyzną. Zdawało się, że swoją pogodą ducha rzuca światu rękawicę. Gdy poprosił, abym zwracał się do niego per Randy, z trudem powstrzymałem się od śmiechu. Zanim przeszliśmy do stołu, zagwizdał, otwierając jedną z przyniesionych przeze mnie butelek margaux, i umieściwszy w odtwarzaczu płytę CD z muzyką New Age, poprosił, żebyśmy usiedli na sofie, po czym streścił mi swoją biografię, ograniczając się do objętości akapitu.

Kiedy pochodzący z jednej z wpływowych rodzin w Chicago Randy nie podkreślił, jak bardzo przypominam ojca, z początku poczułem ulgę, później jednak wzbudziło to moje podejrzenia. Jego dziadek ze strony ojca był biznesmenem i zbankrutował w 1929 roku w czasie kryzysu gospodarczego, jego ojciec zaś był gnuśnym wiolonczelistą i utopił się w jeziorze Michigan, gdy Randolph miał cztery lata. Rok po jego śmierci matka Randolpha wyszła za dentystę z Portoryko i przeprowadziła się do San Juan, zostawiając syna na wychowanie mieszkającym w Richmond rodzicom. Randolph dorastał w domu babci i dziadka strażaka. Kiedy mówił o tym, że podczas studiów przez trzy lata dzielił z moim ojcem mieszkanie, spuścił wzrok. Jego małżeństwo z kobietą ormiańskiego pochodzenia trwało pięć miesięcy – wystarczająco długo, żeby nauczyć się od niej gotować. Zdawał się szczęśliwy, wiodąc życie wciśnięte między współrzędne, jakie wyznaczały joga i literatura.

Nadeszła moja kolej. Z pominięciem wątku dotyczącego Nomo planowałem uczciwie streścić mu własną biografię, chcąc zdobyć tym jego zaufanie. Korzystając z faktu, że przyleciałem do Stanów służbowo, chciałem odnaleźć ślady ojca i poznać jego żyjącą rodzinę.

Gdy moja przemowa zbliżała się ku końcowi i zostałem zaproszony do stołu, nie miałem już apetytu. A przecież menu, na które składały się sałatka z rukoli z orzechami włoskimi, chłodnik z pomidorów i bazylii, risotto z szafranem oraz profiterolki z lodami, było niemal idealne. Wiedziałem, że celem ciągłego zadawania mi pytań oraz dbania o to, żebym stale miał pełny kieliszek, było przygotowanie mnie na tajemniczy monolog. Kiedy Randolph przyniósł zieloną herbatę, jego twarz była pozbawiona wyrazu, jak u początkującego nauczyciela, który za chwilę ma podać wyniki egzaminu.

– Nigdy nie dowiedziałem się, skąd pochodził twój ojciec. – Inaugurujące monolog zdanie było dość intrygujące. – Wiem jednak, że gdy twój dziadek, starszy sierżant Patrick, jako weteran wojny w Korei przeszedł na przymusową emeryturę, cała rodzina przeprowadziła się do Santa Teresa. Twoja babcia, której imienia nie pamiętam, była gospodynią domową. Młodsza od Paula o sześć lat jego siostra Emma chciała zostać pielęgniarką lub zakonnicą. Z rodziną Hackettów spędziłem jedno Święto Dziękczynienia. Miałem wrażenie, że w ich domu panuje wieczna żałoba; jakby twój dziadek kazał swojej rodzinie płacić za wyrządzoną mu krzywdę.

Paul Hackett był człowiekiem tajemniczym, żadne lepsze określenie nie przychodzi mi do głowy. Jego sposób bycia sugerował, że dojrzał, nie doświadczając dzieciństwa i młodości, i w związku z tym na roku wszyscy traktowali go jak starszego brata. Był inteligentny i dyskretny. Żyjąc teraźniejszością, tak naprawdę jednak pragnął delektować się przeszłością. Mimo wyjątkowego talentu do nauk ścisłych wybrał studia historyczne. Rozwiązywał matematyczne zagadki i zaszyfrowane równania, przesiadywał w bibliotece uniwersyteckiej, nie podnosząc głowy znad atlasów historycznych. Mapy Włoch i Grecji porównywał do abstrakcyjnych rzeźb, a o kształcie Turcji mówił, że przypomina obłok, który zaraz uleci w powietrze. Nigdy się nie kłóciliśmy, ale nie byliśmy też swoimi powiernikami. Znikał czasem na kilka dni i nigdy nie wyjawiał przyczyny tych nieobecności. Był opiekunem studentów przybywających zza oceanu i flirtował z Azjatkami. Informacja, że ożenił się z Turczynką, nie zaskoczyła mnie. O tym, że był stypendystą organizacji publicznej, dowiedziałem się przypadkowo na ostatnim roku studiów.

CIA jest najbardziej medialną organizacją wywiadowczą w USA, a co za tym idzie największym kozłem ofiarnym. Nazwy znacznie mniejszych agencji wywiadowczych, takich jak DIA, INR, NIO, NRO, usłyszałem lata później. Wydaje mi się, że zatrudnieni tam elitarni agenci zadowalali się przygotowywaniem i czytaniem raportów szacunkowych i kontrolnych. Twój ojciec nigdy nie powiedział, dla której z nich pracuje. Po ukończeniu studiów przez mniej więcej pięć lat pracował w Waszyngtonie w jednostce podlegającej Ministerstwu Spraw Zagranicznych. Następnie, rzekomo wypowiedziawszy umowę, został w Stambule przedstawicielem koncernu medialnego. W rzeczywistości twój ojciec, przeszedłszy szkolenie w kwaterze głównej, został w ramach awansu wysłany na front. Paula cieszył fakt, że będzie mieszkał w starym centrum Bizancjum i że będzie odbywał podróże służbowe do krajów Bliskiego Wschodu. Po jego wyjeździe do Stambułu kontaktowaliśmy się tylko w czasie świąt Bożego Narodzenia.

Gdy dwa lata później spotkaliśmy się w Nowym Jorku, był bardzo odmieniony. Bił od niego sztuczny niepokój, lecz z drugiej strony cechowała go też duża pewność siebie. Wyglądał na zmęczonego, ale szczęśliwego. Zaintrygowały mnie jego drogie ubrania i złoty zegarek. Byłem pewien, że próbował stworzyć wokół siebie atmosferę sugerującą, że w każdej chwili może zostać wezwany przez krótkofalówkę na nadzwyczajne posiedzenie w Waszyngtonie. Spodziewałem się konstatacji w stylu: „Życie jest bardziej skomplikowane, niż mogłoby się wydawać z kampusu uniwersyteckiego". On jednak w chwili pożegnania ograniczył się jedynie do słów: „Naprawdę przykro mi, Randy, że nie mogę zaprosić cię do Stambułu nawet na kilka dni".

Nie spotkaliśmy się już więcej, ale korespondowaliśmy ze sobą. Nie ma co wchodzić w szczegóły; ze sposobu, w jaki mnie poinformował, łatwo było domyślić się, że jego małżeństwo nie potrwa długo. Na ostatniej pocztówce, którą od niego otrzymałem, radośnie obwieszczał mi twoje narodziny. Dodał, że matka zwraca się do ciebie, używając tureckiego imienia, on zaś będzie nazywał cię Adrian. Cesarz rzymski Hadrian był ulubioną osobistością twojego ojca.

Więcej wiadomości od Paula Hacketta nie dostałem. Nie byłem jednak zaskoczony, że nasza znajomość urwała się w ten sposób. Minęło siedem lat. Pojechałem do Charlottesville na obchody piętnastej rocznicy ukończenia studiów. Yun z południowej Korei przysięgał, że dwa miesiące wcześniej spotkał Paula w Toronto. Miał brodę i na środku ulicy krzyczał na towarzyszącą mu piękną kobietę. Yun był zbyt skrępowany tą sytuacją, żeby podejść i się przywitać. Nie mógł się mylić, gdyż na studiach był osobą z najbliższego otoczenia Paula. Minęło kolejne siedem lat. W części wydziałowego periodyku poświęconej absolwentom przeczytałem, że zginął w wypadku samochodowym. W jego krótkim życiorysie napisano, że po tym, jak opuścił sektor medialny, doktoryzował się w Katedrze Historii Średniowiecza na Uniwersytecie McGill w Montrealu i pracował jako wykładowca akademicki na prowincjonalnych uczelniach Kanady. W akapicie poświęconym bliskim, których opuścił, widniało imię i nazwisko jednej tylko Amerykanki.

Gdy czytałem zawiadomienie o jego śmierci, pomyślałem, że Paul przeżył czterdzieści cztery intensywne lata. Twój ojciec był człowiekiem wartym tego, by odnaleźć jego ślad. Myślę, że przy pierwszej sposobności powinieneś polecieć do Santa Teresa. Jeśli twoja ciotka żyje, ma teraz pięćdziesiąt osiem lat. Nawet jeśli stamtąd wyjechała, bez trudu ustalisz, dokąd się przeprowadziła; kiedy ja tam byłem, było to spokojne, czterdziestotysięczne miasteczko. Emma i Paul byli ze sobą stosunkowo zżyci…

Po tym, jak usłyszałem teorię o przeszłości ojca jako członka tajnej organizacji, postanowiłem nie pokazywać dwóch kserokopii, które ze sobą przyniosłem. Zdecydowałem, że zapytam ciocię (?) Emmę, czy odręczne pismo, jakim sporządzone zostały zaszyfrowane teksty, należało do mojego ojca. Gdy się żegnaliśmy, powiedziałem Randy'emu, że zgodnie z jego sugestią polecę nazajutrz do Santa Teresa, po czym dodałem, że będzie mi bardzo miło gościć go, jeśli kiedyś przyleci do Stambułu. Od razu pożałowałem swych słów.

Idąc z Morton w stronę Siódmej Alei, poczułem nagły przypływ sił. Przechodząc przed opustoszałą grecką restauracją, zadzwoniłem z komórki do czekającego na wieści Askarisa. Odetchnął z ulgą, gdy usłyszał, że najpóźniej za tydzień będę z powrotem. Potem kazałem mu skrupulatnie zanotować rysopis dwóch Latynosek, które miał mi przysłać do hotelu w ciągu półtorej godziny.

KIEDY PO RAZ pierwszy zobaczyłem Los Angeles, i to miasto nie wzbudziło mojej sympatii. Wyglądało, jakby przy jego zakładaniu zapomniano o centrum. Byłem pewien, że Los Angeles nie wydało na świat żadnego pierwszej klasy poety. Aby uniknąć spotkania z płytkimi turystami i pełnymi sztuczności mieszkańcami, nie opuszczałem znajdującego się w Beverly Hills hotelu Four Seasons. Przesiadując w lobby, obserwowałem ruch zamożnych gości; siedziałem też w barze i nie wstałem, dopóki nie skończyłem czytać ostatniego tomiku wierszy Johna Ashbery'ego (*A Worldly Country*). Okazało się, że kelnerka, która cztery razy przyniosła mi wytrawne martini, studiowała wieczorowo literaturę. Zaimponowała mi, mówiąc, że poczuła ekscytację, gdy po raz pierwszy zobaczyła książkę amerykańskiego nestora literatury w dłoniach gościa. Kiedy skończyłem lekturę, włożyłem między kartki studolarowy banknot i podarowałem tomik mojemu pięknemu podczaszemu.

Nazajutrz rano udałem się na dworzec kolejowy Union, gdzie pulchna kobieta zamaszystym gestem wydawała bilety. Moja prośba o bilet w pierwszej klasie na pociąg do Santa Teresa wprawiła ją w osłupienie. Kobieta nie tylko zapytała mnie, dlaczego nie kupię biletu w drugiej klasie, skoro podróż trwa niecałe dwie godziny, lecz groźnie wpatrywała się we mnie swoimi wybałuszonymi oczami.

Kiedy w odpowiedzi zapytałem ją, czy otrzymała od przełożonych szczególne polecenie, by zadać to pytanie, wybuchnęła gromkim śmiechem, a jej olbrzymie piersi poderwały się jak sztanga. W wagonie było nas czworo. Młoda matka karcąca synka za dłubanie w nosie sprawiła, że przez moment wróciłem do czasów dzieciństwa. Moja babcia mawiała, że przyłapany na gorącym uczynku powinienem mówić: „Nie dłubię w nosie, tylko wyjmuję gluty".

Po lewej stronie Pacyfik, po prawej góry Sierra Madre; po krótkim czasie trasa spowszedniała. Podczas postojów na stacjach o ładnie brzmiących nazwach (Olvidado, Perdido) śmiałem się najpierw z mojego drugiego wyklętego imienia, które ojciec nadał mi przy narodzinach i o istnieniu którego dowiedziałem się dwa dni temu, potem z mojego składającego się z pięciu liter tureckiego imienia, z wymówieniem którego ludzie zawsze mają trudności, i wreszcie, to chyba rozbawiło mnie najbardziej, śmiałem się z mojego tytułu honorowego, jakim obdarzyła mnie najmniej znana na całej planecie organizacja. Z powodu mojego przewrotnego poczucia humoru babcia z frasunkiem w głosie mówiła: „Toż ten chłopak jak dorośnie, zostanie klaunem, a i to mu pewnie nie wyjdzie".

Stacja Santa Teresa wyglądała na obiekt pamiętający początki miasta. Podróżni wysiadali z pociągu bez pośpiechu, jakby w ten sposób chcieli okazać szacunek pradawnemu budynkowi dworca. Z pewnym wahaniem wsiadłem do sfatygowanej taksówki Juanita, który przy pierwszej okazji nie omieszkał podkreślić, że ma siedemdziesiąt dwa lata. Jasne było, że poczułby się dotknięty, gdybym nie skomentował tego, mówiąc: „Nie wyglądasz na tyle". Gdy usłyszał, że mamy jechać do hotelu Edgewater, zaproponował:

– Doba hotelowa zaczyna się za dwie i pół godziny, masz ochotę na rundkę po okolicy?

Pomyślałem, że oferuje tę usługę wszystkim gościom hotelowym przyjeżdżającym do miasta pociągiem o 11:33 i że nigdy nie dostał odpowiedzi odmownej.

Objazdówkę po mieście zaczęliśmy od plaży Ludlow. Aleje i ulice osiemdziesięciopięciotysięcznej Santa Teresa nazwane zostały sprawiedliwie – połowa po hiszpańsku i połowa po angielsku. Budynki użyteczności publicznej, jakie kojarzyłem z filmów o kowbojach, były wytworem dawnej architektury hiszpańskiej, wille zaś, w których żyli zamożni emeryci, wybudowano w stylu wiktoriańskim. Skupiska palm i bugenwilli miały w sobie urok ręcznie wyszywanej włóczką kanwy. Nikomu w Santa Teresa się nie spieszyło i zdawało się, że ludzie podlegają tam łaskawszej niż ta w Los Angeles strefie czasowej. Czy improwizowana cisza panowała tam tylko po to, by nikt nie przegapił dobiegającego znad oceanu koncertu brzmiących w różnej tonacji fal? Opustoszałe ulice powtykane w wijący się wzdłuż nabrzeża bulwar Cabana niczym strzały i przypominające schron miejskie centrum handlowe napawały mnie stopniowo wzmagającym się lękiem. To malownicze jak z pocztówek miasto sprawiało wrażenie makiety miejsca, w którym rozgrywa się akcja serii powieści kryminalnych. Wiele historii mogłoby się wydarzyć w przysadzistych centrach finansowych i na wpół opuszczonych willach, a czarne charaktery przez setki stron przekopywałyby grobową ziemię.

Edgewater z dwiema setkami pokoi bardziej niż luksusowy hotel przypominał feudalną seniorię. Jakby olbrzymie palmy na dziedzińcu nie wystarczały, w restauracji również stały karłowate palemki. W przestronnym lobby goście rozmawiali tak głośno, jakby chcieli zabić dźwięki muzyki grającego tam pianisty. Gdy tylko udałem się do mojego znajdującego się na drugim piętrze apartamentu z widokiem na ocean, otworzyłem okna i przystanąłem na chwilę. Mimo ciepłej bryzy i szumu rozigranych fal czegoś w tej scenerii brakowało. Postanowiłem jednak przez jakiś czas delektować się niewiedzą, czym jest ten brakujący element.

Zgodnie z informacjami, jakie znalazłem w internecie i w książce telefonicznej Santa Teresa, w mieście było siedem domostw zarejestrowanych pod nazwiskiem Hackett. Zdziwiłbym się, gdybym wśród nich wpadł na trop mojego dziadka lub ciotki. Było raczej mało prawdopodobne, żebym był spokrewniony z innymi tutejszymi Hackettami, gdyż jak twierdził Randy, mój dziadek nie pochodził stąd. Mając na uwadze, że mogłem mieć ogon w postaci agenta Nomo, nie powinienem prowadzić w mieście zaciekłych poszukiwań. Przez chwilę bezmyślnie wpatrywałem się w ocean. W końcu zamówiłem do pokoju kanapkę wegetariańską i sok grejpfrutowy. Buteleczki z wódką i koniakiem, które znalazłem w minibarze, opróżniłem w dwóch haustach i się położyłem. Czy liczyłem na proroczy sen? Kiedy się przebudziłem, zegarek wskazywał 15:22, a ja nadal nie miałem planu. Wziąłem ostatni zbiór wierszy najlepszej zdaniem Selçuka Altuna poetki naszego globu – Louise Glück (*Averno*) – i zszedłem do lobby. O tej porze było tam spokojniej, a przy pianinie siedział około sześćdziesięciopięcioletni, nadęty muzyk o aparycji alkoholika. Co raz zataczając dłońmi kręgi niczym hipnotyzer, smagał palcami klawisze i wygrywał rzewne kawałki. Utkwiłem na moment wzrok w sylwetce stojącego przy stanowisku obsługi klienta otyłego mężczyzny ubranego w hotelowy uniform. Z zapałem wykonywał swoje obowiązki, zaznaczając miejsca na mapach marudnych gości, zapisując na karteczkach adresy i objaśniając trasę. Gestykulował przy tym niczym policjant drogówki. Podszedłem do niego zaraz po tym, gdy pożegnał ostatnią parę podstarzałych turystów. Na żółtej plakietce przymocowanej do górnej kieszeni jego marynarki widniało imię Jesus. Próbowałem się nie roześmiać.

– W czym mogę pomóc? – zapytał, a ja położyłem przed nim nowiutką dwudziestodolarówkę, lecz ją zignorował.

– Jak według ciebie, Jesus – zadbałem o to, by zaakcentować i wymówić jako „h" pierwszą literę jego imienia – mogę odnaleźć krewnych, którzy żyli w tym mieście trzydzieści lat temu?

Lewa dłoń Jesusa powędrowała w stronę telefonu; banknot nadal leżał rzekomo niezauważony. Porozmawiał z kimś po hiszpańsku besztającym tonem, po czym podał mi nazwisko i numer telefonu.

– Kinsey Milhone to była żona naszego pianisty Daniela Wade'a. Była kiedyś najbardziej znanym detektywem w Santa Teresa. Obecnie oferuje usługi ochroniarskie i wykonuje ekspertyzy dla instytucji finansowych. Nawet jeśli nie będzie mogła pomóc, pokieruje pana dalej…

Analizowałem cyfra po cyfrze zapisany na małej karteczce numer telefonu, jakbym próbował znaleźć w nim jakąś wskazówkę. Gdy uniosłem głowę, chcąc podziękować Jesusowi, dwudziestodolarówki już nie było, a on podawał adres klubu golfowego stojącemu za mną gburowi. Wróciłem do pokoju i zadzwoniłem do biura Kinsey Milhone. Nie miałem tyle szczęścia, ile bohaterowie filmów i powieści kryminalnych. Kiedy za siódmym razem się nie dodzwoniłem, nagrałem wiadomość, po czym zacząłem oglądać w telewizji najnowsze przygody nieokrzesanej rodziny Simpsonów. Gdy kreskówka zaczynała mnie już nudzić, pani Milhone oddzwoniła; miała zmysłowy, pewny siebie głos. Zorientowałem się, że zacząłem zapinać guziki koszuli.

– Szukam mojej ciotki Emmy Hackett – powiedziałem, przedstawiwszy się.

Po drugiej stronie słuchawki rozległa się salwa śmiechu.

– Wybacz mi, młody człowieku – odezwała się kobieta po chwili, a ja poczułem ulgę. – Dzięki tobie okrzykną mnie najszybciej rozwiązującym sprawy detektywem w historii kryminalistyki, a moje nazwisko na zawsze zostanie zapisane w *Księdze rekordów Guinnessa*. Emma Hackett była moją koleżanką w szkole średniej. Trzydzieści lat temu przeprowadziła się do San Francisco. Wiem, że pracuje w szkole pielęgniarskiej. Mogę poprosić naszą wspólną znajomą, która nadal utrzymuje z nią kontakt, o adres i numer telefonu. Chciałabym przy okazji wyrazić mój smutek z powodu śmierci Paula. Niektórzy z nas mieli go za geniusza, inni, nie wiedzieć czemu, za dewianta. Posłuchaj, spotkajmy się wieczorem, o siódmej trzydzieści w lobby Edgewater. Jeśli udowodnisz mi, że jesteś bratankiem Emmy, podam ci namiary na nią. W zamian oczekuję wyszukanej kolacji…

Zanim podszedłem do Kinsey Milhone, żeby się przywitać, przez chwilę obserwowałem ją z daleka. Była ubrana w wypłowiałe dżinsy i bladoróżowy T-shirt. Jakby tego było mało, nie uznała też za stosowne ukryć pod farbą swoich siwych włosów. Miała uroczy zadarty nos, jej oczy się śmiały i pomimo atletycznej budowy poruszała się jak emerytowana modelka. Wyglądała na nieco po pięćdziesiątce, ale widać było, że się tym nie przejmuje. Ta surowa, lecz atrakcyjna kobieta wpadła do lobby hotelu niczym świetlista kula. Pani detektyw czekała na mnie, pogwizdując. Idąc do niej, próbowałem ją sobie wyobrazić w młodości. Gdy tylko mnie spostrzegła, uniosła prawą rękę i powiedziała:

– Nie musisz okazywać paszportu, jesteś Hackettem.

Przeszliśmy do przypominającej szklarnię restauracji. Kinsey przekonała kelnera, by przygotowano dla niej sałatkę, której nie było w menu, zamówiła chilijskiego okonia, a wybór wina zostawiła mnie. Sądzę, że kiedy z błyskotliwością psychologa zadawała mi kolejne pytania, w głowie nakreślała ramy swojego raportu.

– Twój dziadek był neurotycznym bohaterem wojennym. – Miałem wrażenie, że zdanie: „Czerpał przyjemność z bycia na emeryturze, traktując rodzinę jak jeńców" powstało jeszcze przed naszą rozmową. – Twoja babcia, Mara, była, jak sądzę, emigrantką z Serbii. Cicha, lecz bystra kobieta. Z wielkim szacunkiem obserwowaliśmy, jak wychodziła z siebie, próbując chronić dzieci przed kaprysami męża faszysty.

Twój ojciec, najlepszy uczeń w szkole, był dziwnym chłopcem. Nie chodził na imprezy, sypiał ze starszymi od siebie robotnicami z rodzin emigrantów. Podczas wakacji wybierał wyjazdy do starożytnych miast Azteków lub Majów albo przesiadywał w miejskiej bibliotece. Zachowywał się tak, jakby wywyższał się ponad swoich rówieśników. Usilnie próbował przekonać ludzi ze swojego kręgu, że otacza go aura tajemniczości. Mogłabym wtedy iść o zakład, że Paul w przyszłości zostanie odpychającym wykładowcą akademickim.

Emma natomiast była skromna i serdeczna. Dojrzała i inteligentna. Ponieważ nigdy nie narzekała na swój los, nadaliśmy jej przydomek „Święta". Dzięki wpływowi brata w liceum miała dobre stopnie i uzyskawszy stypendium, rozpoczęła studia pedagogiczne na

Uniwersytecie Kalifornijskim w San Francisco. Gdy była na trzecim roku, jej matka zrobiła coś zupełnie szalonego i uciekła na Florydę z młodszym od siebie o dwanaście lat maszynistą z Korei. Kiedy ojciec doznał porażenia połowiczego, Emma przerwała studia i wzięła na siebie opiekę nad tym gburem. Po dwóch latach twój dziadek zmarł, a dom, w którym mieszkali, został sprzedany celem spłaty zadłużenia bankowego. Za pieniądze, które zostały, twoja ciocia dokończyła studia. Zrobiła karierę akademicką, a gdy niedługo przed czterdziestką wychodziła za mąż za owdowiałego kolegę z uczelni, ja właśnie rozwodziłam się z moim drugim mężem. Tak jak wspomniałam ci przez telefon, Emma jest szefową wydziału w szkole pielęgniarskiej w San Francisco. Szczegółowe namiary, jakie dostałam od naszej wspólnej znajomej, podam ci, gdy będziemy się rozstawać.

Twoja ciotka przyjeżdżała tu czasem na zaproszenie dawnych przyjaciół. Podczas naszych spotkań zawsze odnosiłam wrażenie, że próbuje przyjąć pozę zimnej bizneswoman tylko po to, by nie otworzyć się przede mną. Nie rozumiałam, dlaczego zataiła informację o śmierci brata. Zdarzają mi się wyjazdy służbowe do San Francisco, jednak zazwyczaj nie mam wolnej chwili na spotkania towarzyskie, a co więcej, często dziękuję losowi, że wracam stamtąd cała i zdrowa.

Młody człowieku, na koniec powiem ci jedynie, że jesteś szczęściarzem, mając taką ciotkę, i na pewno nie będziesz żałował tego, że ją poznasz...

Widząc, że Kinsey smakuje wino Napa Valley, które wybrałem do kolacji, poleciłem kelnerowi zapakować dwie butelki i podarowałem je jej. Co więcej, odprowadziłem ją do samochodu. Jeździła co najmniej dwudziestoletnim volkswagenem i mógłbym iść o zakład, że jej poprzednie auto, którego pozbyła się pewnie po trzydziestu latach używania, było tej samej marki. Na odwrocie wizytówki, którą podała mi, szczypiąc mnie w policzek, były namiary na Emmę Hackett. Nie wiedzieć czemu nie odprowadziłem wzrokiem oddalającego się z parkingu dygoczącego samochodu. Kiedy Kinsey odjechała, poczułem dziwną pustkę; jakbym nie nasycił się tą mądrą i błyskotliwą kobietą. Czując na twarzy podmuchy kuszącego wiatru znad oceanu, poczułem ulgę, jakbym rozwiązał równanie pełne pułapek; Santa Teresa była ogromnym planem zdjęciowym ustawionym po to, by mogły się na nim rozgrywać skecze jedynej w swoim rodzaju detektyw Kinsey Milhone.

Gdy wchodziłem do lobby, podbiegła do mnie blondyna w minispódniczce.

– Toaleta na tym piętrze jest nieczynna, czy mogę skorzystać z łazienki w pańskim pokoju? – zapytała.

– Jeśli masz koleżankę w podobnej potrzebie, jej również mogę pomóc – odparłem.

Kiedy już odesłałem prostytutki, podszedłem do okna i spojrzałem na ocean. Zamknąwszy oczy, próbowałem zintensyfikować rozkosz, jaką dawała mi północ. I wtedy odkryłem, czego brakuje na tej trójwymiarowej pocztówce. Zapachu cytrusów?

SAN FRANCISCO! GDY ujrzałem je po raz pierwszy, ogłosiłem je moim ulubionym miastem w Stanach Zjednoczonych. (Z czasem przestałem kompletować własny harem miast. Mam już miasto, na myśl o którym serce bije mi mocniej, i nie jest to Stambuł).

Jak tylko wszedłem do swojego apartamentu znajdującego się na dziewiątym piętrze hotelu Four Seasons, odprężyłem się. Po głowie krążyło mi pytanie, kiedy znuży mnie ten maraton szlakiem luksusowych hoteli, między którymi skakałem, jakbym grał w klasy. Skupisko zieleni, które zbliżało się do mnie, w miarę jak podchodziłem do okna, okazało się parkiem Yerba Buena Gardens. (Podczas studiów siadałem na ławce położonej najbliżej wejścia do parku, jakbym chciał się na coś zaczaić. Nigdy nie miałem dosyć widoku dzieci, które gdy tylko malutkimi niepewnymi kroczkami wchodziły na trawnik, zamieniały się w kłębek uciechy. Pomimo niepokojącej myśli: „Czyżby było to oznaką, że nigdy nie zostanę ojcem?" nie rezygnowałem z tej uczty dla oka. Serce mi się krajało, gdy jedno z dzieci zaczynało płakać).

Zadzwoniwszy do obsługi hotelowej, zamówiłem kanapkę, sałatkę i sok grejpfrutowy. Uroczysty sposób, w jaki zamówienie zostało mi dostarczone, miał coś z obrazów Felliniego; jakbym został nagrodzony za to, że wybrałem najgorszy lunch w historii hotelu.

– Geary Boulevard trzy tysiące trzysta trzydzieści trzy B. – Ze zdziwieniem przeczytałem adres Instytutu Pielęgniarstwa imienia Florence Nightingale.

– Mogło być gorzej. Widziałem bloki mieszkalne przy Geary osiem tysięcy trzysta – pocieszył mnie kierowca.

By nie wdawać się w zbędny dialog, nie zapytałem, po co tak długa aleja w osiemsettysięcznym mieście.

Szpital przypominający martwego kaszalota oraz znajdująca się tuż obok szkoła pielęgniarska należały do fundacji. Przed głównym wejściem do budynku szpitala umieszczono popiersie będącej założycielką fundacji starowinki, a przed gmachem dwupiętrowej szkoły, przywołującej na myśl raczej centrum sportowe, stało popiersie Florence Nightingale. Chciałbym wierzyć, że posągom darowana jest kwintesencja osobowości ludzi, których przedstawiają. Gdy stanąłem przed pielęgniarką, która urosła do rangi symbolu, wyprostowałem plecy i uniosłem ramiona, po czym niemalże przemaszerowałem przed rzeźbą.

W holu szkoły znajdowały się dwie tablice. Na jednej z nich widniał tekst przyrzeczenia pielęgniarskiego, na drugiej zaś prośba o darowizny. Podkreślono też, że darowizny można odliczyć od podatku. Przy biurku w punkcie informacyjnym siedział czarnoskóry ochroniarz. Czy tak naprawdę nie został on zesłany na ten świat, by odegrać Otella? Wiedziałem, że jeśli zwrócę się do niego z szacunkiem należnym sędziemu, nie potraktuje mnie szorstko. Trwały wakacje, dlatego mojej ciotki nie było w szkole. Ojciec ochroniarza w latach sześćdziesiątych pracował w stacji radarowej amerykańskiej bazy wojskowej w Samsun w Turcji. Gdy dowiedział się, że jestem tureckim krewnym Emmy Hackett Green, bez wahania podał mi jej adres i numer telefonu. W prawej dłoni na wszelki wypadek trzymałem pięćdziesiąt dolarów. Obaj byliśmy zaskoczeni, gdy choć nie było takiej potrzeby, powoli położyłem je przy lewej krawędzi biurka. Kiedy on odsunął banknot wierzchem dłoni, ja przeprosiłem go szybko i rzuciłem się ku wyjściu.

Kierowca taksówki, do której wsiadłem, słuchał muzyki klasycznej; jego nadęcie nie zrobiło na mnie wrażenia. Gdy usłyszał, że chcę jechać do księgarni City Lights, cedząc sylaby, jakby rozmawiał z półgłówkiem, poinformował mnie, że księgarnia należy do Lawrence'a Ferlinghettiego, ostatniego poety pokolenia beatników, który właśnie skończył osiemdziesiąt dziewięć lat. Wyruszając w drogę, kazałem mu przyciszyć muzykę.

– Mogę ci wyrecytować wiersz o San Francisco twojego mistrza – powiedziałem.

Wiersz, który zacząłem deklamować, nie czekając na przyzwolenie, nosił tytuł *W ciężarówce dwóch śmieciarzy, w mercedesie dwie ślicznotki.*

Wyglądający na niedokończony pięćdziesięciopięcioletni budynek księgarni wzbudził we mnie sympatię. Jedyną pozycją napisaną prozą spośród tuzina książek, które wybrałem, była biografia Hadriana. Kiedy rozmowna dziewczyna przy kasie wzięła mnie za badacza literatury, nie miałem sumienia wyprowadzić jej z błędu. Choć przylegający do księgarni bar nie był ulubionym miejscem zalewania robaka Jacka Kerouaca, wiodącego pisarza pokolenia beatników, zaglądnąłem tam ze względu na jego miłą nazwę – Vesuvio. Miało się wrażenie, że tajemniczy półmrok, jaki momentalnie spowijał człowieka w tym klaustrofobicznym lokalu, panuje tam nieprzerwanie od pięćdziesięciu lat. Gdy trzech tkwiących przy barze zasłużonych członków bohemy sceptycznymi spojrzeniami zakwestionowało moją obecność, pozdrowiłem ich skinięciem głowy, chcąc zdobyć ich aprobatę. Z zazdrością przyglądałem się ciasno siedzącym przy stolikach za nami kandydatom na poetów z lenonkami na nosie albo długim zarostem oraz ich niechlujnym dziewczynom. Po drugim wytrawnym martini wyjąłem komórkę i zadzwoniłem do ciotki. Miała uprzejmy, zmęczony głos. Ustaliliśmy, że przyjadę do niej nazajutrz o 14:00, by przekazać paczkę od Kinsey Milhone. Niespodziankę chciałem ogłosić osobiście.

Wypiwszy czwarte martini, wstałem, próbując utrzymać równowagę. Gdy szedłem w dół Columbus Boulevard, w głowie wirowały mi przenikające się cyfry i litery. Miałem nadzieję, że dzięki spacerowi wytrzeźwieję. Kiedy nagle wyrósł przede mną czynny dwadzieścia cztery godziny na dobę bar ze striptizem, zamiast pozdrowienia wyrecytowałem czterowiersz Karacaoğlana:

Zaszedłem o świcie do wsi lubej mojej,
Witaj, ukochany, wejdźże, rzekła do mnie,
W me usta wsunęła pączek piersi swojej,
Strudzonyś, ukochany, possij, rzekła do mnie.

Czy wszystkie przedmieścia świata oddalone są od centrum o pół godziny drogi?

Bałem się, że gdy tylko dotrę do siedliska ospałych bogaczy Alamo, zmorzy mnie sen. Kiedy na ulicy wypatrywałem kogoś, kogo mógłbym zapytać o drogę, zastanawiałem się, kim są ludzie mieszkający w tych luksusowych willach. Miałem wrażenie, że zieleń otaczająca puste ulice zniknie, gdy tylko skończy się dzień zdjęciowy. Jąkający się roznosiciel gazet, którego spytałem o adres mojej ciotki, powiedział:

– To ulica naprzeciwko przypominającego śpiącego dinozaura centrum handlowego.

Pozbawiona malowniczego uroku Stone Valley Way od razu przypadła mi do gustu. Domy nie konkurowały tutaj o tytuł króla bezguścia. Na skrzynce pocztowej znajdującej się przy furtce drugiego domu od końca widniał napis: „Emma H. i Albert Greenowie". Jednokondygnacyjny dom miał miniaturowy ogród, a przed garażem stał stary nissan. Odmawiając basmalę, wcisnąłem guzik dzwonka. Drzwi się otworzyły i po raz pierwszy w życiu stanąłem twarzą w twarz z ciotką. Emma Hackett Green wyglądała na jakieś sześćdziesiąt pięć lat. Z koszulą wypuszczoną na dżinsy nie udało jej się zatuszować zbędnych kilogramów. Było w niej coś, dzięki czemu od razu zjednywała sobie ludzi; spory udział w tym miały zapewne jej naturalna uroda i trzepoczące powieki. Nie byłem zaskoczony, gdy wstrząśnięta nagle zrobiła krok do tyłu. Lewą dłonią zakryła usta i podbródek (ja również jestem leworęczny). Odczekałem chwilę w nadziei, że przypomni sobie młodzieńcze lata starszego brata i sama odkryje, kim jestem. Nie wytrzymałem jednak jej narastającego drżenia.

– Tak naprawdę przynoszę pani nie tylko pozdrowienia od Kinsey Milhone – powiedziałem. – Mam też niespodziankę, nazywam się Adrian Hackett, ale nie używam tych personaliów.

Byłem gotowy na to, że z krzykiem rzuci mi się na szyję. Ona jednak odwróciła się i zaczęła płakać. Szybko się opanowała, wszak jej życie pełne było dramatycznych wzlotów i upadków. Wytarła twarz papierową chusteczką.

– Wiedziałam, wiedziałam – wyjąkała, obejmując mnie.

W domu był przestronny salon, poczułem jednak, że znajdujące się w nim meble nie zostały nabyte przez ludzi cieszących się życiem. Zawieszone na ścianach ryciny przedstawiające miejscowe ptaki i motyle nie przełamały panującej tam oficjalnej atmosfery. Na stoliku tuż przy skórzanym fotelu, na którym usiadłem, znajdowała się fotografia, a na niej moja ciotka, jej mąż, wyglądający na starszego o jakieś piętnaście lat, i stojąca między nimi ich śniada córka. Przypominający stracha na wróble Al był emerytowanym pedagogiem i dobrze się stało, że akurat wyjechał do Sacramento. Urocza dziewczynka nieśmiało patrząca w obiektyw była ich adoptowaną córką i pochodziła z Tybetu. Zdjęcie zostało zrobione dziewięć lat temu, zaraz po tym, gdy dołączyła do nich Virginia. Moja kuzynka była teraz w liceum i w weekend miała wrócić z letniego obozu na Kostaryce.

Sądząc po ogromnej filiżance, w jakiej podała mi zieloną herbatę, ciotka również gotowa była na długą rozmowę. Zacząłem jako pierwszy, a ponieważ musiałem po raz trzeci w ciągu pięciu dni opowiadać swoją biografię, im dłużej mówiłem, tym bardziej mnie to nużyło. Przekonany, że powinienem prosić Emmę o wybaczenie, wymieniłem nawet wszystkie zakazy, którymi moja matka oddzieliła mnie od wspomnień o ojcu.

– Nie tylko nie pokazała mi choćby jednej napisanej przez niego odręcznie linijki, ja nie widziałem nawet fotografii ojca. – Kiedy to mówiłem, mój głos zabrzmiał dosadniej, niż się spodziewałem.

Ciotka zawsze w odpowiednim momencie opuszczała wzrok, a to oznaczało, że jej mowa będzie treściwa i poprawna politycznie.

– Kinsey zapewne wspomniała, że w naszej rodzinie nigdy nie było miłości – zaczęła. – Mama poznała ojca, kiedy pracowała jako kelnerka w barze w Cincinnati. Zrozumiesz, co mam na myśli, jeśli powiem, że w imię miłości do amerykańskiego obywatelstwa zmusiła ojca do małżeństwa. Ta biedna kobieta postawiła jednak na złego konia. Ojciec był mężczyzną zdolnym, lecz znerwicowanym, pracowitym, ale pechowym. Podczas wojny w Korei został ranny, rzekomo z powodu błędnie wydanego rozkazu. Nie mógł pogodzić się z tym, że gdy on jako inwalida wojenny został wysłany na emeryturę, jego dowódcę odznaczono orderem. Miał żal do otoczenia i niemal popadł w alkoholizm. Jego jedynym zajęciem było zadręczanie nas, przy czym to matka była główną ofiarą ojca. Całą Santa Teresa dziwiło, że znosiła wszystkie te tortury i nie uciekła wcześniej.

Paul bardzo się starał, żeby zapobiec rozpadowi rodziny i żebym ja wyszła z tego bez szwanku. Był nie tylko wzorowym uczniem, lecz także bardzo bystrym człowiekiem.

Jestem przekonana, że robiąc karierę akademicką, próbował zatuszować złą sławę ojca. Czytając w bibliotece książki historyczne i jak sam mawiał: „pojedynkując się z matematyką", próbował uchwycić się życia. Każdy kolejny wybryk ojca podwyższał współczynnik odporności Paula. Ponieważ słuchał jazzu, zakładałam, że będzie liberalnym naukowcem.

Kiedy znalazł pracę w Stambule, cieszył się jak dziecko. Bardziej niż to, że ożenił się z mieszkanką tego miasta, dziwił mnie fakt, że nie poślubił Greczynki. Poza oficjalną ceremonią ślubu nie odbyła się żadna uroczystość, ale państwo młodzi w podróż poślubną przylecieli do Stanów. Ze szwagierką nie przypadłyśmy sobie do gustu: nie miała ani pięknej twarzy, ani pięknego wnętrza. W oczach Paula była szlachetną i tajemniczą kobietą Wschodu; naturalne, że ja nie dostrzegałam tych jej wzniosłych zalet.

Tym, co nas zaskoczyło, nie był sam rozwód, lecz przyczyna ich rozstania. Paul miał kochankę, i jeśli znalazł w końcu bratnią duszę, zawdzięczał to kaprysom żony. Kiedy cała ta sytuacja została przesadnie opisana w stambulskich gazetach, złożył wymówienie. Jego przyjaciółka Muriel pochodziła z Kanady. Zamieszkali w Montrealu. Tam po wieloletnich studiach doktoranckich rozpoczął pracę wykładowcy na uniwersytecie, którego nazwy wcześniej nie słyszałam.

Po przeprowadzce Paula do Kanady coraz rzadziej się kontaktowaliśmy. Z Muriel widziałam się dwukrotnie. Była ładna i naiwna. Darzyła Paula wręcz nienaturalnym szacunkiem. O tym, że się pobrali, dowiedziałam się dwa lata po ich ślubie. Nie mieli problemów finansowych; bywało, że twój ojciec rezygnował z pracy i nie szukał zatrudnienia przez dłuższy czas. Stale jednak ogarniał go niepokój, jakby spodziewał się złej wiadomości, a nikt nie śmiał zapytać go, o co chodzi. Muriel zadzwoniła do mnie pierwszy i ostatni raz po to, by poinformować o śmierci męża. Tamtego roku mieszkali w Vancouver; podobno gdy Paul wyszedł z pubu, uderzył w niego jeep i odjechał. Brat pił od czasu do czasu, ale miał raczej słabą głowę. W noc wypadku towarzyszył mu tajemniczy mężczyzna w średnim wieku. Z baru wyszli jednak osobno.

Adrianie, byłeś dla ojca najcenniejszym, co miał. Twoja matka poprzez różne manewry nie dopuściła do waszego spotkania. Gdy osiągnąłeś wiek, w którym dzieci bawią się na ulicy, Paul poleciał do Stambułu i próbował obserwować cię z daleka. Kiedy rok później zrobił to samo, ludzie twojej matki pobili go do utraty przytomności. W jego kieszeni i w domu zawsze były twoje zdjęcia z niemowlęctwa...

W tym momencie Emma zerwała się z miejsca. Po chwili wróciła z albumem ze zdjęciami mojego ojca. Gdy pospiesznie przewracała strony, żeby nie patrzeć na jego smutną twarz, z albumu wypadła fotografia o wymiarach dziesięć na piętnaście centymetrów. Dzieckiem, które mój ojciec trzymał w ramionach, patrząc w obiektyw i usiłując się uśmiechnąć, byłem ja. Na odwrocie zdjęcia zrobionego w dniu moich pierwszych urodzin widniał napis:

Droga Em,
Adrian skończył rok. Miesiąc temu zaczął chodzić. Pewnego dnia
i do Ciebie przyjdzie z wizytą.
Z serdecznymi pozdrowieniami
P.

Podczas gdy moja ciotka delektowała się dwuznacznością tych słów, ja byłem zaskoczony. Jeśli ich autorem jest mój ojciec, znalazłem odpowiedź, której szukałem – pismo na fotokopiach schowanych w mojej kieszeni należało do niego. Nie powinienem się spieszyć z tworzeniem teorii spiskowych, ta możliwość nie stanowiła wystarczającego dowodu, żeby mieszać mojego ojca w historię z Nomo.

Zabrałem zdjęcie, żeby sprawić ciotce przyjemność. Gdy żegnając się, życzyliśmy sobie ponownego spotkania, żadne z nas nie wierzyło, że kiedyś ono nastąpi. Wsiadając do czekającej na mnie przed domem taksówki, pomyślałem, że faceci, którzy pobili ojca w Galacie, mogli być tajnymi ochroniarzami wysłanymi za mną przez Nomo. Powinienem w końcu poznać organizację, która raz jest moim zbawcą, a kiedy indziej katem.

Podczas lotów San Francisco–Nowy Jork i Nowy Jork–Stambuł przeczytałem życiorys Hadriana. Jeśli wykreślić elementy religijne, on i Mehmed Zdobywca byli ponadczasowymi bliźniaczymi duszami. Z biegłością szachowego mistrza rządzili największymi imperiami naszej planety.

ETA

OSTATNIA ARMIA KRZYŻOWA, która od dziesięciu miesięcy bez-czynnie stacjonowała w Konstantynopolu, by stamtąd wyruszyć na Egipt, trzynastego kwietnia 1204 roku za zgodą doży Wenecji Enri-ca Dandolo (1107–1205) rozpoczęła plądrowanie miasta. Aby pod-kreślić wymiar okrucieństwa, historycy opisali, jak grabieżcy, którzy na wyprawę wyruszyli z miłości do religii, gwałcili zakonnice i na-padali na domy biedaków, mordując każdego bez względu na wiek. Pod koniec trzeciego dnia dziewięćsetletnia stolica obrócona zosta-ła w ruinę, a najwspanialszy na świecie kompleks Wielkiego Pałacu zrównano z ziemią.

Marionetkowe Cesarstwo Łacińskie założone przez krzyżow-ców w Konstantynopolu przetrwało pięćdziesiąt siedem lat. Gdy Michał VIII Paleolog w Nikei (obecnym Izniku) przejął władzę w ce-sarstwie na uchodźstwie i w 1261 roku przepędził łacinników, zajął przylegający do murów miejskich pałac Porfirogenetów. Turcy ten powstały w dwunastym wieku i odnowiony zaraz po tym, gdy stał się rezydencją cesarską, kompleks znali jako Tekfur Sarayı – pałac Suwe-rena – poniżając w ten sposób bizantyjskich cesarzy. Przypomniałem sobie te akapity, gdy ulicą Kariye Camii szedłem pod górę w stronę ruin Tekfur. Było tam pusto i cicho. Podobało mi się to. Nie spieszyło mi się, żeby zapytać o lokalizację osiemsetletniego rodzinnego (?) majątku. Późnym rankiem najpierw dobiegł mnie głos koguta, zaraz potem odgłosy wiertarki; a przecież w okolicy nie było ani kurnika, ani placu budowy. Ten zaimprowizowany duet trwał do momentu, gdy mury pałacowe stanęły mi na drodze.

Teraz szedłem w górę karłowatego wzgórza wzdłuż ulicy Hoca Çakır. Bałem się, że jeśli pominę choć niewielki wycinek przypominających olbrzymią kurtynę murów, przeoczę jakąś wskazówkę niezbędną do rozwiązania równania. Z powodu prymitywnych prac renowacyjnych mury zamieniły się w pokryty łatami tobołek. I jeśli w akcie sprzeciwu na to barbarzyńskie posunięcie symetrycznie rozmieszczone w murze wnęki zamieniły się w toalety i śmietniki, nie potępiałem tego. Dwie nisze przypominające miniaturowe podziemne korytarze przerobiono na warsztat stolarski i magazyn artykułów spożywczych; ciekaw byłem, komu pracujący tam brodacze płacą czynsz. Przed murami ustawiono barykadę z kontenerów na śmieci. Gdy przechodziłem obok, wyskakiwały z nich spanikowane i przypominające mumie uliczne koty. Prowizorycznymi schodami wszedłem na grzbiet murów. Jedynym budynkiem na działce stojącej frontem do autostrady E5 był szkielet trzykondygnacyjnego pałacu Blacherny. Reszta terenu została zagospodarowana jako plac zabaw, parking i boisko sportowe. Być może właśnie w tym celu zburzono pojedyncze fragmenty ledwo żywych murów pałacu.

Z wysokości dwudziestu metrów wpatrywałem się w ruch na autostradzie. Warkot, jaki wydawała lawina pojazdów, chóralnie przybliżał się i uderzywszy w mury niczym w falochron, zawracał. Nasycony tą muzyką i wiedziony chęcią zobaczenia pałacu z bliska, ruszyłem wzdłuż murów w stronę Złotego Rogu. Między murami a drogą wijącą się równolegle do nich znajdował się mizerny park, pośrodku którego stał przypominający zdechłego wołu bufet. Gdy zobaczyłem rosnące przed nim wątłe drzewa oliwne, uzmysłowiłem sobie, że niektóre mogą być tu nawet od tysiąca lat. Być może te drzewa o sylwetce świętego oddychały kiedyś tym samym powietrzem co moi przodkowie. Na skrzyżowaniu, gdzie kończył się park, ujrzałem w murach bramę. Była okratowana niczym brama więzienna, a na przymocowanej do niej tablicy widniał napis: „Wstęp wzbroniony! Trwają prace restauratorskie". Przeczytałem go z nutą nagany w głosie. Nie prowadzono tam żadnych prac i byłem pewien, że nikt nie wiedział, kiedy miałyby się rozpocząć. Przebijający przez kraty pałac przypominał szkielet mamuta. Gdy jednak spojrzałem na niego okiem ewentualnego nabywcy, na elewacjach dostrzegłem zdominowaną przez ornamentykę symetrię. Zamknąwszy oczy, spróbowałem wyobrazić sobie jego splendor w czasach panowania cesarzy. Trwało to tak krótko jak sonet. Kiedy otworzyłem oczy, pałac przeraził mnie niczym widok zgwałconej zakonnicy, której pozbawione głowy nagie, martwe ciało zostało porzucone na pastwę losu.

Ciekaw byłem, jak wyglądały ostatnie godziny Konstantyna XI w pałacu, który teraz był już jedynie kwaterą główną stada gołębi. Gdy ze znajdujących się w mieście trzech tysięcy meczetów zaczęło dobiegać wezwanie na południową modlitwę, ruszyłem wzdłuż murów w kierunku Złotego Rogu. Grzbiety tych niczym pozostawione samopas dzikie konie murów porośnięte były trawą, a z wyrw wyrastały karłowate drzewa. Na ulicy Eğrikapı natknąłem się na niewielki, lecz zadbany cmentarz osmański; powinienem przyjść tu kiedyś i przeczytać nagrobne inskrypcje. Pod arkadą dzielącego go na dwie części akweduktu mogły przejeżdżać samochody. Zdałem sobie sprawę, że powinienem wracać. Kiedy Michał VIII kazał oślepić powierzonego pod jego opiekę jedenastoletniego cesarza i objąwszy tron, zamieszkał w pałacu na obrzeżu murów obronnych, mówiono, że „ucieknie przy najbliższej okazji". On jednak został przywódcą zaciekle walczącym o swój kraj. A jego pochówek bez należnych ceremoniałów? Ot, orientalna ironia losu.

Ulice, którym nadano wzniosłe nazwy, przypominały ogromne makiety wykonane bez pomocy linijki. Kobiety, wychylając się z okien domów wielkości miniatury, plotkowały ze sobą chóralnie. Podczas gdy jedna z nich, w odcieniu zieleni, jakiego nigdy wcześniej nie widziałem, beształa swojego syna, krzycząc: „Gówniarzu ty! Synu zasrańca jednego!", jej mąż w oknie zawadiacko przesuwał koraliki różańca. Młodzi chłopcy niewcieleni jeszcze do wojska chodzili w tę i z powrotem, nie wypuszczając z dłoni swoich przestarzałych, lecz darzonych szacunkiem godnym granatu ręcznego komórek. Ubrania beztroskiej sfory bezrobotnych i karoserie tutejszych starych samochodów, płowiejąc w różnym tempie, ostatecznie nabrały tej samej barwy. Imam w galabii podszedł do mnie, nucąc ludową przyśpiewkę. Pozdrowił mnie, jakby wystawiając na próbę, a moja szczera i serdeczna odpowiedź zaskoczyła go. Oddalił się teatralnym krokiem i wreszcie zniknął mi z oczu, a ja zastanowiłem się, czy wie, że większość fraz, jakie ma w swej pamięci, zapożyczona jest z Pięcioksięgu.

Jakiś kawiarz w zacienionym miejscu pod murami poustawiał miniaturowe taborety i stoliki. (Amatorzy chodnika zmuszeni byli w tym miejscu wydeptać stopami literę U). Spocząłem na krześle niedaleko grupy mężczyzn rozmawiających ze sobą szeptem; może po kurdyjsku? Wygląda na to, że moim pytaniem „Jak stare są te mury?" zraniłem pomocnika kawiarza, który przyniósł mi herbatę. Nie tylko odparł zuchwale: „Skąd mam wiedzieć?", ale też doniósł na mnie swojemu szefowi, czym wywołał na jego twarzy szeroki uśmiech.

Idąc dalej wzdłuż murów, zobaczyłem szereg przylegających do nich jednopiętrowych domów. Sprawiały wrażenie, jakby miały się zawalić, gdyby tylko ktoś je rozsunął. Stanąłem przed nimi i zacząłem przyglądać się czwartemu z lewej. Ten pozbawiony okien dom wyglądał na niebudzący żadnych podejrzeń magazyn. To przed jego drzwiami miałem, zaintrygowany, stawić się na egzamin.

Nazajutrz o północy zapukałem do drzwi w umówiony sposób: robiąc trzy razy długie odstępy i dwa razy krótką przerwę. (Żeby nie dopuścić do rytmicznej żenady, przećwiczyłem to sobie w domu). Drzwi otworzono natychmiast i wiedziałem, że zobaczę za nimi Askarisa i jego dwóch asystentów z opuszczonymi głowami. Mieli nieśmiało spojrzeć na mnie, dopiero gdy powiem: „Dobry wieczór"; powoli przyzwyczajałem się do tych niezręcznych formalności. Oba pokoje w domu wypełniały sporych rozmiarów kartonowe pudła; to był udany kamuflaż. W pokoju po lewej Kalligas uniósł biały karton, nacisnął stopą punkt w podłodze i się odsunął. Najpierw rozbrzmiał słaby mechaniczny szmer, a zaraz potem przed nami pojawił się kwadratowy otwór. Gdy całą ekipą ruszyliśmy w dół, pokój samoistnie pociemniał, a wąski tunel, którym podążyliśmy, rozjaśnił się. Muszę przyznać, że w sali, do której dotarliśmy, odebrało mi mowę. Sufit pokrywały barwne ikony, a w przeszklonych niszach wydrążonych w ścianach znajdowały się wysokie na czterdzieści centymetrów marmurowe popiersia bizantyjskich cesarzy. Złamałbym serce przedstawicielom Nomo, gdybym nie przyjrzał się uważnie każdemu z nich. Speszył mnie fakt, że moje imię pojawia się obok Konstantyna Wielkiego, Teodozjusza II i Justyniana I. Kiedy przechodziłem przed Fokasem, poczułem ulgę, widząc, że nie będę najbrzydszym ogniwem tego łańcucha. W spojrzeniu mojego przodka widoczna była skrucha podstarzałego rozpustnika, skarconego przez małżonkę. Popiersie Konstantyna XV, czyli wielmożnego mnie, zapewne przyniesiono tu poprzedniego dnia. Wyraz twarzy pełnego obaw młodego mężczyzny z przedstawiającej mnie rzeźby, który lekceważąco słuchał swego rozmówcy, spotkał się z moją aprobatą.

Pośrodku sali stał wykonany z białego marmuru stół o wymiarach trzy na trzy metry, a na nim znajdowała się zrobiona z kości słoniowej olbrzymia makieta Konstantynopola. Czekałem, aż ktoś wciśnie guzik i w tym cudownym zabawkowym mieście obudzi się życie. Poczułem chęć, by delikatnie pogłaskać figurki pałacu, hipodromu i akweduktu. Przyglądałem się makiecie przez wiele minut, obiekt po obiekcie. Zamykałem oczy i każdy z nich wyobrażałem sobie, powiększając w umyśle dwieście razy. Zlekceważyłem prawdopodobieństwo, że przedstawiciele Nomo moje zachowanie mogą zinterpretować jako widowisko. Kiedy otworzyłem oczy, poczułem zmęczenie wyobraźni i delikatnie przetarłem dłonią czoło.

– Przynieść ekscelencji wody?

Udałem, że nie słyszę tego pytania. Odwróciłem się i we wszystkich językach, jakie znałem, spróbowałem powiedzieć:

– Człowiek gorszy jest niż klęska żywiołowa.

Byłem zdziwiony, że nie zauważyłem wcześniej, jak odrażający jest stojący na lakowanym czarnym stole znajdującym się między makietą a moim popiersiem symbol Bizancjum. Rzucający groźne spojrzenia na Wschód i na Zachód dwugłowy fioletowy orzeł odzwierciedlał tak naprawdę tragiczny dylemat cesarstwa. Zostałem poproszony o zajęcie bardziej okazałego od pozostałych skórzanego fotela. Ekipa, włącznie z Askarisem, uzyskawszy moje pozwolenie, podeszła do swoich foteli i usiadła naprzeciwko mnie. Mężczyźni złożyli splecione dłonie na udach i pochylili głowy. Askaris, przekazawszy mi wyrazy szacunku od członków Nomo, przeszedł do wyjaśnienia procedury egzaminacyjnej.

Najpierw z fioletowego skórzanego etui wyjął srebrną płaską szkatułkę o wymiarach pięć na piętnaście centymetrów. Następnie uniósł delikatnie jej ozdobione tugrą wieko i wskazał na zamontowany pod nim, niewyglądający na zabytkowy mechanizm. W postawionej pionowo szkatułce, po lewej stronie znajdującej się wewnątrz aluminiowej płytki było sześć miniaturowych kwadratowych przegródek rozmieszczonych jedna pod drugą w równej odległości, a na samym spodzie zobaczyłem prostokątną szarą szybkę o wymiarach półtora na trzy centymetry.

Po prawej stronie znajdującego się najwyżej kwadracika widniał napis: „Muzeum w Antiochii"*. Musiałem udać się tam, odnaleźć ukryty w jednym z eksponatów fioletowy ferromagnetyczny metal o wymiarach centymetr na centymetr i umieścić go w pierwszej przegródce. Jeśli wykonam to zadanie z powodzeniem, po prawej stronie drugiego kwadracika ukaże się nazwa kolejnego historycznego miejsca. Tam również miałem szukać kwadracika magnetycznego metalu. Ostatni punkt testamentu Konstantyna XI ukryty był w obiekcie, który miałem odnaleźć w szóstym etapie egzaminu. Dano mi rok na zakończenie całej procedury. Moi przodkowie albo nie doszli do szóstego etapu, albo nie byli w stanie go rozszyfrować. Jeśli mi się powiedzie, choć ton Askarisa brzmiał raczej sceptycznie, mieliśmy ułożyć z Nomo plan działania w celu realizacji ostatniego z postanowień testamentu.

W przypadku gdy odniosę sukces, będę mógł w dowolny sposób rozwiązać Nomo, którego misja tym samym zostanie wypełniona.

– Będzie pan zarządzał majątkiem opiewającym na nieznaną nam dokładnie kwotę wielu miliardów dolarów – powiedział Askaris wyraźnie drżącym głosem.

Gdybym utknął na czwartym lub piątym etapie, Nomo mogło, dokonawszy oceny „mojej sytuacji i postępów", uznać mnie za „wybrańca". Wówczas miałem zostać powołany na prezesa zarządu trzyosobowej organizacji. Askaris zaznaczył, że w razie gdy głosowanie czteroosobowego zarządu stanie w martwym punkcie, głos prezesa liczony jest podwójnie. Ta uwaga wydała mi się dość osobliwa.

Następnie wysłuchałem informacji na temat metod realizacji kolejnych zadań procedury egzaminacyjnej. Już wtedy byłem ciekaw, do którego etapu wytrwam. Askaris zapytał, czy mam jakieś pytania.

---

* Antiochia (tur. Antakya) – miasto położone w południowo-wschodniej Turcji; ośrodek administracyjny prowincji Hatay.

Wyjaśnił mi wszystko, co było konieczne, i jestem przekonany, że nie posiadał wiedzy, którą musiałby przede mną zataić. Miałem przeczucie, że po raz pierwszy bierze udział w całym tym procesie, lecz nie było sposobu, bym się tego dowiedział. Pięćsetletnia zasada Nomo głosiła: „Mówić mało i nie zadawać pytań".

Faktem, który nie wymagał pytań, było to, że znajdowałem się pod ziemią, gdzieś niedaleko pałacu. Zdziwiłbym się, gdyby za tajemnymi drzwiami ukrytymi za moim popiersiem nie biegł korytarz prowadzący do pałacu Tekfur. Powinienem pozwolić sobie ulec podnieceniu, jakie towarzyszyło przymusowemu odgrywaniu głównej roli w tym historycznym spektaklu. Pomyślałem o prostych mieszkańcach dzielnicy, którzy żyli nad nami niczym aktorzy filmów Felliniego. Spali teraz spokojnie, oglądali jakiś płytki film w telewizji, niektórzy może uprawiali seks. Gdyby znaleźli się na moim miejscu, myśl, na co wydać miliardy dolarów, które być może nigdy nie trafią w ich ręce, pewnie spędzałaby im sen z powiek. Ja kazałbym wybudować w centrum miasta szklany budynek w kształcie książki. Założyłbym tam bibliotekę z największym na świecie zbiorem poezji i słowników. W nocy ściany budynku jaśniałyby wyświetlanymi na nich literami alfabetu wszystkich znanych języków. Budynek ten byłby moją zbroją przeciwko całemu plugastwu tego świata, a także moim grobem. Resztę mojego majątku podarowałbym najbardziej uroczym stworzeniom na ziemi – ubogim dzieciom.

THETA

ANTAKYA, LEŻĄCA W SPIRALI rzeki o pięknej nazwie Orontes, w Turcji znanej jako Asi – Niepokorna, została założona w czwartym wieku przed naszą erą. Uczniowie Jezusa właśnie tam po raz pierwszy nazwali się chrześcijanami i wydrążyli w skale pierwszy kościół. Antakya stała się trzecim po Konstantynopolu i Rzymie najważniejszym miastem na świecie. (Co ściągnęło na nie niejeden urok). W 525 roku miasto, będące oczkiem w głowie Bizancjum, spustoszył pożar, a w 526 roku – trzęsienie ziemi. Trzęsienie ziemi, jakie miało miejsce dwudziestego dziewiątego maja (dzień upadku Konstantynopola), obróciło Antakyę w ruinę. Według historyka Prokopiusza zginęło wtedy trzysta tysięcy ludzi. Miasto jednak odrodziło się z popiołów jeszcze mocniejsze. Justynian I przykładał wielką wagę do jego modernizacji. Gdy w jedenastym wieku armia pierwszej wyprawy krzyżowej dopuściła się tu rzezi, a sto lat później doszło do kolejnego trzęsienia ziemi, które pociągnęło za sobą osiemdziesiąt tysięcy ofiar, wycieńczona Antakya zaniechała walki zarówno z ludźmi, jak i z siłami natury. Od tego czasu miała być jedynie nostalgicznym punktem na mapie.

Fragment ten poprzedzał wirtualny pokaz rycin antycznej Antakyi. Z każdym kadrem coraz bardziej odczuwałem magię tego baśniowego miejsca. Szeptem wyrecytowałem mówiące o Antakyi strofy z Kawafisa. Gdy w centrum miasta spacerowałem wzdłuż Asi, dotarło do mnie, że potrzebowałem takiej terapii. Dostojna niegdyś rzeka zamieniła się w wątły strumyk; była bezradna wobec kanalizacji i ścieków przemysłowych panoszących się w jej korycie.

Czy ostatnią misją Asi było podzielenie miasta na pół? Zamożni mieszkańcy wybrali północną jego część. (Nie wiedzieć czemu północ zawsze jest górą). Budynki, jakie spotykałem tu na swej drodze, pozbawione były architektonicznej tkanki, a we wszystkim, co się poruszało, doszukiwałem się oznak bezguścia. Przerobiony z dwustuletniej mydlarni hotel Savon spodobał mi się, ponieważ leżał w południowej części miasta. Obszerny dziedziniec dodawał mu splendoru rezydencji agi. Północ i południe zdawały się funkcjonować w dwóch różnych strefach czasowych. We wrześniu południe wabiło mieszanką zapachów sumaka i cytrusów.

Eksplorację miasta rozpocząłem od gwarnej ulicy Kurtuluş. W okolicy przeważały budynki pozostawione na łaskę losu niczym dzikie konie. (A przecież przetrwały tyle trzęsień ziemi). Pieczołowicie wykończone, cieszyły się swym „stanem opuszczenia". Uliczki, zbyt wąskie, by zmieściły się w nich obok siebie dwie osoby, były poskręcane jak karty zabytkowego albumu ze zdjęciami. Domy mieszkalne i sklepy nie naruszyły architektonicznej tkanki miasta. W przekroju głównego placu ramię w ramię stały: zakład fryzjerski, meczet, pasmanteria, księgarnia i warsztat łopat do chleba. Jedynym znanym mi produktem w kaskadzie słoików były oliwki. Tuż obok nich ustawiono znużone czekaniem klapki. Ogłoszenie na wystawie jubilera radośnie obwieszczało, że wprowadzono usługę naprawy okularów. Być może wszystkie sklepy były puste, ale sprzedawcy nie utyskiwali. Pochłonięci rozmową, którą między sobą prowadzili po arabsku, czekali na nieznajomego klienta. Dzięki temu, że nie musieli się nigdzie spieszyć, ludzie tu byli życzliwi.

Dziesięć lat temu, kiedy razem z Iskenderem Abi wyruszyliśmy na wyprawę po wybrzeżu Morza Śródziemnego, nie udało nam się zwiedzić muzeum, gdyż było zamknięte. Pamiętam, że w Daphne (Harbiye), które w czasach Bizancjum było kurortem, delektowaliśmy się herbatą z samowara i że młodzi chłopcy, których zapytaliśmy o drogę, byli zmieszani, że akurat ich wybraliśmy. Główne wejścia obu istotnych dla świata islamu zabytkowych meczetów znajdowały się pod ich minaretami. Tym razem ten przyjemny niuans nie umknął mej uwadze.

MUZEUM W ANTAKYI OGRANICZAŁO się do jednego piętra. Było w nim pięć sal i niewielki dziedziniec. Budynek na pierwszy rzut oka przypominał zaniedbaną szkołę, przez co jednak idealnie współgrał ze spłowiałą sylwetką miasta. Sale wystawowe i dziedziniec wypełniały zabytkowe eksponaty; ciekaw byłem, co dzieje się z nowymi przedmiotami odnajdywanymi na okolicznych wykopaliskach. Wiedziałem, że w obiekcie uchodzącym za najważniejsze na świecie muzeum mozaik nie znajdę katalogu. Dlatego też przyjechałem tu z fotokopią starego przewodnika po Muzeum Archeologicznym w Hatay, jaki dostałem od Selçuka Altuna.

Podczas gdy zgodnie z zasadami Pappas i Kalligas czekali na dziedzińcu, Askaris w roli obserwatora miał mi towarzyszyć, nie ingerując jednak w proces poszukiwań. Na wyblakłej tablicy przy wejściu do muzeum widniały słowa Mustafy Kemala Atatürka: „Kultura jest fundamentem Republiki Tureckiej". (Do pierwszego egzaminu podszedłem z uśmiechem). Askaris wykazał się dużym taktem, mówiąc:

– Jaśnie panie, nieraz zwiedzałem to muzeum, więc jeśli pozwolisz, zaczekam przy wejściu do pierwszej sali.

Nie chciał mnie niepokoić, przyglądając mi się bacznie niczym egzaminator. Być może to on sam przyszedł do muzeum przed dwoma dniami i z zadowoleniem przykleił w jakimś trudno dostępnym miejscu ten miniaturowy fioletowy kwadracik.

W muzeum wyeksponowane były mozaiki z okresu rzymskiego i bizantyjskiego, rzymskie i greckie rzeźby, posągi, płaskorzeźby, stele i epitafia. Gdybym pisał powieść kryminalną, fioletowy kwadracik ukryłbym w jednej z olbrzymich tablic, które okalały mury muzeum. Rzeczywista lokalizacja eksponatów odpowiadała tej, o której mówił mój zasłużony przewodnik. W salach I, III i V znajdowały się pięćdziesiąt trzy panele z mozaikami; wszystkie pochodziły z okresu rzymskiego. Eksponaty z drugiego stulecia, których zbiór nazwano „Słodkie życie", charakteryzowały się większą estetyką i humorem.

Czternaście z czterdziestu pięciu umieszczonych w sali IV mozaik pochodziło z okresu bizantyjskiego. Gdy próbowałem je zlokalizować, byłem jedynym odwiedzającym. W spokojnej atmosferze poranka ochroniarze oddawali się rozmowie. Stanąłem kolejno przed każdym z czternastu kandydatów. Krążyłem wokół nich, przyglądałem im się pod różnymi kątami, przybliżałem się do nich i oddalałem, czekając, aż dadzą mi jakiś znak. Przeszedłszy na środek sali, zacząłem obracać się wokół własnej osi. Podobał mi się niepokój, jaki wypełnił moje ciało. Przypomniałem sobie filmy dokumentalne o wyruszających na łowy lwich rodzinach. Zamiast atakować w ciemno zagonione przed siebie stado antylop, oszczędzały energię na wybraną według konkretnych kryteriów ofiarę; z czasem zacząłem być bardziej wyrozumiały wobec faktu, że ustępują pierwszeństwa młodym kociętom i chorym osobnikom. Moim jedynym kryterium były niestety tabliczki informacyjne umieszczone pod mozaikami. Miałem czterech faworytów, a nagłówek „Ananeosis" (Przebudzenie) brzmiał zachęcająco na tyle, bym rozpoczął od niego. Niepewnie podszedłem do dzieła o wymiarach dwa i pół na pięć metrów. Mozaika składała się z około stu dwudziestu pięciu tysięcy elementów, pochodziła z piątego wieku i przedstawiała twarz osobliwej Bizantyjki. Miałem wrażenie, że jedno jej oko przepełnione jest strachem, drugie zaś – nadzieją. Zarejestrowałem tę dychotomię i zacząłem slalomem wodzić wzrokiem po jej twarzy od brody w górę. Gdy już zacząłem obawiać się, że przez tę przypominającą liczenie gwiazd czynność zmorzy mnie sen, zatrzymałem się. Czyżby na nosie poczciwej Ananeosis widniał o jeden kwadracik za dużo? Sala była pusta, więc bezzwłocznie wyciągnąłem lewą rękę i sięgnąłem po ciemny element. Metaliczne zimno, jakie poczułem w palcach, przyprawiło mnie o dreszcze. Jakbym pieścił pierś leżącej nago na plaży pięknej Bizantyjki.

Fioletowy kwadracik przylgnął do mej dłoni niczym spłoszone pisklę. Rozsadzał mnie entuzjazm. Spotkaliśmy się wszyscy na dziedzińcu przed cokołem z dwoma lwami. Sądziłem, że mój szybki sukces spotka się z gromkim aplauzem. Gdy opowiadałem o zastosowanej metodzie, Pappas i Kalligas kręcili głowami, Askaris zaś spuścił wzrok. Z torby, którą nosił Kalligas, wyjąłem srebrną szkatułkę. Kiedy umieszczałem zdobycz w najwyżej położonym otworze, mało brakowało, a wypowiedziałbym basmalę. Jak tylko oba kwadraciki przylgnęły do siebie, ze szkatułki wydobył się mechaniczny jęk. W prostokątnym okienku, jakie znienacka pojawiło się obok drugiego otworu, dostrzegłem napis „Mistra".

Drugi etap nie wywołał naszego zdziwienia. Mistra była okręgiem na Peloponezie, który Paleologowie przeobrazili w centrum kultury i sztuki. I co może wydawać się ironią losu, kiedy Grecja odzyskała niepodległość, Mistra zamieniła się w miasto widmo.

Czy fakt, że mój egzamin rozpoczął się w Antakyi, gdzie historia stapia się z geografią, kryl w sobie jakieś przesłanie? Ananeosis oznaczało przebudzenie lub ponowne narodziny. W Bizancjum słowo to symbolizowało odrodzeniowy zryw niektórych regionów. Jeśli miałbym podjąć się realizacji marzycielskiej misji odrodzenia, musiałbym zostać poddany hipnozie; co więcej, musiałoby do tego dojść w tunelu czasu. Mówi się, że Bizancjum jest jak szachownica o nieodkrytej liczbie pól. Powinienem o tym pamiętać.

JOTA

Końcówkę września spędziłem za granicą i w dalszym ciągu udawałem, że pracuję w międzynarodowej korporacji. W metropoliach Europy, w których znalazłem się po raz pierwszy, zwiedzałem ogrody zoologiczne, muzea, antykwariaty i sklepy kartograficzne. Używając pseudonimu Bizansov, brałem udział w turniejach szachowych i aukcjach erotycznych publikacji. Przeczytałem życiorys Konstantyna I i zapoznałem się z historią Mistry. Szukałem dobrych poetów i szczodrych dziwek, przy czym to drugie wychodziło mi znacznie lepiej.

Kiedy robiłem rezerwację na lot do Aten, nie wiedziałem, że szóstego października wypada osiemdziesiąta piąta rocznica oczyszczenia Stambułu z wojsk okupanta. Nie doszukiwałem się jednak w tym zbiegu okoliczności pierwiastka tajemnicy, czym być może zaskoczyłem Askarisa.

Wnętrze taksówki, do której wsiadłem na lotnisku Venizelos, pachniało cytryną. Orzeźwiła mnie ta woń. A kiedy naburmuszony kierowca nie zapytał, skąd pochodzę, i nie włączył radia, zupełnie się odprężyłem. Promienie jesiennego słońca dosięgały okien taksówki, a ja zamarzyłem, żeby ktoś błogo podrapał mnie po plecach. W miarę jak zbliżaliśmy się do miasta, fakt, że po raz pierwszy stanę na ziemi przodków, budził moje podekscytowanie. Zląkłem się tego uczucia.

Ateny! Miasto, w którym tłoczyły się cztery miliony mieszkańców dwunastomilionowej Grecji. Na ulicach odbywał się nieustanny pojedynek pieszych i pojazdów, lecz nie miałem problemu, by oswoić się z drogowym zamętem, w który się zanurzyliśmy. Czy wspólną cechą ludzi na ulicach było znużenie? Gdy palili papierosy, rozmawiali przez komórki czy pozdrawiali się, sprawiali wrażenie wiecznie skłóconych. Zdawało mi się, że skądś znam tych żwawo przemieszczających się, żywo gestykulujących cherlawych ludzi. Będące kolebką estetyzmu miasto padło ofiarą inwazji budynków pozbawionych tkanki architektonicznej. Czyżby ta sterta baraków miała się zawalić, gdy Ateńczycy będą opuszczać stolicę po otrzymaniu drugiego rozkazu?

Od Askarisa dowiedziałem się, że hotel Grand Bretagne określano mianem ateńskiego Pera Palace. Byłem pewien, że zarezerwowany dla mnie w tym majestatycznym budynku apartament będzie miał widok na Akropol. Boy hotelowy, który odprowadził mnie do pokoju, zagadnął mnie: „Ma pan jeszcze jakieś pytania?", chociaż wcześniej nie zadałem mu ani jednego. Pomyślałem, że jest zbyt nieopierzony, by zapytać go: „Skoro hotel nazywa się Wielka Brytania, dlaczego wybrano francuskie tłumaczenie?". Położywszy się na ogromnym łóżku, z powagą należną lekturze podręcznika zacząłem zgłębiać *Ostatni renesans bizantyjski*, książkę, w której Steven Runciman analizuje kulturalne odrodzenie, jakie miało miejsce w Mistrze za czasów Paleologów.

O szesnastej udałem się do lobby. Wszedłem do kawiarni, gdzie czekała już na mnie ekipa Nomo. Cała trójka zerwała się na równe nogi i napięła niczym cięciwa. Rozdrażniło mnie to. Miałem nadzieję, że scena ta nie została zauważona w kawiarnianym gwarze. W pełnym gości lokalu panował półmrok; wszyscy rozmawiali głośno i równocześnie, a w napływającym falami hałasie pobrzmiewała beztroska amatorskiego chóru. Ci przyklejeni do telefonów komórkowych nie ucinali rozmów i raz po raz podnosili głos, by zaakcentować swoje racje. Otyły mężczyzna siedzący przy stoliku obok jedną dłonią pod-kręcał wąsy, drugą zaś przesuwał paciorki różańca, nieświadomie peł-niąc funkcję swoistego metronomu dla lawiny hałasu.

– Askarisie, czy to ty przygotowałeś tę scenerię, żebym nie tę-sknił za ojczyzną? – zapytałem i od razu pożałowałem tego pytania. Ekipa nie miała pojęcia, jak ugryźć ten dowcip.

Oznajmiłem, że w Atenach chcę spędzić dwa dni. Po odwie-dzeniu muzeów i miejsc historycznych miałem wyruszyć na wypra-wę do Mistry. Najpierw jednak na ulicach miasta musiałem znaleźć rozwiązanie pewnego równania. Gdy wstawałem, w ostatniej chwili powstrzymałem się, by nie powiedzieć: „Niech za mną pójdzie każdy, kto mnie kocha"*. Wiedziony nieodpartą ochotą splotłem ręce z tyłu. Ruszyliśmy w dół od placu Syndagma, chwytając promienie popołu-dniowego słońca. Nie przystanęliśmy aż do cukierni z turecką baklawą Güllüoğlu. Owładnęło mną przeczucie, że jeśli wejdę tam i zamówię deser, ktoś może tego nie strawić. Instynkt nakazał mi skręcić w naj-bliższą uliczkę, a tam wyrósł przede mną odziany w uniform sprze-dawca obwarzanków. Poczułem się zmuszony kupić jeden. Wśród banknotów, jakimi wydał mi resztę, jeden był zlepiony przezroczystą taśmą, a na odwrocie drugiego ktoś wykonał działanie dodawania.

– Jaśnie panie – powiedział Askaris, gdy ja dzieliłem obwarza-nek na cztery części. – Na początku listopada na ulicach sprzedaje się również salep**, a jego sprzedawcy krzyczą „Salepi!".

Ulica utkana była skromnymi sklepikami; przesiadujący przed nimi sklepikarze, paląc papierosy, czekali na nadejście wieczoru oraz tonem, jakby zadawali zagadki, wymyślali przejeżdżającym tamtędy hałaśliwym motocyklistom z gołymi głowami.

---

* Słowa te miał wypowiedzieć sułtan Mehmed II Zdobywca w 1451 roku, zanim odzyskał władzę nad Imperium Osmańskim.

** Mleczny napój przyrządzany ze sproszkowanych bulw storczyka; podawany na gorąco, zazwyczaj posypany cynamonem, spożywany jako napój rozgrzewający.

Byłem podekscytowany niczym dziecko wpuszczone bez nadzoru do wesołego miasteczka. Skręcając w każdą uliczkę, jaka pojawiała się na mej drodze, tworzyłem wyimaginowany labirynt. Jak najszybciej pragnąłem odnaleźć kryjącą się za każdym rogiem niespodziankę dla mych oczu, uszu czy nozdrzy. Sfatygowane mieszkania z koronkowymi firanami w oknach, sklepy z wywieszonymi pogniecionymi flagami na witrynach, dzieci biegające w klapkach po ulicach i próżne bezdomne koty; znałem to wszystko bardzo dobrze. Mimo wieczornego chłodu wszyscy goście kawiarni, w której zrobiliśmy sobie przerwę, wybrali stoliki na świeżym powietrzu. Siedzieli tam zrezygnowani, jakby czekali na rozkaz. Przed sąsiednim budynkiem stojący w nieforemnej kolejce ludzie zaczęli ścierać się ze sobą. Ciekawe, czy gdyby usłyszeli melodię sirtaki, ustawiliby się ramię w ramię i ruszyli do tańca.

Za namową Askarisa udaliśmy się na plac, gdzie na drodze stanęła nam prawosławna katedra.

– Czy mówiąc, że to najważniejsza świątynia w mieście, chciałeś zasugerować, że w całych Atenach nie ma wspanialszej świątyni? – zapytałem Askarisa chwilę później.

– Czy jego ekscelencja będzie łaskaw pofatygować się ze mną do posągu w głębi dziedzińca?

Odwróciłem się i spojrzałem na przypominający zapuszczone lodowisko dziedziniec. Na jego środku stał posąg arcybiskupa, który był cichym bohaterem drugiej wojny światowej. Zupełnie nie pasowało mi do niego ciężkie kozackie spojrzenie, jakim go obdarzono. Czyżby dalej, na linii granicznej między katedrą a dziedzińcem, znajdowała się jeszcze jedna rzeźba? Jakby przyciągany przez tajemniczy magnes, z respektem ruszyłem w stronę monumentu, który niczym latarnia morska to rozbłyskiwał, to gasnął. Na cokole wykonanym z kiepskiej jakości marmuru, którego używa się do budowy mis w łaźniach, stał brązowy posąg mojego pradziadka (?) Konstantyna XI. Odziany był w szaty dowódcy, a w prawej dłoni z wątpliwym zapałem dzierżył miniaturowy miecz. Stary i zmęczony, był tragikomiczny niczym Don Kichot, który w bój wyruszył w przeddzień swojej śmierci. A jednak wydawał się nieustraszony; jeżeli zamiarem rzeźbiarza było stworzyć szlachetną twarz z wyrazem pogardy dla zdradzieckich sojuszników, udało mu się to. Miał długi nos jak mój dziadek Yahya, wystające kości policzkowe jak moja mama i podłużną twarz jak ja. Mimo słabego oświetlenia miałem wrażenie, że dostrzegam każdą jego komórkę. Obszedłem posąg kilka razy i poczułem, że opadam z sił. Przegoniłem ptaki, które siedziały na jego głowie, sprzątnąłem przyklejone do jego stóp liście. Szybkim krokiem niczym wartownik odchodziłem i wracałem do pomnika. Doświadczałem desperacji, jaką odczuwa wnuk, który odnalazł swego od dawna niewidzianego dziadka, gdy ten zmożony już był chorobą. Poczułem nagle, że jestem elementem ponadpokoleniowego węzła krwi. Zwróciłem się do obserwującej mnie zdezorientowanej ekipy:

– Posąg ostatniego cesarza Bizancjum stoi w cieniu rzeźby anonimowego biskupa i jest od niej mniejszy. A to Konstantyn Jedenasty był przecież sprzymierzeńcem unii Kościołów katolickiego i prawosławnego. Ci, którzy postawili mu posąg w tym miejscu, zhańbili pamięć i o nim, i o Bizancjum. Czy Nomo jest świadome tej zniewagi, czy ma w tym temacie związane ręce?

Na wieczór wybrałem tawernę o nazwie Byzantio. Lokal w turystycznej dzielnicy Plaka powoli szykował się, by zapaść w zimowy sen. Choć przypominał praśną anatolijską restaurację, na jego korzyść przemawiał fakt, że nie było tam muzyki. Kolację jadłem sam na sam z Askarisem; miałem wysłuchać pomijanej przez książki historii Mistry. W tawernie zajęte były w sumie trzy stoliki. Przy tym za naszymi plecami zramolały Grek swoją kiepską angielszczyzną obsypywał komplementami Japonkę, która mogłaby być jego wnuczką. Dziewczyna wpatrywała się w posiłek na stojącym przed nią talerzu i mogłem iść o zakład, że ucieknie, jak tylko skończy kolację. Byłem

zażenowany, bezskutecznie próbowałem natrętnym spojrzeniem prze-
szkodzić nikczemnemu podrywaczowi. Rozluźniłem się dopiero dzięki świeżemu białemu winu. Askarisowi nie udało się poszerzyć mojej
wiedzy na temat Mistry, której nazwa kojarzy się ze słowem „tajemnica" w wielu językach, o coś więcej niż to, co wiedziałem z książek.
Przy innym stoliku siedziała ośmioosobowa grupa tubylców. Czuli
się swobodnie, jakby byli na pokładzie statku. Gdy nadchodził moment na zmianę tematu rozmowy, każdorazowo czyniła to robiąca na
drutach turkusową kamizelkę śniada, wyglądająca na osiemdziesiąt
lat staruszka. Wpatrując się w jej dłonie poruszające się, jakby dyry-
gowały orkiestrą, powiedziałem:

– Wiesz, Askarisie, mam wrażenie, że przyleciałem do Aten nie
przed dziesięcioma godzinami, lecz dekadę temu. Nawet smród wydobywający się z tutejszych śmietników nie jest mi obcy. Zupełnie
jakby Ateny oderwały się od Zatoki Izmirskiej i przykleiły do kontynentu europejskiego.

– Ekscelencjo, za pozwoleniem, jako pański sługa znający to
miasto chciałbym przedstawić swój pogląd. Jak świetnie wiesz, panie, kierowana mocarstwami europejskimi Grecja w tysiąc osiemset
trzydziestym drugim roku ogłosiła niepodległość. Stolicą kraju zostały Ateny, a na tronie posadzono bawarskiego księcia Ottona. Społeczeństwo nie zaakceptowało jednak siedemnastoletniego katolickiego
króla. Stroniący od ludu i nakładający liczne podatki władca sprawił,
że zatęskniono za osmańskimi rządami. Nie zakładano, że król czy
Ateny przetrwają długo. Przyjmowano, że ludność miasta nigdy nie
przekroczy dwustu pięćdziesięciu tysięcy. Ateny nie zostały rozbudo-
wane z pieczołowitością należną stolicy. Nie zadbano ani o ich przeszłość, ani o przyszłość. W ateńczykach można dostrzec anatolijskie
ślady, lecz ulice miasta pozbawione są uroku, jaki posiadały greckie
dzielnice na wybrzeżu Morza Egejskiego czy we wschodniej części
regionu czarnomorskiego. Mówi się, że każdy, kto podczas wymiany

ludności został przesiedlony z Turcji do Grecji i po dwudziestu latach wraca do Stambułu, z westchnieniem stwierdza, że dzielnica Fener* jest bardziej ateńska niż same Ateny. Nie powiedziałem Askarisowi, że jego mowa zrobiła na mnie wrażenie. Gdy moje oczy zaczęły się powoli zamykać, wstaliśmy i ruszyliśmy do hotelu. Po drodze wstąpiliśmy raz jeszcze na dziedziniec katedry. Oparty plecami o posąg Konstantyna XI, osunąłem się na ziemię. Nie przyszedł mi na myśl żaden poemat odpowiedni do sytuacji, w jakiej się znalazłem. I kiedy już miałem zapaść w słodki sen, ekipa w pełnym składzie chwyciła mnie za ramiona i podniosła.

Rano zerwałem się z łóżka. Doskwierało mi słodko-kwaśne poczucie winy. Było wpół do siódmej, a ja wpadłem na pomysł, by z okna popatrzeć na miasto. Kolor nieba przechodził właśnie z ciemnego w jasnoszary. Na szczycie Akropolu świątynia zwana Partenonem niczym pełnoetatowy upiór ironicznie szczerzyła do mnie zęby. Wziąłem medytacyjny prysznic i poczytałem Seferisa. Kiedy ponownie ruszyłem w stronę okna, okazało się, że niebo wybrało jednak odcień bladobłękitny. Partenon świecił blaskiem swej ponadczasowej okazałości, a rachityczne budynki miasta chyliły przed nim czoła. Byłem podekscytowany niczym ktoś, kto jako pierwszy podziwia dopiero co ukończony obraz. W poszukiwaniu muzycznej oprawy tej panoramy otworzyłem okno. Nie zdziwiłbym się, gdyby mych uszu dobiegła melodia ezanu.

Kiedy zwiedzałem zabytkowe zakątki Aten, nużyła mnie obecność zwyczajnych turystów. Byli tu tylko po to, żeby robić zdjęcia, i okazywali udawaną radość. Podczas gdy Narodowe Muzeum Archeologiczne pękało w szwach od zwiedzających, my byliśmy jedynymi gośćmi w Muzeum Bizancjum i Chrześcijaństwa. (Dwa najbardziej

---

* Fener – dzielnica Stambułu położona nad zatoką Złotego Rogu; po upadku Konstantynopola zamieszkiwana przez greckich mieszkańców miasta. Swoją siedzibę miał tutaj patriarcha Konstantynopola.

przyciągające uwagę eksponaty zostały skradzione i przywiezione z Edirne i Side). Ekipa wyraźnie się niepokoiła, bali się, że zbesztam ich z powodu pustek w muzeum.

– Jeśli kazaliście zamknąć to ubogie muzeum, abym mógł je zwiedzić z należytą atencją, doceniam ten gest – powiedziałem.

Gdy w nocy usłyszałem brzdęk tandetnej biżuterii dwóch prostytutek, które odwiedziły mnie w pokoju, na myśl przyszła mi wytworność naszyjnika sprzed pięciu tysięcy lat, który widziałem w Narodowym Muzeum Archeologicznym. Zrobiło mi się wstyd.

Nazajutrz rano dwoma limuzynami wyruszyliśmy do Mistry. Zgodnie z wymogami zatrzymywaliśmy się w dwóch różnych hotelach i jeździliśmy dwoma samochodami. Mnie zawsze towarzyszył Askaris. Przywykłem już do tego skutecznego i brzydszego nawet ode mnie mężczyzny. Pusta droga wiodąca z Zatoki Korynckiej na Półwysep Peloponeski działała na mnie usypiająco. Czy wszystkie pola bitew, których nazw uczymy się na pamięć na lekcjach historii, by po egzaminie natychmiast o nich zapomnieć, leżały teraz odłogiem? Czy będące bohaterami wielu mitów greckich pasma górskie i wstęgi rzek skurczone o jeden rozmiar czekały na swój koniec? Najbardziej zaskoczyła mnie nieustraszona Sparta, która okazała się zatopionym w zieleni dwudziestotysięcznym miasteczkiem. Skojarzyła mi się z odsiadującym karę dożywocia aktywistą, który oddaje się pracy w ogrodzie.

Leżąca w odległości siedmiu minut jazdy od Sparty Mistra zamieniła się w niewielką osadę. Założona przez łacińskich okupantów, w okresie panowania Paleologów była stolicą Despotatu Morei. Stanowiła ostatni skrawek ziemi, jaki pozostał w rękach Konstantynopola, a sukcesorzy bizantyjscy przechodzili w niej próbę przywództwa. Nie wiadomo, co sprawiło, że po odzyskaniu przez Grecję niepodległości mieszkańcy Mistry przenieśli się do Sparty.

Mistra okazała się unikatowa na miarę wiosek z masywu Kaz Dağı (Ida). Nie mogłem uwierzyć, że na jej miniaturowej agorze stoi rzeźba Konstantyna XI. Była identyczna z posągiem w Atenach, jedynie o rozmiar mniejsza. Czy w ten sposób odniesiono się do czasów młodzieńczego dyletantyzmu mojego prapradziadka? Według drogowskazu po lewej stronie biegła ulica Stevena Runcimana. Uchodzący za Szekspira pośród bizantynistów Runciman (1903–2000) był autorem jedynej obszernej publikacji na temat Mistry. Ceniłem go za to, że wyprawy krzyżowe określał mianem „barbarzyńskiej okupacji", Stambuł i Seferisa miał za swoich przyjaciół, no i za to, że nigdy się nie ożenił.

Gdy zaczęliśmy wjeżdżać ulicą po prawej i wypowiedziałem słowa basmali, roześmiałem się. Minęliśmy pierwszy zakręt. Tam drogę przecięło nam bizantyjskie stanowisko archeologiczne Tajgetos. To stożkowate wzgórze o wysokości trzystu metrów było urocze niczym plan zdjęciowy Disneya i nagle poczułem ochotę wzięcia go w ramiona. Położony na szczycie przeklęty łaciński zamek, znajdujący się nieco niżej w odległości rzutu kamieniem kościół Agia Sofia, leżący niemalże u jego stóp pałac Palataki, rozciągający się niczym karawanseraj aż do centrum pałac Despotów oraz otoczony opieką cyprysów żeński klasztor Pandánassa i jego zaskakujący sąsiad, czyli osmański meczet, stanowiły mieszkańców „górnego miasta". Potrafiłem również wymienić nazwy świątyń, pałaców i budynków gospodarczych znajdujących się na płaskim terenie określanym jako „dolne miasto". Nauczyłem się ich na pamięć, studiując książki, szkice i ryciny. Na mglistym wzgórzu przywitała mnie lawina średniowiecznych zabytków. Zacząłem się domyślać, gdzie powinienem szukać kolejnego fioletowego kwadratu. Wpierw jednak chciałem obejrzeć kompleks, który robił wszystko, by nie zamienić się w miasto widmo. (Wydaje mi się, że to było prawdziwym celem Nomo).

Potężne limuzyny zostawiliśmy na parkingu na wzgórzu. Pomiędzy fragmentami murów pasły się puszczone wolno kozy. Szczygły i pszczoły po raz ostatni w tym sezonie występowały w duecie. Padał deszcz, lecz ustał na krótko przed naszym przybyciem; ziemia pachniała radością życia. Chciałem wspiąć się na sam szczyt i wziąć tak głęboki oddech, by przyciągnąć nad Mistrę powietrze z Ayvalık. Podążaliśmy ścieżkami, ostrożnie stawiając kroki. Czyżby ktoś wyznaczył te dróżki, żeby „żaden-człowiek-się-tu-więcej-nie-pokazał, a-jak-kto-przyjdzie-niech-go-ogarnie-trwoga"? Naszym pierwszym przystankiem była Agia Sofia. Kościół, gdyby tylko zamontowano drzwi i okna, byłby gotowy do nabożeństwa. Między freskami na suficie i tymi na ścianach panowała melancholijna harmonia. Być może pastelowe figury po siedmiuset latach osiągnęły właściwy odcień barw.

Jedynie żeński klasztor Pandánassa pełnił swoją pierwotną funkcję. Rozgniewałem się, gdy zobaczyłem rząd udających się tam radosnych turystów. Nie spiesząc się, ruszyliśmy za nimi. Młoda zakonnica, która przeszła obok nas, opuszczając wzrok, wzbudziła moje zdziwienie. Może dlatego, że nosiła okulary? Grupa autochtonów, która przeprowadziła nalot na klasztor, nie była w stanie zachować ciszy; byli zbyt podekscytowani przygotowaniami do pikniku. Nie zjadłem twardego rachatłukum, które wziąłem z miseczki podanej mi przez sędziwą zakonnicę.

– Zmarnowały je niewłaściwą modlitwą – wyszeptałem, i być może ekipa usłyszała moje słowa.

Przestronny balkon klasztoru skojarzył mi się z drewnianymi domami letniskowymi, jakie stawia się na górskich halach wschodniej części regionu czarnomorskiego. Nagle poczułem, jak za słabnącą mglistą zasłoną płynie na wschód świetlista karawana składająca się z kwadracików mozaiki. Zamknąłem oczy, aby móc wsłuchać się w psalm towarzyszący temu ponadczasowemu zjawisku. Kiedy karawana światła dotarła do Antakyi, otworzyłem oczy. Nie wiedzieć czemu, obecność stojącej za mną ekipy poirytowała mnie. Zapragnąłem z nich zażartować. Nie odwracając się do nich, zapytałem:

– Czy któryś z was zna największego poetę tej ziemi Hegesip-posa? – Odczekałem chwilę i dodałem: – Gratuluję. W nagrodę wy-recytuję wam pięciowiersz jego pióra.

Otaczają mnie mury pokrzywy i ostu;
Odejdź, wędrowcze, albo cię ukłują.
Jam jest Tymon, co ludzi nie miłuje,
Klnij, ile chcesz, przebaczę,
Ino odejdź wreszcie!

– Na nas również już czas, obowiązki wzywają – powiedziałem i przez bramę Monemvasijską wtargnąłem do pałacu Despotów.

Mistra była niczym nakreślona na ziemi wypukła, zagadkowa mozaika. Podobało mi się podekscytowanie wywołane niewiedzą, czy obiekty, z których najmłodszy liczył pięćset lat, są pytaniem, czy też odpowiedzią. Choć byłem przekonany, że drugą wskazówkę od-najdę w sali tronowej Despoty, na mej drodze stanęła współczesna przeszkoda. Ze względu na dofinansowywane przez Unię Europej-ską prace restauratorskie pałac został zamknięty dla zwiedzających!

Zaspany ochroniarz, z którym rozmawiał Kalligas, ucieszył nas jednak, mówiąc, że jeżeli otrzymamy zgodę szefa ekipy prowadzą-cej tam prace, będziemy mogli wejść do środka. Ręką wskazał sto-jącą pośrodku dziedzińca młodą kobietę w kapeluszu typu panama. Kierowniczka prac restauratorskich nosiła spodnie, buty z wysokimi cholewami i okulary przeciwsłoneczne. Pomyślałem, że nie będzie mi łatwo uzyskać pozwolenie. Kobieta, posiłkując się mową ciała, zale-wała poleceniami ustawioną przed nią w półokręgu ekipę. Zbliżyłem się zaciekawiony; miała pobudzający do działania ton głosu i sądząc po wystających spod kapelusza kosmykach, była blondynką. Gdybym nie słyszał, jak z szybkością mitraliezy wyrzuca z siebie greckie słowa, mógłbym iść o zakład, że pochodzi z północnej Europy. Zakończyła swoje melodyjne zdanie pytajnikiem i wszyscy wybuchnęli śmiechem. Ilekroć dotykała buta trzymaną w lewej ręce metalową linijką, przychodziły mi na myśl córki właścicieli ziemskich z westernów, które zbesztawszy parobków, dosiadały konia i gnając galopem, znikały im z oczu.

Kiedy ekipa się rozeszła, ruszyłem w stronę kobiety. Zwróciłem na siebie jej uwagę i przybrałem swoją najbardziej zlęknioną pozę. Po angielsku podkreśliłem, że jestem pracownikiem naukowym Uniwersytetu Bosforskiego i pasjonującym się Bizancjum historykiem amatorem. Dodałem, że skoro już znalazłem się w Atenach, nie chciałem wracać, nie zobaczywszy pałacu Despotów. Zainteresowało ją to, że po matce mam greckie korzenie. Nie poddałem się, gdy płynną angielszczyzną powiedziała:

– Moje kompetencje ograniczają się do udzielania tego przywileju jedynie bizantynologom.

Wymieniłem nazwiska cenionych przeze mnie historyków Bizancjum, z naciskiem zaznaczyłem, że prowadziłem własne badania w New Chatham House i Dumbarton Oaks.

– Może mnie pani przepytać. Jeśli sobie pani życzy, mogę wymienić imiona fałszywych naczelników eunuchów w Wielkim Pałacu lub cesarzy, który ucinali sobie drzemkę na akwedukcie Walensa, lecz błagam, niech się pani zgodzi. – Gdy to mówiłem, sam byłem zaskoczony uniżonym tonem mojego głosu.

Przypominające maskę okulary zakrywały jej twarz. Kiedy jednak kąciki ust młodej kobiety lekko się uniosły, odetchnąłem z ulgą. Przyłożyła kciuk i palec wskazujący lewej dłoni do ust i zagwizdała ostro. (Zawsze zazdrościłem każdemu, kto umiał gwizdać na palcach).

– Akiii! – krzyknęła w stronę ochroniarza, który poderwał się z miejsca, i wskazała na mnie. Wyjęła z kieszeni niewielką latarkę i podała mi ją. – Będzie pan tego potrzebował. Proszę mi ją zwrócić najpóźniej za godzinę.

Pałac Despotów był w zasadzie obiektem nieposiadającym walorów estetycznych. Pełnił funkcję rezydencji gubernatora generalnego, której wielkość miała dodawać powagi. Choć to dość dziwne, w pałacu wychwyciłem poruszenie seldżuckiego karawanseraju. Znalazłem salę, która według rysunku, jaki posiadałem, była salą tronową. W tym pustym pomieszczeniu prace restauratorskie jeszcze się nie rozpoczęły. Sala była surowa niczym nieużywany od pokoleń skład amunicji. Woń, która w nim panowała, przywiodła mi na myśl zapach mokrego siana. Gdy zapaliłem latarkę, nie poderwały się do lotu ani gołębie, ani nietoperze; owady nie zabzyczały. Pomyślałem, że całkiem niedawno musiano zmienić naturalne warunki tego miejsca. Środek kamiennej podłogi pokrywały mozaiki. Ta najbardziej ostentacyjna przedstawiała półnagiego filozofa, który trzymaną w ręku tabliczką inskrypcyjną odpędzał atakującego go tygrysa. Ten fragment podłogi zdawał się niedawno odkurzony. Przy świetle latarki przeszukałem mozaikę element po elemencie. W brodzie poczciwca znalazłem fioletowy kwadracik; jak tylko go dotknąłem, przykleił się do moich palców. Przypuszczenie, że drugą wskazówkę umieściła tu szefowa prac restauratorskich, później wydało mi się nawet zabawne.

Nie byłem nonszalancki na tyle, by od razu stamtąd wybiec. Pomyślałem o suwerenach Paleologów, którzy w tej skłaniającej do przemyśleń atmosferze żyli pospołu z filozofami. W szczególności esteta i erudyta Manuel II przeobraził Mistrę w ostatnie centrum renesansu Bizancjum. Skupili się tu światli duchowni, polimaci, filozofowie, uczeni i wybitni artyści. Kościoły i pałac zamieniły się w prywatne college'e. To w Mistrze dyskutowano na temat myśli klasycznej, uwspółcześniono filozofię. Tutaj kształcili się przyszli filozofowie. Mistra wzbudziła zainteresowanie Europy i podejrzliwość Watykanu. W publikacjach, które czytałem, nie wspomniano, dlaczego właśnie to prowincjonalne miasteczko wybrano na centrum melancholijnego odrodzenia. Sądzę, że Paleologowie stracili wiarę w chylący się ku upadkowi Konstantynopol. W Mistrze, obecnie przekształconej w laboratorium archeologiczne, pokładali nadzieje z tego samego powodu, dla którego obawiający się Rzymu Konstantyn I założył Konstantynopol. Utkwiłem wzrok w przypominających gipsowe narożniki pajęczynach wiszących pod sufitem. Zdawały się skrywać uczone dyskursy, które przed sześcioma wiekami pod tym dachem umknęły czyimś uszom.

Przy akompaniamencie basmali zawinąłem kolejną wskazówkę w chusteczkę i opuściłem pałac. Kierowniczka prac restauracyjnych siedziała pod przenośnym namiotem przeciwsłonecznym na dziedzińcu. Opierała nogi na stojącym przed nią stoliku i przez krótkofalówkę nadal wydawała polecenia po grecku i po angielsku. Miała długie i zgrabne nogi. Obok jej butów leżała książka Javiera Maríasa *When I Was Mortal*. Tytuł, który przetłumaczyłem jako *Gdy byłem śmiertelny*, nie wydał mi się poetycki. Wyłączyła krótkofalówkę i zdjęła nogi ze stołu. Ciekaw byłem jej twarzy skrywanej pod kapeluszem i okularami.

– To, co pan zobaczył, raczej nie zrobiło na panu wrażenia – powiedziała.

– W tunelu czasu, w salach, które niegdyś zaszczycili swoją obecnością, konwersowałem z Jerzym Gemistem-Pletonem, Bryenniosem i Bessarionem. Jestem wdzięczny, że umożliwiła mi pani doznanie tej rozkoszy – odparłem, oddając jej latarkę.

Przyczyną szczodrości moich podziękowań była być może łatwość, z jaką dotarłem do drugiej wskazówki.

Młoda kobieta milczała przez chwilę, chcąc zapewne przemyśleć moje słowa.

– Miło mi, że spotkałam nieposiadającego wąsów i będącego miłośnikiem Bizancjum Turka – zaczęła. – W grudniu będę w Stambule, żeby wygłosić referat. Chciałabym pana zaprosić, o ile oczywiście jest pan zainteresowany. Jeśli poda mi pan swój mail, skontaktujemy się z panem.

– Czy mógłbym poznać temat referatu? – spytałem, dopisując swój adres mailowy na wizytówce.

– W skrócie przedstawię tezę, że Manuel Drugi był najznakomitszym i najbardziej pechowym cesarzem Bizancjum.

– H.G. Beck utrzymywał, że był on najsympatyczniejszym cesarzem cenionym nawet przez najzacieklejszych wrogów. Steven Runciman zdaje się podzielać ten pogląd. Przyjdę pani wysłuchać.

– A czy pan ma wśród cesarzy bizantyjskich swojego faworyta, który wykraczałby poza schematy?

– Bardzo cenię dynastię Paleologów. Gdybym miał kogoś wybrać, byłby to Konstantyn Jedenasty.

– Mogę wiedzieć dlaczego?

– Mógłbym wymienić tuzin powodów, ale ten najbardziej prawdziwy jest dość oczywisty: więzy krwi.

Młoda kobieta się roześmiała. Po raz pierwszy od bardzo dawna udało mi się rozśmieszyć kobietę niebędącą prostytutką. Zastanawiał mnie kolor oczu badaczki, której twarzy jeszcze nie widziałem. Kiedy podawała mi wizytówkę, zadzwonił jej telefon. Po tym, jak wdzięcząc się, zaczęła mówić po włosku, domyśliłem się, że zadzwonił jej chłopak. Przyjrzałem się danym na wizytówce. Doktor Mistral Sapuntzoglu była adiunktem na Wydziale Archeologii Klasycznej i Historii na Uniwersytecie Sztokholmskim. Fakt, że zachowała tureckie nazwisko „Sabuncuoğlu" w wersji zaadaptowanej do alfabetu greckiego, świadczył o tym, że jej ojciec lub dziadek pochodzili zapewne z rodziny wyrwanej z Anatolii. Rozmowa telefoniczna doktor Sapuntzoglu nie trwała długo. Kiedy zapytałem o słuszność moich domysłów, powiedziała:

– To prawda. Mój ojciec, Costas, urodził się w Edremicie. Moja matka zaś pochodzi ze Szwecji. Moje imię nie ma jednak nic wspólnego z Mistrą.

– To oczywiste. Znam wiatry, które mają w zwyczaju powiewać również w poezji. Mistral to zimny i uparty wiatr wiejący z północnego zachodu Europy w kierunku Morza Śródziemnego. Samo słowo jest bardzo poetyckie. Gdy z tego właśnie powodu zakupiłem tomik poezji Gabrieli Mistral, dowiedziałem się, że była noblistką w dziedzinie literatury w tysiąc dziewięćset czterdziestym piątym roku.

Kiedy do doktor Sapuntzoglu podbiegł jej asystent, my ściskaliśmy sobie dłonie z nadzieją na spotkanie w Stambule.

CAŁĄ EKIPĄ RUSZYLIŚMY w stronę pobliskiego Ajos Nikolaos. Ciekaw byłem, jak zareaguje Nomo na to, że na odczytanie drugiej wskazówki wybrałem cerkiew Świętego Mikołaja.

Naszym trzecim przystankiem miał być monastyr Sumela. Choć ten wykuty w zboczu góry klasztor znajdował się w okolicy Trabzonu, z którego pochodzili moi przodkowie, nigdy wcześniej tam nie byłem. Monaster Sumela, jaki widziałem na filmach dokumentalnych czy pocztówkach, przypominał twierdzę z kreskówek. Gdy w szkole średniej błagałem babcię, żeby mnie tam zabrała, zapytała: „Chłopcze, czy ty jesteś zboczony?".

Wcześnie zakończyliśmy nasze zadanie w Mistrze. W ostatniej chwili wpadłem na pomysł, żeby odwiedzić również katedrę Mitrópolis, której patronem jest Święty Dymitr i w której szóstego stycznia 1449 roku odbyła się koronacja Konstantyna XI. Kiedy znalazłem się wewnątrz mającej wymiary niewielkiego meczetu świątyni, przeszedł mnie dreszcz; koronacja w czasach Bizancjum oznaczała tyle, ile podpisanie na siebie wyroku śmierci o nieznanej dacie egzekucji. Dałem ekipie godzinę wolnego, by mogli zwiedzić wybrane przez siebie zabytki. Pappas i Kalligas postanowili zostać ze mną. Askaris natomiast chciał zobaczyć dwa opuszczone kościoły znajdujące się na południu miasta.

W Sparcie zatrzymaliśmy się na posiłek w kawiarni, która nazywała się Palaeologos. Telewizor w tym przypominającym schron lokalu nastawiony był na kanał modowy. Zabawne było, jak męska część klienteli zerkała kątem oka na prezentujące kostiumy kąpielowe modelki. Gdybym zobaczył pośród gości kilku wąsaczy, mógłbym sądzić, że jestem w Tire lub Bergamie.

– Drogi Theo, zawołaj kelnera i złóżmy zamówienie – poprosiłem. – I zapytaj, czy mają zniżkę dla krewniaków. – Na te słowa wszyscy wybuchnęliśmy śmiechem.

KAPPA

GDYBYM MIAŁ PEWNOŚĆ, że nikt nie nazwie mnie Lazem, mówiłbym, że pochodzę z Trabzonu. Lubiłem nazwę założonego przez mieszkańców Miletu w siódmym wieku przed naszą erą Trapezuntu i cieszyłem się, jakbym rozwiązał krzyżówkę, gdy odkryłem, że w nazwie tej kryje się słowo „trapez". Wiedziałem, że ilekroć przyglądam się starożytnej mapie czy globusowi, w regionie Morza Czarnego mój wzrok zawsze odnajdzie Trapezunt. Określenie „Pontus", przypisywane rezerwowemu cesarstwu założonemu w Trabzonie po zajęciu przez łacinników Konstantynopola, brzmiało jak swego rodzaju hasło. Fakt, że przetrwało aż do nadejścia Turków w 1461 roku, niepokoił również Bizancjum.

Kiedy mój dziadek zamieszkał w Galacie, nie można było nawet wymawiać przy nim słowa „Trabzon". Dopiero dziesięć lat po jego śmierci pojechałem z babcią do miasta, które zmuszeni byli opuścić, gdy ich sytuacja materialna znacznie się pogorszyła. Upchnięty między dwa wzgórza i Morze Czarne Trabzon zaczął wylewać się już na wschód i na zachód. Na miejscu naszej rezydencji, sąsiadującej z patrzącym na miasto ze wzgórza Muzeum Atatürka, teraz stały trzy bloki mieszkalne. Gdyby Eugenio je widział, powiedziałby zapewne: „Tylko King Kong mógł być architektem tej tragedii". Dla mnie jednak jaskrawozielony i fioletowy kolor tynku na elewacjach miał w sobie coś z uroku kreskówki. Z trudem wytrzymałem tygodniową gościnę w domu kuzynki mojej babci – pani Samiye. Salon w domu tej bezdzietnej wdowy wyglądał jak pole doniczek, miała też gburowatego kota o imieniu Szkrab. Była nachalna podczas posiłków i obrażała się, kiedy jej poczęstunek spotykał się z odmową. Jej cogodzinne podawanie nam wody kolońskiej przyprawiało mnie o ból głowy. W zależności od tego, czy mówiła do kwiatów, czy do kota, zmieniała ton głosu, a gdy kładła się spać, głośno bekała.

Podczas mojego pierwszego pobytu z dumą odkryłem, że Trabzon przecinają niezliczone tunele czasu. Nie zwiedziliśmy wtedy jednak ani twierdzy powierzonej miastu przez Milet, ani bizantyjskiego akweduktu i kościoła, ani też osmańskiego meczetu czy zabytkowych rezydencji. Kiedy zaś uświadomiłem sobie, że ani babcia, ani pani Samiye nie są świadome istnienia tych obiektów, nie byłem na nie zły. Zaniosłem pozdrowienia od wieży Galata mostom Tabakhane i Zağnos, które w moim przekonaniu dzieliły miasto na część górną i dolną. Odwiedziłem je kolejno i przyglądałem się przechodzącym przez nie ludziom. Zakładałem, że połowa zamieszkujących to dwustutysięczne miasto mężczyzn wypływa na połów ryb. Przysypiający w swoich sklepach handlarze i rzemieślnicy, gdy wychodzili na rynek, szli prężnym krokiem i pozdrawiali się wzajemnie, patrząc na siebie spode łba. Ci o orlich nosach i nogach w kształcie zawiasów byli najbardziej nerwowi i najzabawniejsi. Prowadziłem ich codzienną ewidencję. Z miejsca, w którym znajdowało się Muzeum Atatürka, dobiega głos *kemencze**i cały Trabzon ramię w ramię tańczy ludowy taniec *horon* aż do chwili, gdy muzyka ustanie. Wyobraziłem sobie ten klip w drodze powrotnej do Stambułu.

Tego lata, kiedy zdałem do liceum, Eugenio podarował mi monografię Trabzonu. Czytając tę encyklopedyczną książkę, czułem,

---

* Kemençe – popularny w regionie Morza Czarnego ludowy instrument strunowy.

jakbym przygotowywał się do maratonu egzaminacyjnego z zajęć fakultatywnych. Trabzon przedstawiany na rycinach z dziewiętnastego wieku nie różnił się niczym od bajkowej krainy. Nagrobki na cmentarzu Imaret przypominały podnoszących się z miejsc derwiszy i sprawiały wrażenie, że będą wirować wokół własnej osi dotąd, aż patrzących na nich ludzi zmorzy sen. Na panoramicznych fotografiach zrobionych od strony morza dominował melancholijny uśmiech miasta. Czyżby mieszkańcy Trabzonu uwiecznieni na rycinach i wyblakłych zdjęciach mieli spotkać się na balu maskowym? Kadr po kadrze przyglądałem się moim nieufnie spoglądającym w obiektyw krajanom, a ta parada odświeżyła moje wspomnienia o mostach z pierwszego pobytu w Trabzonie. Nie tylko widziałem tam zabytki będące spuścizną po każdym rządzącym miastem rodzie; byli tam również ludzie pochodzący z każdego rodu, jaki kiedykolwiek pił wodę tego miasta. Moją uwagę przyciągnęli zwłaszcza mężczyźni i kobiety o podłużnych twarzach i jasnej karnacji. Miałem wrażenie, że znam ich z bizantyjskich fresków. Wspólną cechą mężczyzn była nieustępliwość rysująca się w ich oczach. W końcu uświadomiłem sobie, skąd kojarzę to prowokacyjne spojrzenie – z wizerunku Selima I Groźnego, dojrzewającego jako gubernator Trapezuntu szesnastowiecznego osmańskiego sułtana.

Monaster Sumela został wydrążony w skale zbocza uznawanej za magiczną. Jego budowę rozpoczęto w czwartym wieku naszej ery i musiało upłynąć tysiąc lat, nim został ukończony. Patrząc na pocztówki z wizerunkiem klasztoru, sprawdzałem granice swojej dziecięcej wyobraźni: ten, jeśli nie był akurat budzącym przerażenie linoskoczkiem kroczącym po wirtualnej linie, stawał się majestatycznym, lecz pustelniczym zamkiem wzniesionym na skraju przepaści. Aby go lepiej poznać, chciałem kiedyś polecieć do Trabzonu, nie zachodząc jednak do centrum miasta. Nie mogłem zranić duszy dziadka, którego darzyłem sympatią tym większą, im bardziej klęły na niego jego żona i córka.

Dwadzieścia lat później, tym razem, aby „nie zranić duszy mojego prapradziada", znalazłem się w niebieskich przestworzach Trabzonu. Babcia, przekonana, że jestem na spotkaniu służbowym w Ankarze, nabrałaby podejrzeń, gdybym zapytał ją o kuzynkę. Kiedy przemierzaliśmy trasę z lotniska do miasta, przyszły mi na myśl melodyjne słowa: *balalos* (szalony), *kambos* (robak) i *zazal* (łysy), które przeszły z pontyjskiej greki do tureckiego pani Samiye. Gdybym pisał powieść, mój narrator nie natknąłby się w Trabzonie na kobietę w stylu Samiye, byłem jednak zaniepokojony, ponieważ moje życie przeszło do wymiaru wykraczającego poza wszelkie powieści.

Ilekroć musiałem upewnić się, że nie śnię, odwracałem się, aby spojrzeć na Askarisa, który niczym nieokiełznany pies gończy w każdej chwili gotów był wyskoczyć zza moich pleców. Im bliżej byliśmy Trabzonu, tym bardziej postawa tego mężczyzny, dziwnego na tyle, by jego życie osobiste nie budziło mojego zainteresowania, zdradzała, że nie zna dobrze miasta. Patrząc na jego gęstą brodę, przypomniałem sobie znajdującą się w naszym albumie rodzinnym ostatnią fotografię dziadka. Byłem pewny, że zapuścił brodę tylko po to, aby ukryć swoje rzadkie włosy i długi nos. Ściągnął brwi i lekceważąco patrzył w obiektyw, co – być może – było oznaką jego charyzmy. Gdy nie dawał sobie rady w Paryżu, gdzie studiował, przeniósł się do Genewy, by tam ukończyć ekonomię w college'u dla uchodźców. W oczach swojej córki był leniwym marzycielem i nieudolnym biznesmenem. Draniem, który włóczył się po klubach i restauracjach, a przy każdej nadarzającej się okazji wyjeżdżał służbowo za granicę. Mieszkańcy Galaty mieli go za dżentelmena i filantropa. Zapomniałem, którym z kolei Janem był mój dziadek Yahya, jasne jednak było, że z powodu stylu życia w oczach Nomo nie był on „wybrańcem". Sądzę, że Nomo zapewniło mu życie na określonym poziomie dobrobytu i uwolniło od szansy lub presji, której ja dostąpiłem.

Centrum miasta, które od dwóch tysięcy siedmiuset lat stało w miejscu, zamieniło się w Ganges. Najmniejsze zajście oznaczało komunikacyjny chaos. Zauważyłem też, że coraz więcej kobiet zakrywa głowy; jasnolice, miłe dziewczęta sprawiały wrażenie, jakby po zakończeniu zdjęć miały ściągnąć chusty i udać się do swych domów. Polubiłem hotel, którego atrium przypominało namiot szejka w kolorze pastelowego różu. Był ciepły listopadowy dzień; po obiedzie udaliśmy się z Askarisem do pontyjskiej Hagii Sophii. Kiedy wchodziliśmy na dziedziniec kościoła, Morze Czarne wzburzyło się niespokojnie. Pomyślałem o majestatycznym morzu Marmara. Gdy chciało przekazać wiadomość, czyniło to za pomocą wirtualnych nut zawieszonych na drgających liniach fal.

Przed surowym trzynastowiecznym kościołem panowała wrzawa niczym w składzie archeologicznym. Na nagrobku znajdującym się najbliżej drzwi damskiej toalety widniało imię córki cesarza – sułtanki Kamer. W architekturze tego obiektu, barwie ciosanych kamieni i dekoracjach wewnątrz budynku odnalazłem smaki ormiańskich i gruzińskich kościołów oraz seldżuckich meczetów; ta solidarność zrobiła na mnie wrażenie. Freski zdobiące sufit również nie były pozbawione malarskiego artyzmu. W porównaniu do stambulskich zabytków tu mogłem mówić o uroku zwiedzania wystawy sztuki naiwnej na bizantyjskiej prowincji. Zwróciłem uwagę Askarisa na braki w opisach oraz błędy w tłumaczeniu i układzie graficznym na tablicach informacyjnych.

– Gdybym nie był cesarzem na uchodźstwie, wiedziałbym, co z tym zrobić – powiedziałem.

Pomyślałem, że jeśli zbliżę się do przestronnych okien północnej elewacji, oswoję się z odgłosami wzburzonego Morza Czarnego, rozsierdzonego niczym tygrys, który wyczuł, że ktoś niepokoi jego pana.

Pappas i Kalligas czekali na dziedzińcu. Dałem ekipie wolne, mówiąc, że idę odkrywać osmański Trabzon. Gdy jednak Askaris wyraził chęć pozostania dłużej w Hagii Sophii, moim brodatym ochroniarzom nie pozostało nic innego, jak udać się ze mną. Ruszyliśmy w stronę dzielących miasto na część górną i dolną osmańskich mostów. Odniosłem wrażenie, że obiekty, które niczym winda w tunelu czasu miały zwieźć mnie na poziom osmański, skurczyły się o jeden rozmiar. Podziwiałem je przez dłuższą chwilę, po czym oddałem się poszukiwaniom śladów Trabzonu – miasta, w którym Selim I Groźny zwany Yavuz przez dwadzieścia dwa lata piastował urząd gubernatora i które było miejscem narodzin jego syna Sulejmana Wspaniałego.

Najpierw stałem się świadkiem pyskówki wracających ze szkoły dziesięcio-, dwunastoletnich chłopców. Wszyscy naraz krzyczeli lokalną gwarą, co brzmiało muzykalnie, a to, że jeszcze bardziej podkręcali akcent, by szpanerstwo wiodło prym, wydało mi się dość teatralne. Potem zaczęła się parada młodych; ponieważ nie byłem w stanie wyczuć, czy ich oparte na permanentnej kontrze rozmowy zakończą się kłótnią, czy salwą śmiechu, ogarnął mnie niepokój. Każde słowo wymawiane było ze specyficzną melodią, a gdy nadchodziła kolej na ostatni wyraz, nadawano mu funkcję wykrzyknika. Kiedy mostem przechodziły dziewczęta, zamieniał się on w wybieg, na którym odbywał się folklorystyczny pokaz mody. Pojawiały się nagle, w niewielkich grupach, i gdy mijały chłopców, ceremonialnie opuszczały wzrok. Starałem się nie myśleć o tym, że idący obok mnie niczym dwie kukły Pappas i Kalligas są w stanie nie tylko poświęcić swoje życie w obronie mojego, ale również poświęcić mnie dla dobra Nomo. Nie różnili się niczym od drugoplanowych bohaterów komiksów.

Do dzielnicy Ortahisar wkroczyliśmy wraz z popołudniowym nawoływaniem do modlitwy. Powiew wątłego jesiennego wiatru smagnął moją twarz, co potraktowałem jako ostrzeżenie. Ruszyłem za nim, nie pytając o drogę, i nagle poczułem, że moje stopy przywarły mocno do ziemi. Miałem wrażenie, że ktoś założył mi kalejdoskopowe okulary.

Zmrużyłem oczy i zacząłem czekać; czy to, że nikt nie zapytał mnie o hasło, oznaczało, że miałem otrzymać wiadomość? Gdy zacząłem się już obawiać napadu bólu głowy, moje ciało ogarnęło lekkie zmęczenie, a rozpościerająca się przede mną cienka tafla mgły powoli się rozpłynęła. Moim oczom ukazały się obiekty bizantyjskie, osmańskie i republikańskie; stały ramię w ramię, a na ich obliczach malowało się wyzwanie, jakie rzuciły czasowi i człowiekowi.

Dzielnica tłoczyła się na wąskim pagórkowatym terenie. Pastelowe elewacje urzekających bloków mieszkalnych, które miałem ochotę nazywać „pałacykami", przywiodły mi na myśl sufitowe freski z Hagii Sophii oraz hotelowe atrium. Odpocząłem podczas spaceru wąskimi ścieżkami, z których jedna biegła wzdłuż muru z napisem „Każda śmierć jest przedwczesna", na innej ganiały się bezpańskie psy, kolejna zaś kończyła się przed krzaczastym dzikim figowcem. Na bezimiennych uliczkach wysłuchałem duetu ciszy i chłodu. Kiedy zapadł zmierzch, spostrzegłem, że każdy zaułek emanuje własnym światłem.

Wsunąłem głowę przez główne drzwi do meczetu Fatiha w Ortahisar i przez chwilę przyglądałem się wiernym odmawiającym wieczorną modlitwę. Skoncentrowany na siedzących w ostatnim rzędzie siedmio-, ośmioletnich chłopcach, ciekaw byłem angloamerykańskich przesłań widniejących na przodach ich trykotowych swetrów. Do tego meczetu, począwszy od trzynastego wieku, przybywali królowie pontyjscy na ceremonie koronacji; był on wówczas kościołem pod wezwaniem Panaghii Chrysocephalos.

Przerwę zrobiliśmy sobie w dość słabo oświetlonej kawiarni emerytów, w której ci, którzy nie pojedynkowali się akurat ze swoimi papierosami, bardzo powoli przesuwali koraliki różańca. Kiedy weszliśmy, wszyscy równocześnie powiedzieli „dzień dobry". Zabrzmiało to, jakby mówili „amen", a ja poczułem się skrępowany. Zdawali się – zawieszeni między szczęściem a jego brakiem – czekać na mającą nadejść wiadomość.

Po wyjściu z kawiarni przeczytałem afisze o tańcu *horon*, jakie wisiały na witrynie sklepu z płytami CD, sąsiadującego z drukarnią, przy wejściu do której, jakby błagając o ratunek, podkreślono, że została ona założona w 1901 roku. Chwilę później zauważyłem sterczącego w drzwiach sklepu z płytami młodego chłopaka. Objął mnie wzrokiem, jak gdyby chciał powiedzieć: „Lepiej uważaj, bo mam cię na oku". Na pokładzie sułtańskiej łodzi płynąłem przez labirynty mieszanego klasztoru. Tylko w ten sposób jednym zdaniem mogę wyrazić lekkość, jaką czułem w sobie. Ktoś wyszeptał mi do ucha ostrzeżenie, którego treść nie spodobałaby się Nomo: „Prawdziwą umiejętnością jest zatroszczyć się o walory zarówno bizantyjskie, jak i osmańskie". Trabzon wyznaczał połowę mej drogi. Moja komisja egzaminacyjna wzbudzała we mnie coraz większe zainteresowanie. Zgodnie z bizantyjską tradycją Nomo miało zmęczyć mnie pojedynkiem. Powiadają, że nazwa „Sumela" zapożyczona została z języka greckiego i pochodzi od oznaczającego mrok słowa „melas". Lubię mrok. Każdy jego odcień smakuje inaczej, wiem o tym z poezji.

Kiedy usłyszałem, że droga z Trabzonu do Parku Narodowego Altındere trwa pół godziny, westchnąłem i pomyślałem, że gdybym to ja był autorem powieści, napisałbym: „czterdzieści minut". Przeczytawszy, że monastyr Sumela położony jest w lesie, poczułem, jakbym miał tropić orła, którego gatunek zagrożony jest wyginięciem, i straciłem zapał do wyprawy. Lubię wyrazy składające się z pięciu liter. Byłem ciekaw miejscowości Maçka znajdującej się na jedwabnym szlaku oraz pojawiającej się w *Anabazie* Ksenofonta. Zapomniałem, że park Altındere położony jest w granicach tej subprowincji. Wyruszyliśmy w drogę w słoneczny jesienny poranek. Tym razem w złożonej z dwóch pojazdów kolumnie towarzyszył mi Theo Pappas. Ten niemający mi za złe, a może po prostu nierozumiejący moich żartów ochroniarz o posturze zapaśnika powoli zaczął budzić we mnie sympatię. Chwilowo postanowiłem nie drażnić Askarisa pytaniem, czy wybrał go po to, aby nie mógł mnie ochronić.

Trasa okazała się beztroska jak rysunek ucznia szkoły podstawowej; zieleń przepełniona radością życia, przejrzyste niebo i cierpliwie pozujące na nim kłębiaste obłoki. Pojedyncze budynki, które sprawiały wrażenie, jakby wyrosły tam z nasion rzuconych przez wiatr, były prowizoryczne niczym makiety. Po drodze minęliśmy wieśniaczkę w średnim wieku; szła między dwiema chudymi krowami, a na plecach niosła wiązkę suchych gałęzi. Wszystkie trzy podążały równym krokiem i w tym samym tempie pochylały i odchylały do tyłu swe głowy. Mógłbym iść o zakład, że myślały też o tym samym.

Kiedy my posuwaliśmy się na południe, wraz ze wzrostem wysokości i poziomu opustoszenia narastała dominacja ciszy, którą z szacunkiem kontemplowałem. Nie byłem w stanie domyślić się przyczyny rozradowania sprzedawcy biletów przy wejściu do parku. Gdyby towarzyszył mi Askaris, powiedziałbym: „Ten mężczyzna przypomina pielęgniarza, który zamiast wzmacniać morale pacjenta, demoralizuje go". W miarę jak, pokonując kolejne zakręty, pięliśmy się w górę, wzgórze stawało się coraz mniej przyjazne. Na parkingu stał sfatygowany bus z sąsiedniej prowincji. Altındere spoczywało w cieniu zabytkowych platanów. Moją uwagę przykuł pojedynek między oceanem zieleni a ciszą. Myśl, że gdy tylko zamknę oczy, me stopy oderwą się od ziemi, napawała mnie lękiem; park był dla monastyru stacją końcową na wieki. Wtedy napotkałem jej wzrok. Spojrzeliśmy na siebie ja i wysoka na tysiąc trzysta metrów góra. Sumela połyskiwała niczym monumentalnych rozmiarów obraz zawieszony na jej szczycie. Nie mogłem oderwać wzroku od klasztoru. Czy tylko mi się zdawało, czy im dłużej na niego patrzyłem, on rósł i zbliżał się do mnie?

Wysoka na siedemnaście i długa na czterdzieści metrów budowla miała w sobie coś z gotyckiej estetyki i harmonijnie wpisywała się w krajobraz. Po raz kolejny, nie mogąc się nadziwić, jak to arcydzieło w tysiąc lat wbudowane zostało w urwisko, powstydziłem się swoich dyplomów. Wiedziałem, że po wejściu do klasztoru w ciągu pół godziny w jednym z dwóch pomieszczeń znajdę trzeci kwadracik; porządnie odrobiłem tę lekcję. Im dłużej jednak myślałem o tym, że człowiek siłą paznokci i wiary wydrążył czternastometrową wyrwę w piersi góry, tym bardziej chciałem dokonać rozrachunku z samym sobą. Nawet jeśli pod jakimś pretekstem pobierałem tylko duchowe nauki, to i tak miałem dług wdzięczności wobec mojej komisji egzaminacyjnej.

Według powszechnie przyjętego wierzenia Matka Boska objawiła się we śnie dwóm ateńskim mnichom i nakazała im wybudować świątynię w Górach Czarnych niedaleko Trabzonu. (Ilekroć mowa o Maryi, mam poczucie, że krzewiciel chrześcijaństwa Paweł z Tarsu został potraktowany krzywdząco i niesprawiedliwie). Targani przez los, spokrewnieni ze sobą mnisi swą znojną wędrówkę kończą u podnóża tej góry, gdzie wykuwają w skale niewielki kościół. Obaj umierają tego samego dnia w świątyni, której nigdy nie opuścili, a po ich śmierci pieczę nad położonym na odludziu kościołem roztaczają okoliczni mnisi. Sumela powoli zaczyna przekształcać się w centrum regionu. W szóstym wieku zostaje zaszczycona wsparciem cesarza bizantyjskiego Justyniana. Dzięki dobrodziejstwu cesarzy Trapezuntu trudne zadanie w czternastym wieku zostaje zwieńczone sukcesem; Sumela jest już wtedy popularnym ośrodkiem religijnym. Gdy w szesnastym wieku Yavuz zostaje ranny podczas łowów w Górach Czarnych, rany opatrują mu mnisi z klasztoru, który znajduje się wówczas pod protektoratem osmańskim. Działalność Sumeli dobiega końca wraz z proklamowaniem republiki. Naturalnym było, że klasztor został zapomniany aż do 1980 roku, w którym rozpoczęto prace restauratorskie.

Zręcznym rzemieślnikiem, który wykonał prowizoryczne ścieżki prowadzące do klasztoru, była przyroda. Gdy rozpoczęliśmy wędrówkę, runął na nas odgłos wodospadu. Odbijał się echem jak lawina kolejnych ostrzeżeń, a jego ton zmieniał się na łukach zakrętów. Ścieżka chroniona była przez potężne drzewa. Widok przywierających do ziemi niczym macki ośmiornicy monstrualnych korzeni był porażający. Zdawały się mówić: „Hej, wędrowcze, ziemia, po której stąpasz, nam jest powierzona".

Kiedy tylko przekroczyłem bramę klasztoru Sumela, poczułem się jak w średniowiecznej osadzie. Na przypominającym dziedziniec placu znajdującym się w lewym skrzydle kompleksu oprócz kościoła i kaplicy dostrzegłem jeszcze z tuzin obiektów wielkości celi. Byłem gotów uwierzyć, że do ich budowy wykorzystano kamienie wyrwane z piersi góry. Najpierw weszliśmy do pięciokondygnacyjnego i posiadającego siedemdziesiąt dwa pomieszczenia klasztoru. Z bliska przypominał sanatorium; nie brakowało tu biblioteki, piwniczki z winem ani lochów. Gdyby dokonano tu niewielkich inwestycji, miejsce to mogłoby się stać najbardziej tajemniczą rezydencją naszej planety. Kiedy z tarasu ostatniej kondygnacji patrzyło się w dół, trzystumetrowa przepaść puszczała oko do swojego obserwatora. Wokół widać było dziewiczy las, który pod osłoną przejrzystego nieba i przy akompaniamencie muzyki wodospadu sprawiał, że każdy zwiedzający mówił: „To prawdziwy raj".

Pasażerowie busa, na tyle którego widniał napis: „Nie zbliżaj się, bo pożałujesz!", zgromadzili się na dziedzińcu, by ruszyć w drogę powrotną. Byli starzy, bladzi i wyraźnie niezadowoleni z wycieczki. Jazgotliwa kobieta przeklinała męża za to, że ją tu przywiózł, co wydało mi się dość dwuznaczne.

Zdecydowałem, że moja krótka misja rozpocznie się w kaplicy, a zakończy w skalnym kościele. W kaplicy było dwadzieścia fresków, a w kościele w sumie siedemdziesiąt dwa. W obu tych miejscach wszystkie ściany, zarówno te wewnętrzne, jak i te na zewnątrz, pokryte były sięgającymi sufitu malowidłami. Miałem teraz przed sobą tworzony przez tysiąc lat ewangeliczny komiks. Najpierw oba pomieszczenia zwiedziłem z ekscytacją, jaką daje oglądanie wystawy.

Freski nie tylko odzwierciedlały wpływy epok, w jakich powstawały; różnice między nimi wskazujące na umiejętności artysty pozwalały również na zdefiniowanie ich autorów jako: mistrz, podmajstrzy i terminator. Patrząc na wydrapane oczy świętych i widniejące na ścianach niezniszczone dotąd inskrypcje, stwierdziłem, że restauratorów czeka tu jeszcze dużo pracy.

Po tej rozgrzewce, odmawiając basmalę, wparowałem do kaplicy. Mocno przyciskałem do piersi książkę, zawierającą liczne szkice, w której freski zostały przeanalizowane pod kątem tematyki. Począwszy od *Narodzin Maryi* i kończąc na *Zstąpieniu Jezusa do Krainy Umarłych*, przeczesałem wnętrze pomieszczenia kadr po kadrze. W kaplicy nie było fioletowego kwadracika. Musiał więc znajdować się w skalnym kościele wbudowanym w grotę, uchodzącym za jedną z najbardziej symbolicznych świątyń chrześcijaństwa. Biorąc pod uwagę różne kryteria, wnikliwie przeanalizowałem znajdujące się tam freski. Trzykrotnie, centymetr po centymetrze, przyjrzałem się *Przemienieniu Pańskiemu* i *Przepędzeniu Szatana*, cztery razy przestudiowałem *Lwa Monastyru* oraz *Sąd Ostateczny*. Choć wiedziałem, że nie przyniesie to żadnego efektu, z latarką w ręku przeszukiwałem freski i górne partie ścian tak długo, aż moje dłonie zaczęły drżeć, a oczy przestały rozpoznawać kształty. Wszystko na próżno.

Postanowiłem, że nazajutrz wyruszę na eksplorację ogołoconego monastyru i ponownie przeszukam świątynie. (Obiekty przypominające budynki gospodarcze były zamknięte na kłódkę). Miałem jednak przeczucie, że i z tej wyprawy wrócę z pustymi rękami. Nie chciałem przyznać nawet przed samym sobą, że po raz pierwszy w życiu egzamin, do którego przystąpiłem, może zakończyć się niepowodzeniem. Pomyślałem o teorii spiskowej, która prawdopodobnie przyszła również do głowy moim przodkom: cesarz, który zda egzamin, staje na czele Nomo i zrealizowawszy ostatnie postanowienie testamentu, może Nomo rozwiązać. Możliwe, że organizacja, obawiając się tych kroków, podejmowała środki, aby utrudnić kandydatom zdanie egzaminu. Pomyślałem, że może Nomo zadrwiło ze mnie, rozpoczętą w krainie marzeń podróż kończąc w rodzinnym mieście mojego dziadka – Trabzonie. Może powinienem zawiesić urlop bezpłatny i wrócić na uczelnię do moich studentów? Konstantyn XV, cesarz na uchodźstwie, który jak się jednak okazało, nie był wybrańcem, zrezygnowany opuścił skalny kościół.

Zaniepokojona ekipa czekała na mnie na dziedzińcu. Gdy podbiegli do mnie, kręcąc głowami, przekazałem im smutne wieści. Na twarzy Askarisa malował się smutek nauczyciela, którego podopieczny odpadł w półfinale. Położyłem dłoń na jego ramieniu.

– Żeby tradycji stało się zadość, przyjedziemy tu jeszcze jutro. Nie sądzę jednak, żebym miał jakieś szanse – powiedziałem. Pappas patrzył przed siebie i miałem wrażenie, że próbuje się nie roześmiać. Żeby nieco rozładować atmosferę, chwyciłem jego brodę oburącz i dodałem: – Czyżbyś chciał się mnie pozbyć i w tej kwestii wystosował do Nomo prośbę, Theo?

Po obiedzie w Trabzonie postanowiłem wybrzeżem udać się do Artvinu. Pomyślałem, że podczas przejażdżki po wschodniej części regionu Morza Czarnego pozbieram myśli, a w drodze powrotnej jeszcze raz przeanalizuję notatki. Na chwilę wróciliśmy do hotelu. Udałem się do pokoju, żeby zostawić w nim torbę i obmyć twarz. Gdy spostrzegłem leżącą na komodzie fioletową kopertę, serce zamarło mi w piersi. Tak, był w niej fioletowy kwadracik. Wrzuciłem kopertę do torby i zjechałem do ekipy czekającej na mnie w lobby. Opowiedziałem im o całym zajściu. Przeanalizowawszy konsekwencje i związane z nimi ryzyko, postanowiliśmy ukryć ten fakt przed kierownictwem hotelu. Żeby sprawdzić, na ile sprawa jest poważna, umieściłem kwadracik w trzecim okienku spoczywającej w mojej torbie srebrnej szkatułki. Pasował i po dziesięciu sekundach w sąsiednim polu pojawił się napis: „Pałac pierwszego soboru nicejskiego, Iznik".

Odwróciłem się do Askarisa.

– Dopóki nie spotkam się z Nomo, nie pojadę ani do Izniku, ani do Izmitu! – oznajmiłem. Gdy on i Kalligas spojrzeli na siebie dwuznacznie, ogarnęło mnie poirytowanie. Zbeształem ich obu i dodałem: – Nie wiem, Askarisie, czy zadzwonisz do swojego przełożonego, czy do Nomo, ale żądam, aby natychmiast udzielono mi wyjaśnień! Askaris chwycił telefon, oddalił się od nas i pogrążył w rozmowie ze swoim przełożonym. Gdy otrzymałem informację, że w ciągu kilku godzin zawiadomią nas o podjętej decyzji, wsiedliśmy do wynajętego minibusa i wyruszyliśmy w podróż, której celem był Artvin. Telefon zadzwonił, gdy dojeżdżaliśmy do Hopy. Askaris poprosił o zatrzymanie pojazdu. Wysiadł i przeprowadził krótką rozmowę. Kiedy wrócił, na jego twarzy malowało się poczucie ulgi.

– Panie, zwrócono się z prośbą, byś kontynuował egzamin. Niestety, nie otrzymałem żadnej innej wiadomości, którą mógłbym ci przekazać – powiedział. Wydąłem wargi, a on spróbował uciec się do perswazji. – Czy pozwolisz, abym wyjaśnił ci pokrótce uzasadnienie tej prośby?

– Choć nie przekazałeś mi żadnych wyjaśnień, pozwalam. Pod warunkiem jednak, że uda ci się zmieścić wypowiedź w czterdziestu słowach – odparłem.

– Panie, to moja osobista ocena sytuacji. Jak mniemam, zostałeś poddany próbie charakteru. Gdybyś chciał, mógłbyś ukryć fakt, że ktoś zostawił w twoim pokoju kopertę, i nazajutrz rano kazać zawieźć się do Sumeli, po czym ogłosić, że odnalazłeś kwadracik. I nikt nie mógłby udowodnić, że skłamałeś. Ty jednak, panie, ryzykując wyeliminowanie z procedury egzaminacyjnej, nie ukryłeś prawdy.

– Askarisie, przekroczyłeś limit słów i sam też za bardzo nie wierzysz w to, co mówisz. Powodów, dla których wolałbym się wycofać, jest więcej niż przyczyn, dla których miałbym kontynuować, ale być może właśnie dlatego nie zrezygnuję z egzaminu. Ponadto mam chyba ochotę na odkrycie Izniku.

W drodze powrotnej byłem już bardziej odprężony. Pomyślałem, że jeśli nie ma w Nomo rozdźwięku, w odpowiednim czasie dowiem się, kto i dlaczego podłożył w moim pokoju kopertę. Zauważyłem, że ekipę ogarnia spokój.

– Drodzy koledzy – powiedziałem – wyrecytuję wam czterowiersz Karacaoğlana, największego poety, jaki pojawił się na tej ziemi. Askaris przetłumaczy go na angielski, Kalligas na grecki, a Pappas streści nam to, co z niego zrozumiał. Kto wypadnie najsłabiej, skończy w Morzu Czarnym.

Choćby góry, co przed nami śniegiem kryte były,
Choćby pole dookoła kwitło hiacyntami,
Czy to aga, czy wielmoży, czy wysoki pasza,
Każdy zaśnie snem na wieki dnia pewnego.

LAMBDA

W LICEUM NAJBARDZIEJ IRYTOWAŁO mnie to, że pory roku nie nadchodzą i nie kończą się zgodnie z kalendarzem. Dla przykładu, skandaliczne było, że na półkuli północnej zima nie zaczyna się pierwszego grudnia i nie kończy dwudziestego ósmego lutego. Babcia, którą nieopatrznie zapytałem o przyczynę tego zjawiska, odparła stanowczo: „Nie kalendarze o tym decydują, tylko Allah Najwyższy!". Choć nie powiedziała, żebym nie gadał jak „jakiś komunista", nie sądzę, żeby znała odpowiedź na pytanie: „Dlaczego Allah nie naprawi tego błędu?".

Zdaniem Eugenia na cztery pory roku naszej dzielnicy składały się: wczoraj, dzisiaj, dzień i noc. Prawdziwym mieszkańcem Galaty był ten, kto to rozumiał. Tym wersem ewidentnie chciał mnie wprowadzić w klimat egzaminu. Wtedy właśnie zacząłem zajmować się zagadkami, w rozwiązaniu których sam sobie byłem rywalem i sędzią. Nie mogłem znieść grudnia, jeśli nasz wiatr nerwowo hulał slalomami. W dzieciństwie ten właśnie kapryśny wiatr był moim drugim powiernikiem. Nie nadałem mu imienia, gdyż nie chciałem wzbudzać zazdrości Tristana. Według wyobrażenia, które skrywałem przed wszystkimi, matką wiatrów było morze, ich ojcem zaś – cień. Zazdrosny cień był owocem miłości słońca i księżyca. Porzucał morze, ale nie pozwalał, by pozostał przy nim wiatr. Tak, cała ta trójka stawała się nieśmiertelna, gdy wstawało słońce.

Wiatry były gołębiami pocztowymi tunelu czasu. Przekazywały wiadomości z jezior na pustynie, z lasów do gór, a co najważniejsze, z jednego zabytku do drugiego. O tym właśnie myślałem, idąc z wieży Galata do muzealnego domu Eugenia. Po moim powrocie wieża zdawała się być urażona tym, że podczas mojej wyprawy zbliżyłem się do przewyższających ją rangą obiektów.

Podszedłem więc do niej i powiedziałem:

– To nie tak, jak myślisz, Czcigodna. Przystąpiłem do egzaminu złożonego z sześciu zadań. Pierwsze dwa były proste niczym drwina, podczas trzeciego nachalnie mi podpowiadano.

Byłem przeciwny próbie przetestowania przez Nomo również mojej odporności na stres. Chcąc zmienić otoczenie, ogłosiłem grudzień miesiącem wolnym od pracy. Ekipa przyjęła moją decyzję z radością i zdziwieniem. Do końca roku miałem oddawać się jedynie swojemu hobby i okolicznym prostytutkom.

W NOCY ÓSMEGO GRUDNIA, wróciwszy z kolacji, podczas której świętowaliśmy urodziny Hayal, rozkoszowałem się poczuciem przyjemnego zmęczenia. Gdy moja siostra zobaczyła swój prezent – zegarek marki Chopard – rzuciła mi się na szyję i krzyknęła: „Jesteś najlepszym bratem na ziemi! Zasługujesz na najdoskonalsze dziewczyny tego świata!". Patrząc na jej wybuchy ekscytacji, śmieję się ze swojego emocjonalnego kalectwa. Przypomniałem sobie noc, kiedy znalazłem Hayal na ulicy, półnagą i zapłakaną; jak zaniosłem ją na własnych plecach do naszego domu. Oliwkowooka dziewczynka została moją siostrą i córką, dzięki niej zacząłem się szanować. Gdy ja również ją objąłem, poczułem, że ciepło przepełnia moje wnętrze. Żeby je ukryć, nie przyszło mi do głowy nic innego, jak wypić wódkę z lodem.

Zanim udałem się do łóżka z książką *Poezje zebrane* Michaela Palmera, na okładce której znajdowały się dwa rzewne lwy, zajrzałem do internetu i sprawdziłem pocztę. Doktor Mistral Sapuntzoglu zapraszała mnie na referat, który wygłosi dwunastego grudnia 2008 roku w sali konferencyjnej ARIT.

ARIT to instytut badawczy założony w Turcji wspólnie przez tuzin amerykańskich uczelni. W jego zacnej bibliotece zgromadzono dwanaście tysięcy książek w języku angielskim dotyczących Bizancjum. Ponieważ bardziej niż zdawkowa obietnica Mistral Sapuntzoglu interesowała mnie właśnie ta biblioteka, na wydarzenie udałem się przed czasem. Pozbawiona widoku na morze rezydencja położona w Arnavutköy musiała niegdyś należeć do pechowego lub nieudolnego osmańskiego biurokraty. W pustej bibliotece na ostatniej kondygnacji spędziłem czterdzieści minut i ulżyło mi, kiedy w żadnej z czterdziestu książek, jakie przejrzałem, nie znalazłem notatek mojego ojca. Jak tylko wziąłem do ręki *Oksfordzki słownik Bizancjum*, poczułem znużenie i zszedłem do sali konferencyjnej. Do rozpoczęcia wykładu było jeszcze siedemnaście minut. Około pięćdziesięciu osób zebrało się w niewielkie grupy i czekało, rozmawiając. Gremium, w którym dominowali mężczyźni w średnim wieku, przy każdej okazji mierzyło wzrokiem stojącą przed podium blondynkę. Ona zaś rozmawiała z brodatym cudzoziemcem i Selçukiem Altunem. Kiedy ja trwałem jeszcze w stanie zaskoczenia, mój serdeczny przyjaciel Eugenio przywołał mnie, żywo gestykulując.

– Podobno poznaliście się z Misty w Mistrze – zwrócił się do mnie Selçuk Altun swą podręcznikową angielszczyzną. – Takie miłe zbiegi okoliczności zdarzają się jedynie w powieściach, ale ty oczywiście nadal możesz obstawać przy swojej poezji.

Dalej dowiedziałem się, że z wujem prelegentki spotkali się w londyńskiej siedzibie międzynarodowej firmy, a ich przyjaźń trwa od lat siedemdziesiątych. Popatrzyłem na Mistral Sapuntzoglu okiem wnikliwego nabywcy. Okazało się, że blondynka, która w Mistrze pomogła mi podczas moich poszukiwań, miała zadarty nosek i niebieskie oczy. Jej wystające czoło, według mojej babci, czyniło ją nad wyraz inteligentną. Gdy przyłączyłem się do rozmowy, zrozumiałem, że nie jest zimną skandynawską pięknością. W jej zachowaniu przeważała śródziemnomorska swoboda i pewność siebie. Pomyślałem, że mężczyźni w imię jej urody muszą znosić jej arogancję. Nie trawiłem dziewcząt kreujących się na następczynie Grace Kelly. Postanowiłem zająć miejsce w ostatnim rzędzie i zwiać stamtąd po drugim akapicie.

Brodaty Amerykanin, który nawet żartował swoim perfekcyjnym tureckim, był zapewne dyrektorem instytutu. Zląkłem się, gdy zaproponował mi, abym po referacie Mistral poszedł z nimi do restauracji rybnej. Roześmiał się, usłyszawszy wygenerowaną przeze mnie w panice wymówkę. W słowo wszedł mi wtedy Selçuk Altun.

– Podczas swojego dwutygodniowego pobytu badawczego w Stambule Misty chciałaby zobaczyć bizantyjskie kościoły – oznajmił. – Wiem, że odbyłeś podobną wycieczkę i masz dużo wolnego czasu. Gdy cię nie było, powiedziałem, że będziesz mógł jej w tym pomóc.

Dość osobliwe było, że pisarz, którego powieści nie czytałem, steruje mną jak bohaterem swojej książki, jednak nie mogłem mu odmówić. Choć nie interesował mnie jej wykład, uśmiechnąłem się do prelegentki i ograniczyłem do słów:

– Dobrze się składa, gdyż jestem winny doktor Sapuntzoglu przysługę.

Zająłem znajdujące się najbliżej drzwi krzesło w tyle sali i przygotowałem się do wysłuchania opowieści o tym, jak wyjątkowy był jeden z moich przodków Manuel II.

Z zapowiedzi wygłoszonej przez pracownicę naukową mówiącą tak, jakby bredziła w malignie, dowiedzieliśmy się, że Mistral Sapuntzoglu po ukończeniu Uniwersytetu Sztokholmskiego doktoryzowała się w Cambridge. (Musiała być młodsza ode mnie o dwa lata). Żeby nawiązać ciepłą relację ze słuchaczami, właściwa prelegentka zaczęła od słów: „Po tureckim brzmieniu mojego nazwiska domyślają się państwo zapewne, że mój ojciec jest Grekiem z anatolijskimi korzeniami. Jednak gdybym miała coś powiedzieć po turecku, którego się od niego nauczyłam, mogłabym jedynie zwymyślać wasze rodziny", czym rozbawiła większość uczestników.

Do końca wysłuchałem wystąpienia zatytułowanego *Być może Manuel II Paleolog był władcą genialnym*. Doktor Sapuntzoglu była nie tylko świetnym mówcą, ale też jej postawa świadczyła o dobrej znajomości tematu.

Trzecie zdanie rozpoczęła od wzmianki, jaką Manuel II napisał w związku z Mewlewitami, co poruszyło słuchaczy. (Ciekaw byłem liczby studentów, którzy zakochali się w niej podczas wykładu). Podkreślając i ilustrując przykładami cechy Manuela II jako władcy, dowódcy, dyplomaty, uczonego, pisarza i teologa, nie zwróciła uwagi na jego niehonorową postawę wobec Wenecji. Gdy opowiadała o Zampii, jego córce z nieprawego łoża, która poślubiła Genueńczyka, pomyślałem, że doktor Sapuntzoglu nadawałaby się na kochankę żonatego i będącego na wpół impotentem profesora.

W ciągu trzech dni oprowadziłem Mistral po dwudziestu dwóch kościołach lub ich ruinach. Każdego rana odbierałem ją z budynku ARIT, gdzie była zakwaterowana, dawałem z siebie wszystko, by zrealizować zaplanowany program, i wieczorem odwoziłem ją do Arnavutköy. Pierwszego dnia udaliśmy się do przekształconych w meczety kościołów, które zwiedziłem latem. O lokalizację pozostałych świątyń z jej listy pytaliśmy przewodnika Cevata Merta oraz lokalnych bufeciarzy. Ja również byłem podekscytowany, kiedy szukaliśmy kościołów: Aya Yorgi, który podobno Konstantyn IX kazał wybudować, by móc się tam spotykać z ukochaną, i w którym po śmierci został pochowany z polecenia swojej żony Zoe, Soteros Philantropos, w którym schroniła się księżniczka Irene po śmierci męża, oraz Świętej Maryi w dzielnicy Blacherny, w którym przechowywane miały być jej szaty. Mistral okazała się żyjącą w zgodzie ze sobą kobietą niewypowiadającą zbędnych treści, ale za to gwiżdżącą, gdy tylko nadarzyła się do tego okazja. Nosiłem jedną z jej dwóch toreb, robiłem za jej tłumacza i podejmowałem ją w oryginalnych restauracjach serwujących domowe jedzenie. Nie podobało mi się, że gdziekolwiek stanęła nasza stopa, Mistral padała ofiarą bezwstydnych spojrzeń prymitywnych mężczyzn. (Błagałem o cierpliwość dla mężczyzn posiadających tak atrakcyjne partnerki). Flirtowanie było wbrew mojej naturze. Ponieważ nie chciałem zostać źle zrozumiany, nie zadawałem jej też osobistych pytań.

Metody pracy doktor Sapuntzoglu wydały mi się dość osobliwe. Gdy tylko docieraliśmy do kolejnego kościoła, robiła dziesiątki zdjęć swoją leicą i zaciekle notowała coś wiecznym piórem z wizerunkiem erotycznej lalki na skuwce. To tempo skojarzyło mi się ze świeżo upieczonymi, walczącymi z czasem korespondentami wojennymi. Kiedy wewnątrz pomieszczeń czule przesuwała palcem wskazującym prawej dłoni po elementach obiektu, przypominała lekarza, który przy boku swego źle rokującego pacjenta zabijał czas. Jej brak reakcji na dzielącą z kościołami ten sam kadr życiowy tkankę tworzoną przez obiekty, ludzi, dźwięki i kolory tłumaczyłem sobie tym, że na greckiej prowincji musiała spotkać się już z podobną panoramą. Melodie na arabską nutę były niczym cząstki elementarne antycznych obiektów, które zwiedzaliśmy. Ilekroć z otwartego okna sfatygowanego domu, opustoszałego sklepu lub przejeżdżającej taksówki dobiegały nas te antymelodyjne tony, pani doktor nagle zatrzymywała się, by po chwili, puszczając do mnie oko, rozpocząć taniec brzucha.

Ponieważ pożegnała mnie mało oryginalnie, mówiąc: „Jeśli kiedyś spotkamy się w Sztokholmie...", poczułem się zaskoczony, gdy nazajutrz rano dostałem od niej mail. Mistral zapraszała mnie na kolację, by móc należycie mi podziękować. Na moją odpowiedź: „Zgadzam się, jeśli to ja zapłacę", odpisała: „Wiedziałam, że postawisz mi taki warunek". Spotkaliśmy się w niedoświetlonej restauracji rybnej. Na jej trzykrotne uderzenie głową w stół, które miało podkreślić jej zażenowanie, gdy przypomniała sobie, że jestem wegetarianinem, jako pierwszy śmiechem zareagował kelner. Podczas krótkiej kolacji, której towarzyszyły białe wino i przygotowane na specjalne zamówienie przystawki, nasza oficjalna relacja dobiegła końca. Mistral opowiedziała mi, że po rozwodzie rodziców, w wieku dwunastu lat, przeprowadziła się z matką z Aten do Sztokholmu. Gdy w czasie studiów jej pracująca w turystyce matka zmarła, pogodziła się ze swoim ojcem rentierem. Być może chcąc ją pocieszyć, przybliżyłem jej dramat mojej rodziny. Nie przytoczyła fragmentów swojej historii sercowej i nie pokazała mi fotografii partnera.

Miała zostać w Stambule do dwudziestego dziewiątego grudnia, ale jej grafik nie był napięty. Następnego dnia oprowadziłem ją po Galacie i zjedliśmy obiad na wieży. Kiedy zorientowałem się, że jest dobrym słuchaczem, spacerując po wykuszu dookoła wieży, kadr po kadrze opisałem jej pojawiający się przed nami fragment miasta. Jakbym chciał, żeby je polubiła. Byłem pewien, że według widzących nas razem okolicznych kupców i rzemieślników znowu wyrwałem królową prostytutek, a kobiety z dzielnicy pomyślały, że wreszcie stanąłem na wysokości zadania.

W drodze powrotnej z dzielnicy Samatya, której nazwa pozostała niezmieniona od powstania Bizancjum, powiedziała, że chciałaby poznać moją rodzinę. Tradycyjnie ucałowała dłoń babci, szepnęła coś mamie do ucha, co bardzo ją rozbawiło, i zaimponowała wszystkim, dowcipkując z Hayal po niemiecku. Wiedziałem, co mnie czeka po tym krótkim spotkaniu. Babcia od razu wydała fatwę, stwierdzając:

– Spodobała mi się ta dziewczyna o aparycji hurysy. Jeśli przejdzie na islam i przyjmie imię Ayşe, ożeń się z nią.

Hayal, która uczepiła się mnie i powtarzała, że kobieta mojego życia sama do mnie przyszła, zbyłem, mówiąc, że o ile mi wiadomo, Mistral ma już chłopaka.

Spotykaliśmy się co drugi dzień. Zabrałem ją na wyspę Büyükada, do zamku Yoros i do antykwariatów, gdzie sprzedawano książki historyczne. Nie nudziłem się w jej towarzystwie. Oswoiłem się z jej atrakcyjnością i miałem na względzie to, że posiada swój wewnętrzny świat; wydawało mi się, że jest świadoma tej mojej postawy.

Wyrywkowo opowiadałem jej o odbytych podróżach i wysłuchiwałem od niej przeoczonych przez historyków anegdot o Paleologach. Pojedynkowaliśmy się na aluzje, oglądaliśmy u mnie dzieła kina artystycznego albo filmy dokumentalne na DVD, razem gotowaliśmy i zmywaliśmy naczynia. Czuliśmy swobodę, jaka łączy dwoje ludzi niemających wobec siebie żadnych oczekiwań.

Dwudziestego dziewiątego grudnia odwiozłem Mistral swoim samochodem na lotnisko. Dzień wcześniej, zwiedzając Kryty Bazar, za sugestią Selçuka Altuna udaliśmy się do Błękitnego Zakątka*. Kiedy spostrzegłem, z jakim zainteresowaniem przygląda się w tym niezwykłym sklepie wykonanemu ze szczerego złota osmańskiemu wisiorkowi o długości małego palca, którego nazwa *Armudiye*, nadana mu ze względu na kształt, pochodzi od tureckiego słowa „gruszka", kupiłem go po kryjomu. Nie mogła uwierzyć własnym oczom, gdy wręczyłem go jej, zanim wsiadła do samolotu do Sztokholmu.

– Czyżbyś był szlachetnym bohaterem, który zbiegł z powieści? – zapytała.

---

* Błękitny Zakątek (tur. Mavi Köşe) – sklep na Krytym Bazarze w Stambule z zabytkową biżuterią.

MY

Choć istniało wiele opasłych opracowań ceramiki z Izniku, cieszącej się jak dla mnie sławą mocno przesadzoną, nie powstało dotąd dzieło, które w sposób wyczerpujący opisywałoby Iznik będący od czwartego wieku przed naszą erą stolicą Bitynii, Bizancjum na uchodźstwie, państwa Turków seldżuckich oraz Imperium Osmańskiego. Plan miasta bogatego w zabytki należące do pięciu różnych cywilizacji przypominał hełm, który przodem zwrócony ku Wschodowi akcentował urazę, jaką żywił wobec Zachodu.

Pierwsze doktryny chrześcijaństwa zostały opracowane właśnie tam, kiedy Iznik nosił nazwę Nikea, podczas pierwszego soboru, jaki zgromadził się pod przewodnictwem cesarza rzymskiego Konstantyna. Źródła, do których sięgnąłem, nie zgłębiały kwestii miejsca, w którym w 325 roku odbył się ów sobór. Co ostrożniejsi badacze ograniczali się do stwierdzenia, że „być może wykorzystano salę audiencyjną pałacu cesarskiego". Z jednej strony mówiono o tym, że gdy arka Noego osiadła na spoczynek na górze Cudi, Sem postanowił osiedlić się w Izniku, ponieważ spodobał mu się tutejszy klimat, z drugiej – w kwestii lokalizacji pałacu cesarskiego nie czyniono nawet spekulacji. Specjaliści, do których zwróciłem się z prośbą o pomoc, moje pytanie uznali za bezsensowne. Najbardziej realne wsparcie nadeszło od antykwariusza Püzanta (co po ormiańsku znaczy Bizancjum), którego poznałem za pośrednictwem Selçuka Altuna. Po tym, jak odbył rozmowę z przedstawicielami patriarchatu, przekazał mi, że pałac mógł się znajdować nad brzegiem jeziora, jednak prawdopodobnie z czasem został zalany przez jego wody.

Wcześniej byłem już w Izniku. Gdy chodziłem do liceum, pojechałem tam z Eugeniem na jednodniową wycieczkę. To była spokojna listopadowa niedziela. Kiedy spacerując wzdłuż pięciokilometrowych murów obronnych, mój przyjaciel użył w ich kontekście słowa *mukavim*, wstydziłem się zapytać o jego znaczenie. Eugenio nie tylko lepiej niż inni posługiwał się tureckim, ale też umacniał go osiadłymi w języku archaizmami i drwił z otoczenia. Mury obronne wzbudziły moją sympatię, gdyż zamieniały Iznik w zabawkowe miasto. Intensywna zieleń, niczym bezgraniczne pociągnięcie pędzlem, zalewała prawie całą okolicę. Byłem wtedy pod wrażeniem owoców kaki połyskujących jak latarenki na rosnących w przydomowych ogrodach karłowatych drzewach hurmy wschodniej. Kiedy połączyłem wspomnienia z pierwszej wyprawy ze źródłami, do których sięgnąłem, zacząłem mieć nadzieję, że wskazówka, jaką odnajdę w kościele Hagii Sophii lub w przytułku Nilüfer Hatun, wskaże mi drogę do pałacu. Z całą ekipą minibusem wyruszyliśmy w drogę. Askaris siedział obok mnie skulony.

– By dotrzeć do czwartej wskazówki – zwróciłem się do niego – muszę odnaleźć miejsce nieopisane przez historię. Mam nadzieję, że Nomo nie próbuje mnie wyautować.

Poprzestał na pochyleniu głowy do przodu.

Gdy dojechaliśmy do Izniku, był mglisty styczniowy poranek. (Już na początku spodobało mi się, że liczba ludności wynosi tu dwadzieścia dwa tysiące). Choć był środek tygodnia, na ulicach panował spokój. Subprowincja przypominała cichy, opustoszały park, a ludzie jakby próbowali dostosować się do panującej tu atmosfery. Wysiadałem czasem z pojazdu i udawałem się na krótki rekonesans; nie byłem jednak świadomy, czy robię to z nadzieją na turystyczną satysfakcję, czy na to, że może skądś nadejdzie pomoc. Historyczne obiekty znajdujące się w granicach murów obronnych łączyła wymiarowa solidarność. Żaden z nich nie zagrażał panoramie okolicy. Spośród kościołów, świętych źródeł *ayazma*, teatrów, nagrobków, meczetów, mauzoleów, łaźni i medres największe wrażenie zrobiły na mnie minarety. Nie napastowały nieba, rywalizując między sobą w wyścigu wzrostu, dzięki czemu były bardziej niebiańskie.

Nie wiedziałem wcześniej, że w czasach starożytnych miasto i jezioro nie nosiły tej samej nazwy. Jezioro, znane wtedy jako Askania, przypominało szaroniebieski koc rozłożony na kawałku rozedrganej ziemi. Spokój wydzielany przez intensywną zieleń, jaka opanowała okolicę, przywodził mi na myśl Spartę. Ze względu na historyczny zamęt, którego była świadkiem, dla niej również przewidziano długi okres zastoju. Po chwili refleksji doszedłem do wniosku, że dominującą w Izniku wonią jest zapach przypalonej figi. Milczący mężczyźni, którzy wypełniali kawiarnie o niskich stropach, zdawali się czekać na wiadomość. Uwierzyłbym, gdyby powiedziano mi, że to oni byli statystami odgrywającymi chłopów na roli w serialu telewizyjnym, którego akcja toczyła się w latach osiemdziesiątych dwudziestego wieku. Przyszło mi na myśl, że nie wiedzą, iż ich miejscowość jest w pierwszej dwudziestce historycznych miejsc naszej planety. Być może nie byliby w stanie wymienić nazw trzech wiekowych kościołów znajdujących się w odległości krótkiego spaceru, lecz mimo to ich sposób bycia budził respekt. Ich wyrosła z prostoty dystynkcja była charakterystyczna dla członków klasztorów sprzed okresu degeneracji.

Nilüfer Hatun, arystokratka o greckich korzeniach, była matką sułtana Murata I. Przytułek, który jej syn kazał wybudować na cześć matki w 1388 roku, od 1960 roku gościł w swych progach Muzeum Archeologiczne. Sposób ekspozycji artefaktów należących do różnych cywilizacji z okresu od prehistorii po Imperium Osmańskie był bezładny na tyle, że odbierał zwiedzającemu poznawczy apetyt. Jednak znajdujące się na zewnątrz muzułmańskie nagrobki i sarkofagi rzymskich arystokratów wywarły na mnie wrażenie. Pomyślałem, że gdybym nakręcił film o bawiących się pośród nich w chowanego dzieciach, pokazywany byłby na wszystkich biennale. Tak jak się spodziewałem, nie czekała tam na mnie żadna wskazówka. Bogatszy o nową tożsamość pierwszego człowieka, który wyszedł z przytułku z pustymi rękami, wraz z ekipą udałem się do kościoła Hagii Sophii.

Gdy wzniesiony w szóstym wieku za czasów panowania Justyniana kościół zawalił się wskutek trzęsienia ziemi, wybudowano w jego miejsce nowy, i od tego czasu w tej przypominającej olbrzymi meczet świątyni odbywały się ceremonie koronacji wszystkich cesarzy Bizancjum na uchodźstwie. Po podboju Izniku przez Turków kościół przekształcono w meczet; na rozkaz Sulejmana Wspaniałego został odrestaurowany przez Mimara Sinana.

Obecnie był niewielkim muzeum. Moim punktem odniesienia w tej opustoszałej budowli stał się wzór znajdującej się na ziemi mozaiki. Zdziwiło mnie, że na tym kamiennym dywanie o wymiarach sześć na sześć metrów, na którym dominował fiolet, znajdowały się figury geometryczne w pastelowych barwach. Kiedy kamyk po kamyku bezskutecznie analizowałem to przypominające szkic szlachetnego kamienia dzieło, na myśl przyszły mi teksty źródłowe, z których korzystałem. Były w nich jedynie cytaty, nikt nie przedstawił efektów osobiście przeprowadzonych badań. Musiałem znaleźć źródło inne niż te jałowe książki do historii. (Przecież z wierszy Karacaoğlana niemało dowiedziałem się o życiu wewnętrznym Turków osmańskich). Sprzedawca biletów siedzący w budce przypominającej toster z niechęcią dał mi numer telefonu przewodnika Sebata Engüra. Ten zaś, gdy usłyszał, że za godzinne oprowadzanie zapłacę mu sto dolarów, przybiegł, jak mógł najprędzej. Rozmawialiśmy sam na sam w minibusie. Był emerytowanym nauczycielem historii i równocześnie człowiekiem przewrotnym niczym bohater tradycyjnego teatru *orta oyunu*. Żeby sprawdzić jego wiedzę i pozwolić, by dał upust swojej słabości do mówienia, zadałem mu kilka podchwytliwych pytań.

Poza błędną wymową nazw własnych wszystko, co powiedział, pokrywało się z posiadanymi przeze mnie informacjami. Opowiadał o historii, nadając jej bajkową aurę i melodyjny ton; przy dłuższych wypowiedziach mrużył oczy i niczym hafiz kołysał się w przód i w tył. Wzdrygnął się, gdy zapytałem go o miejsce pierwszego soboru. Zdawało mi się nawet, że zapyta: „Czy pan jest z policji?". Byłem pewny, że nieudzielenie przez niego odpowiedzi nie wchodziło w grę. Odparł zdawkowo:

– Mówi się o pałacu cesarskim albo kościele, lecz nikt nie zna dokładnej lokalizacji.

Wspomniał też o znanym w okolicy mężczyźnie zwanym mistrzem Rehą. Był on ponoć członkiem jednego z dawnych rodów mieszkających w Izniku. Jego rodzina przeniosła się do Stambułu, a on, ukończywszy studia historyczne w Wielkiej Brytanii, za granicą poświęcił się nauce. Gdy przeszedł na emeryturę, wrócił do Stambułu; był wiecznym kawalerem, miesiące wiosenne i letnie spędzał w Izniku. Ponieważ twierdził, że najlepiej ze wszystkich zna historię miasta, nazywano go mistrzem. Zarzekał się, że kiedyś opisze prawdziwą historię Izniku, lecz z powodu jego uzależnienia od alkoholu nikt nie traktował go poważnie. Gdy usłyszałem, że ma teorię dotyczącą miejsca pierwszego soboru, poprosiłem o adres pana Rehy. Sebat Engür się spiął.

– Zmarł przed dwoma miesiącami – odparł jakby triumfalnie.

Udałem się do motelu, w którym mistrz Reha obozował podczas swych pobytów w Izniku. Motel Askania znajdował się na południowo-wschodnim brzegu jeziora i był brzydkim trzypiętrowym budynkiem. Miało się wrażenie, że postawiono go tam, aby sabotować

harmonię panującą między jeziorem a otaczającą go przyrodą. Doty-
czyło to również budynków bezmyślnie wybudowanych w mieście na
przestrzeni ostatnich pięćdziesięciu lat. Czyżby recepcjonista Recai
otrzymał polecenie „Szczerz się nieustannie"? Zaparkowany na pod-
jeździe jeep z rejestracją z Bursy musiał należeć do dwóch mężczyzn,
którzy w lobby obściskiwali się z prostytutkami w wieku ich wnuczek.
Na wszelki wypadek przyjechaliśmy do Izniku z walizkami; pomyślałem, że jeśli spędzę noc w tym będącym generatorem wilgoci motelu,
uda mi się uzyskać od wyglądającego na skłonnego do współpracy recepcjonisty informacje na temat mistrza Rehy. Wynajęliśmy z Askarisem dwa pokoje. Zgodnie z zasadami Nomo kierowca i ochroniarze
zatrzymali się w sąsiednim motelu. Było mi na rękę, że Askaris pod
pretekstem złego samopoczucia udał się do swojego pokoju. Pomyślałem, że dzięki temu Recai porozmawia ze mną swobodniej.

  – Powiedziano mi, że jeśli naprawdę chcę poznać Iznik, bez mistrza Rehy mi się to nie uda, czym jeszcze bardziej wzbudzono moją
ciekawość – rzekłem, wsuwając do górnej kieszeni marynarki recepcjonisty pięćdziesiąt lir, a on, badając lewym okiem otrzymany z góry
napiwek, mielił zapewne swoją odpowiedź.

  – Któż by go nie znał – odparł. – To mój trzynasty rok w Aska-
nii, pan Reha pierwszy raz przyjechał tu jesienią, rok po mnie. Zazwyczaj mieszkał w hotelu od maja do września. Na trzeźwo nikomu
się nie zwierzał, gdy był pijany, nikt nie chciał go słuchać. Jeśli zdro-
wie mu dopisywało, rano spacerował brzegiem jeziora, popołudnia-
mi jeździł po okolicy. Pił wieczorami, zdarzało się, że przez dwa dni
nie wychodził z pokoju. Był uprzejmy, mawiano, że dużo podróżował
i dużo zobaczył. Stale przyjmował jakieś leki, kelnerom, z którymi
rozmawiał czasem w lobby, mówił, że płaci za błędy młodości. Kiedy w zeszłe lato miał wracać do Stambułu, zostawił u mnie teczkę.
Są w niej podobno notatki dotyczące historii Izniku. Jeśli ktoś by się
tym zainteresował, miałem mu ją przekazać. Przez dwanaście lat pana

Rehę woził taksówkarz Hamdi. Na początku listopada przyszedł tu, trzymając w ręku aluminiową puszkę. Gdy pan Reha zmarł w jednym z europejskich miast, którego nazwy wcześniej nie słyszałem, zgodnie z jego ostatnią wolą jego ciało spalono, a znajdujące się w puszce prochy miały być rozrzucone nad jeziorem. Niedługo potem zaczęły pojawiać się różne pogłoski. Dziewięćdziesięcioletni staruszkowie, którzy do tej pory milczeli, przysięgali, że przodek mistrza Rehy nawrócił się na islam...

Po tej przemowie wysłuchałem dwóch płytkich anegdot na temat mądrości i hojności mistrza. Recai, chcąc pozbyć się powierzonego mu dobra, ewidentnie miał chrapkę na kolejny napiwek, ja jednak, spodziewając się pytania: „Chciałby pan zajrzeć do teczki?", odparłem: „Czemu nie?", kryjąc przy tym swój entuzjazm. W zielonej płóciennej torbie, którą przyniósł zdyszany, była teczka marki Aquascutum, a w niej wyprodukowany w Wenecji gruby zeszyt o zdobionej okładce i dwie teczki na dokumenty. Na pierwszej stronie w zeszycie widniał wykonany czarnym atramentem napis REHA EKIN. Znajdujące się nad nim dwie skrzyżowane strzałki sugerowały, by przeczytać go od tyłu. Słowa NIKE AHER sprawiły, że przeszedł mnie dreszcz. „Nikea" to po grecku Iznik; wyraz „Her" był według mnie ociosaną wersją pierwszej znanej nazwy miasta – Helikore. Nawet jeśli Reha Ekin nie był rzeczywistą postacią i nie otrzymam od niego żadnej wskazówki, byłem przekonany, że w zapisanych w opasłym zeszycie wspomnieniach odnajdę pełną tajemnic biografię. W jednej z teczek znajdowały się malowane węglem portrety osób, wizerunki starożytnych miast, szkice i mapy; w drugiej zaś były krótkie, sporządzone w języku angielskim notatki oraz projekt rozdziałów planowanej książki. Moją duszą zawładnęło podniecenie tożsame z tym odczuwanym na chwilę przed orgazmem. Gdy z poważaniem zamykałem teczkę, tym razem do kieszeni recepcjonisty, który starał się unikać mojego wzroku, wsunąłem sto lir.

Całą ekipą udaliśmy się do pobliskiej restauracji rybnej. Żeby rozdrażnić Askarisa, zaprosiłem kierowcę do naszego stolika. (Gdy we czterech zamawiali suma, wyobraziłem ich sobie jako dwunożne rekiny). Kierowca Laz, widząc, że jem posiłek złożony z sałatki, jogurtu i grzanek, przypatrywał mi się z litością, co było bardzo zabawne.

– Panowie, w pokoju przeanalizuję jeszcze dodatkowy materiał źródłowy, lecz wiecie dobrze, że na wiele się to nie zda. Możliwe, że to nasza ostatnia wspólna kolacja – oznajmiłem, gdy dopijaliśmy kawę.

WIEDZIAŁEM, ŻE RECAI przydzieli mi mający widok na jezioro pokój Rehy Ekina. Bezzwłocznie wyjąłem wszystko z torby i położyłem na chybotliwym stoliku. Dla otwartego przede mną zeszytu trafniejszym niż „dziennik" zdawało się określenie „rocznik". Dawny lokator pachnącego mydłem pokoju począwszy od czasu studiów każdy rok analizował na trzech stronach. Pierwsze trzy kartki zajmowały informacje dotyczące jego rodziny. Ekin, który zmarł w wieku siedemdziesięciu siedmiu lat, zmieścił opis swojego życia na stu osiemdziesięciu stronach. Raz na dekadę w prawym górnym rogu odpowiedniej strony umieszczał swoje zdjęcie paszportowe. (Na zdjęciu z młodości przypominał mi Franza Kafkę, gdy się postarzał zaś – Konstantina Kawafisa). Roczniki zapisane były po angielsku, wiecznym piórem z czarnym atramentem. Jego bliski ideałowi dzięki studiom angielski na ostatnich pięćdziesięciu stronach stawał się dość chaotyczny. Gdy robiąc jedną tylko przerwę na herbatę, skończyłem lekturę, była druga. (W książce z czyimiś wspomnieniami przeczytałem kiedyś, że ludzie najczęściej umierają właśnie o tej godzinie). Poukładałem w głowie przeczytane treści, jakbym musiał je potem komuś zreferować.

Kiedy Iznik wreszcie trafił w ręce Turków osmańskich, najbardziej majestatyczny ród miasta Watatzes przeszedł na islam. (W świetle bizantyjskiego drzewa genealogicznego mogliśmy być spokrewnieni). Była to konwersja na pokaz; z jednej strony chcieli zapobiec utracie rodowego majątku, z drugiej – ochronić bizantyjskie dziedzictwo miasta. (Dowiedziałem się, że tych, którzy oficjalnie byli muzułmanami, lecz w istocie wyznawali wiarę chrześcijańską, nazywano kryptochrześcijanami). Ostatni przedstawiciel rodu Watatzesów Sefa Efendi w obawie przed skutkami wojny wyzwoleńczej przenosi się z żoną i córką do Stambułu. W 1932 roku na świat przychodzi jego syn Reha. Ojciec pokłada wielkie nadzieje w cherlawym chłopcu. Ten za namową swojej ulubionej nauczycielki z English High School rozpoczyna studia na szkockim uniwersytecie w St Andrews. Ta prestiżowa uczelnia, na której z polecenia ojca Reha miał studiować historię, została założona czterdzieści lat przed upadkiem Konstantynopola.

Gdy Reha jest na etapie oswajania się z St Andrews, jego pogrążona w depresji siostra popełnia samobójstwo. Kiedy rok później odkrywa, że jest homoseksualistą, w jego życiu następuje pierwszy przełom. Apodyktyczny ojciec oczekuje od syna, że ten ożeni się i przedłuży ród oraz że napisze książkę poświęconą historii Izniku w erze Bizancjum. Tego roku, gdy Reha kończy studia, pan Sefa dowiaduje się o homoseksualizmie syna i wyrzuca go z domu. Wspierany przez matkę, Reha rozpoczyna studia doktoranckie w Londynie i równocześnie podejmuje pracę na pół etatu w Centrum Badań nad Historią Bizancjum. Nie kończy jednak doktoratu, zawiera krótkotrwałe i nieudane związki. W przeddzień swoich trzydziestych czwartych urodzin otrzymuje wiadomość o śmierci ojca. To wydarzenie sprawia, że Reha odczuwa ulgę również w kwestiach finansowych.

Drugi przełom w jego życiu następuje, gdy w wieku trzydziestu dziewięciu lat spotyka L. Przystojny niczym przyjaciel cesarza rzymskiego Hadriana – Antinous z Bitynii – L. jest młodszy od Rehy o piętnaście lat i charakteryzuje go zamiłowanie do luksusu. Żeby uszczęśliwić kochanka, Reha w tajemnicy przed matką zaczyna sprzedawać ikony i klejnoty uchodzące za święte relikwie rodu Watatzesów. L. pragnie niczym książęta zwiedzać grzeszne metropolie świata. Nieoczekiwanie opuszcza swojego podstarzałego kochanka i w towarzystwie nowego partnera wyjeżdża do Nicei. Przytłoczony tym zdarzeniem Reha Ekin szuka pocieszenia w alkoholu. Jest szczęśliwy, gdy trzy lata później L. wraca, i nie przejmuje się faktem, że jego kochanek choruje na AIDS. Aby pokryć koszty leczenia, tym razem sprzedaje unikalne manuskrypty i ręcznie pisane księgi dotyczące historii Izniku Centrum Badań nad Historią Bizancjum, w którym nadal pracuje. Najpierw jednak robi kserokopie dokumentów i prosi zaufanego przyjaciela, by podał się za sprzedawcę. L., którego stan ciągle się pogarsza, wywiera na kochanka presję, by zakończył jego życie. Czuwający nocą w sali szpitalnej Reha Ekin wypija cały koniak z piersiówki i przykładając poduszkę do twarzy L., dusi go. Gdy rodzina L. zgodnie z jego ostatnią wolą chowa go przy boku zmarłego francuskiego kochanka, który kiedyś zaraził go wirusem HIV, Reha Ekin zapada na depresję.

W następnym roku przechodzi na rentę i wraca do Stambułu, gdzie zamieszkuje u matki. Gdy Reha ma sześćdziesiąt cztery lata, jego matka umiera we śnie. Mężczyzna pozostaje zupełnie sam i próbuje od nowa ułożyć sobie życie na osi Stambuł–Londyn. Ogranicza spożywanie alkoholu, idzie na odwyk. Być może jego przeznaczeniem jest czekanie na śmierć jako ostatni przedstawiciel rodu Watatzesów, ale jedynym pragnieniem okazuje się napisanie książki pod tytułem *Bizancjum w Izniku*. Posiada niezbędne dane, kończy badania nad detalami. Ilekroć jednak postanawia rozpocząć pracę nad książką, jego dłonie drżą, ogarnia go ból głowy i toczy walkę ze wspomnieniami. Próbuje stawić czoło nasilającym się chorobom, z których najpoważniejszą jest niewydolność serca. Spędzanie letnich miesięcy w Izniku ma z początku działanie lecznicze; kiedy z czasem mężczyzna zostaje lokalnym błaznem, czara goryczy się przelewa.

W wieku siedemdziesięciu siedmiu lat nie ma do sprzedania nic poza domem w dzielnicy Şişli. Sprzedaje go pewnemu Azerowi, a sam udaje się z wizytą do przyjaciół w Londynie. Podczas ostatniego pobytu w Izniku zaniedbuje przyjmowanie leków. Ostatnie cztery zdania rocznika napisane są po turecku:

„Pojadę do Nicei. Odwiedzę grób L. Zmęczenie jest moim jedynym przyjacielem. Ja też mam prawo do sensownego zakończenia".

Dwukrotnie przeczytałem ten akapit. Podniosłem się zaniepokojony faktem, że słowa pożegnania zostały napisane w tym pokoju; musiałem zrzucić z siebie ciężar wywołany lekturą tego utworu pełnego wątków autobiograficznych, sekretów, podróży i erotyki. Przepełniony dziwnymi oczekiwaniami, stojąc na przypominającym kajutę balkonie, wpatrywałem się w jezioro. Przez okno z celowo odsłoniętą firanką obejrzałem wyrywek tajemniczej historii życia zakończonego samobójstwem. Nie byłem w stanie obdarzyć szacunkiem miłości Rehy Ekina, który dla L., aż do ostatniego tchnienia rozkoszującego się niewdzięcznością, został mordercą. Miałem wątpliwości, czy uczucie to naprawdę było miłością. Zrezygnowałem z doszukiwania się analogii między Nikeą a Niceą.

Spośród dokumentów, które dla badacza miały wartość skrzyni ze skarbami, wyjąłem jedynie antyczną mapę Izniku. Reha Ekin, powiększając ją, ponownie opracował opisaną po łacinie mapę, dodając do nazw starożytnych obiektów ich obecną lokalizację. Według mnie pałac pierwszego soboru znajdował się gdzieś między jeziorem a restauracją, w której jedliśmy. W tym punkcie wybrzeża niczym latarnia morska stała czterometrowa kolumna, która nie mogła być przedłużeniem murów obronnych, musiała więc stanowić ostatni pozostały na lądzie fragment pałacu. Ta wskazówka ramowo pokrywała się z informacjami, jakie otrzymałem od antykwariusza Püzanta. Jeśli Nomo będące teraz właścicielem manuskryptu Watatzesów nie miało zamiaru mnie wyautować, musiało umieścić kwadracik na tej właśnie kolumnie.

Gdy rano w trakcie regulowania płatności za pobyt Recai nie zapytał mnie o teczkę, dałem mu napiwek życia. Po śniadaniu ruszyłem brzegiem jeziora w kierunku kolumny. Z mojego zachowania ekipa domyśliła się, że idę tam z konkretnym planem. Patrząc na koronkową taflę jeziora, miałem wrażenie, że i je ogarnęła ciekawość. W celu bliższego poznania krążyłem wokół sfatygowanej pozostałości po pałacu uchodzącym za jedno z najświętszych miejsc chrześcijaństwa i głaskałem kamień po kamieniu. Po chwili ceremonialnie odczepiłem czekający na mnie po wschodniej stronie wieży fioletowy kwadracik, umieszczony na wysokości odpowiedniej dla mojego wzrostu. Wiedziałem, że Askaris ucieszy się, widząc, że nie wracam z pustymi rękami. Przypomniałem też sobie podjętą wcześniej decyzję, że nie będę dociekał, który z nich przyczepił do wieży magnetyczną cząsteczkę.

Kiedy umieszczałem kwadracik w srebrnej szkatułce, ekipa emocjonowała się niczym gracze w ruletkę. Piątym przystankiem okazał się kościół Sprzączki w Kapadocji. Skarciłem ich wzrokiem, gdy zaczęli wydawać przerywane pomruki, jakby dopingowali zupełnie zielonego gracza w tombolę radośnie obwieszczającego rychłą wygraną. Ze względu na warunki klimatyczne w Kapadocji ekipie, której obecność zaczynała mnie już nużyć, dałem wolne do końca marca.

Do reklamówki bezdusznej niczym płótno na całun włożyłem rocznik Rehy Ekina wraz z dwoma kamieniami i zawiązałem uchwyty na supeł. Gdy wymawiając basmalę, wrzucałem rocznik śladem jego autora do jeziora Iznik, wymamrotałem coś na kształt napisu na murze:
– Miłość nie jest wiekuista, jest śmiertelna.

NY

Czy w moim domu wydarzyło się coś dziwnego? A może czegoś brakowało? Odniosłem wrażenie, że w czasie mojej nieobecności ktoś wszedł i zraził do mnie wszystkie nieżywe przedmioty. Wycisnąłem sok z grejpfruta i usiadłem w będącym pamiątką po dziadku fotelu w salonie. Zabytkom bizantyjskim i osmańskim stojącym ramię w ramię i wypełniającym rozciągającą się przede mną panoramę przekazałem pozdrowienia od ich kuzynów z Izniku. Rozgryzając z chrzęstem ostatnią kostkę lodu, jaka została w szklance, znalazłem zakłócającego mój porządek anarchistę. Była nim Mistral Sapuntzoglu, która odchodząc, pozostawiła mi bukiet złożony z jej zapachu, ciepła i pogwizdywania. Gdy to ustaliłem, świeże wspomnienia o Mistral niczym lawina zalały moje wnętrze. Zacząłem ponownie przeżywać wspólnie spędzone godziny i doszukiwać się przekazu w każdym zapamiętanym przeze mnie jej zdaniu. Dopiero teraz zacząłem tęsknić za kobietą, która była w stanie oczarować mężczyznę już od pierwszego wejrzenia. Czy miałem atak apatii? Z poczucia bezradności drzemałem, gdy tylko miałem okazję, i w samotności delektowałem się tęsknotą.

Kiedy jednak członkowie rodziny zaczęli traktować mnie jak cierpiącego na „utajoną depresję", postanowiłem zwierzyć się komuś, kto zna moje wnętrze. Z moim uczonym alfonsem madame Olgą spotkaliśmy się w barze Londracula. Gdyby nie fakt, że miała przy sobie różaniec, przypominałaby dyrektorkę liceum. Żeby dostać obywatelstwo, zawarła fikcyjne małżeństwo ze swoim pochodzącym z Bolulu pomagierem i dobrze mówiła po turecku. Widząc, jak z góry traktuje kelnerów, doszedłem do wniosku, że jest współwłaścicielem tego słabo oświetlonego lokalu. Była zadowolona, że chcę się jej zwierzyć. Zatajając imię i profesję Mistral, opowiedziałem moją historię.

– Nie mogę przestać myśleć o tej młodej kobiecie, o której nie wiem, czy ma partnera, choć przypuszczam, że tak, madame – rzekłem. – Kryzys ten zaczął się dwa tygodnie po tym, jak ta mająca mnie za przyjaciela kobieta wróciła do swojego domu. Jej twarz była piękna, jej świat wewnętrzny również; gdybym miał wybrać tylko jedno, proszę mi wierzyć, wybrałbym jej wnętrze.

– Kobiety o pięknej osobowości są bardziej samotne, niż to się mężczyznom wydaje, mój sułtanie – odparła madame Olga ze swobodą wróżki. – Jeżeli szukasz lekarstwa, jedź do niej. Nawet jeśli ma przeciętnego chłopaka, być może tym, co uwolni ją od niego, będzie miłość.

Jakiś czas temu obiecałem mamie i Hayal, że w ferie zimowe zabiorę je na Uludağ. Gdybym jednak nie posłuchał madame Olgi, pewnie żałowałbym tego do końca życia. Zimowa podróż do Sztokholmu mogła dodać smaczku wyjazdom, w których uczestniczyłem dla Nomo. Dowiedziałem się z internetu, że Mistral wykłada na Uniwersytecie Sztokholmskim, na Wydziale Archeologii Klasycznej i Historii Starożytnej. Kiedy rezerwowałem miejsce w samolocie, który rankiem czternastego lutego wystartował do Sztokholmu, nie wiedziałem, że dzień ten jest świętem zakochanych.

W klasie biznesowej było nas troje. Ucieszyłem się, że wszystkie fotele sąsiadujące z moim są puste. Od czterech dni miałem katar i ciągle pokasływałem. Mimo iż wspierałem się lekami i witaminami, przeziębienie nie przeszło. Aż do lądowania na lotnisku o poetyckiej nazwie Arlanda spałem. Kierowca taksówki, do której wsiadłem, żeby udać się do oddalonego o czterdzieści kilometrów Sztokholmu, nazywał się Nedim Arapoğlu i pochodził z miejscowości Kulu w tureckiej prowincji Konya. Wyglądał na mniej więcej czterdzieści pięć lat, a budową ciała przypominał emerytowanego zapaśnika. Był rozmowny, ale sympatyczny. Jego turecki był pozbawiony akcentu, a twarz – wąsów. Po odbyciu służby wojskowej ożenił się z córką krewnego i razem przyjechali do Szwecji. Raz w roku odwiedzali swoje rodziny w Kulu. Dowiedziałem się, że pości w ramadanie, odmawia piątkową modlitwę, lecz nie odmawia sobie anyżówki. Jego córka pracowała w zakładzie fryzjerskim, syn Muharrem zaś uczył się w liceum.

Przed przyjazdem zanotowałem sobie, że kampus Uniwersytetu Sztokholmskiego położony jest między lotniskiem a miastem. Podając adres, zaznaczyłem, że najpierw chcę udać się na Wydział Archeologii. Harmonia pomiędzy gajem a rozsianymi w nim podłużnymi uniwersyteckimi budynkami z cegły zrobiła na mnie wrażenie. Byłem zdumiony, że siedziba Wydziału Archeologii, do której dotarliśmy, trzykrotnie zapytawszy o drogę, przypominała laboratorium badawcze, oraz tym, że Nedim z Kulu wiedział, iż ogromne ogołocone z liści drzewo na dziedzińcu to dzika czereśnia. Była sobota i przy wejściu do budynku nie dostrzegłem nawet ochroniarza. Nieco zlękniony zwiedziłem opustoszały budynek, a gdy na liście wiszącej na tablicy informacyjnej zobaczyłem imię Mistral, pogłaskałem je.

Kiedy jechaliśmy z kampusu do miasta, padał drobny śnieg, a według termometru w taksówce na zewnątrz było minus siedem stopni. Nedim wyjaśnił mi, że z trzydziestu tysięcy mieszkańców Kulu, którzy wyemigrowali do Szwecji, dwadzieścia tysięcy osiedliło się w Sztokholmie, a wynosząca osiemset pięćdziesiąt tysięcy populacja stolicy wraz z mieszkańcami przedmieść przekroczyła już dwa miliony. Ja w tym czasie szykowałem plan działania. Nedim dodał też, że turecka kolonia woła na niego „Arab". Wysiadłem z taksówki przed wejściem do hotelu Sheraton.

– Nedimie, dziś wieczorem chciałbym z tobą o czymś porozmawiać – oznajmiłem.

Wiedziałem, że moja otwartość wywoła w nim zaskoczenie i ekscytację, jakby wygrał nagrodę niespodziankę. Umówiliśmy się na spotkanie w lobby o dwudziestej.

Nadęty recepcjonista przydzielił mi pokój na piątym piętrze z widokiem na jezioro. Odprężyłem się, gdy zobaczyłem, że w panoramie wypełniającej przestronne okno nie ma ani jednego budynku postawionego w ciągu ostatniego stulecia. Przyjemnie było nie móc rozłożyć tego sczepionego ogniwami mostów wodnego krajobrazu na jeziora, rzeki czy morza. Wziąłem lekarstwa i położyłem się do łóżka. Obudziłem się o dziewiętnastej i zaspokoiłem głód w bezdusznej hotelowej restauracji.

Nedim Arapoğlu przyszedł na czas i miał na sobie odświętne ubranie. Usiedliśmy w barze; do czasu, gdy oswoił się z otoczeniem, opowiadałem mu o sobie i o Stambule. Piliśmy piwo. Po drugiej kolejce zwróciłem się do tego sympatycznego i niezadającego mi żadnych osobistych pytań człowieka:

– Nedimie, sprowadzają mnie tutaj sprawy sercowe – zacząłem.

Wyraz jego twarzy świadczył o tym, że opowiadając o Mistral, nieźle przesadziłem. Wyjaśniłem, że chcę wyjawić jej swoje uczucia, lecz nie wiem, czy kogoś ma. Zapytanie jej wprost byłoby sprzeczne z moimi zasadami. Gdybym nagle rozpoczął badania w niewielkim uczelnianym budynku, mógłbym się na nią natknąć. Ponadto nie wróciłem jeszcze do sił po niewyleczonym do końca przeziębieniu. Zapytałem więc, czy jeśli dam mu jej adres, mógłby przeprowadzić małe śledztwo w jej dzielnicy i na uniwersytecie, a potem poinformować mnie o jego wynikach. Gdyby na przykład poświęcił na to zadanie poniedziałek, byłem gotowy zapłacić mu równowartość półtoradniowego utargu.

– Nie wezmę więcej, niż mi się należy, jeśli ma się to przysłużyć szczytnemu celowi, synu – odparł Nedim.

Postanowiliśmy spotkać się ponownie w lobby w poniedziałek o osiemnastej, aby ocenić sytuację, a następnie jechać na kolację do jego domu.

W niedzielę rano czułem się już lepiej. Jedząc śniadanie w hotelowej restauracji, obserwowałem amerykańskich i japońskich turystów, dla których, jeśli chodzi o podróże, nie istnieją żadne granice. Podczas gdy Amerykanie delektowali się każdą sekundą, Japończycy sprawiali wrażenie, że wypełniają swój obowiązek. Tego dnia nie padał śnieg, a ja wybrałem się na objazdową wycieczkę po mieście taksówką pochodzącego z Sarajewa Tarıka.

Czy jedną z misji Sztokholmu mogło być sugerowanie, że raj jest dość nużącą alternatywą? Budowle w mieście nie rywalizowały ze sobą pod względem estetyki czy wielkości. Błyszczały niczym kwiaty kwitnące przez cały rok w zacisznym ogrodzie. Na ulicach podjęto środki zaradcze przeciw zimowej aurze; nie tworzyły się korki, nie słychać było klaksonów. Na drogach i wewnątrz budynków nie widać było kolejek, a na chodnikach – żebraków. W tym wolnym od zanieczyszczeń wizualno--dźwiękowych mieście nie widziałem choćby jednego zardzewiałego kosza na śmieci. W ubraniach, jakie nosili tutejsi mieszkańcy, dostrzegało się designerskie wyrafinowanie. Ich ruchy kojarzące się z chodem modelek podczas zbiorowego pokazu mody wzbudziły moje podejrzenia. Zastanawiałem się, co było w stanie doprowadzić ich do wybuchu gromkiego śmiechu. Choć być może idealny mechaniczny porządek, którego częścią się stali, stępił już ich reakcje… Przyszło mi na myśl, że mieszkańcy Stambułu odświeżają swoją radość życia co weekend, zmagając się z kolejnym infrastrukturalnym niedociągnięciem. Kierowca z Sarajewa, który czytał wszystkie przetłumaczone na szwedzki powieści Yaşara Kemala*,

---

* Yaşar Kemal (właśc. Kemal Sadık Gökçeli) – jeden z najwybitniejszych pisarzy tureckich XX wieku, za swoją powieść *İnce Memed* był nominowany do literackiej Nagrody Nobla.

twierdził, że sztokholmczycy tak chętnie sięgają do kryminałów, bo pomagają im one przełamać monotonię ich codzienności. Podobało mi się, że w miejskich muzeach nie spotkałem światowych arcydzieł; w ten sposób nie narzucono ludziom nazwisk, nurtów ani dat.

Kiedy wiedziony potrzebą odpoczynku wchodziłem do kawiarni, minęła mnie idąca pod rękę para. Dziewczyna o figurze modelki z dumą szła obok dużo od niej niższego i niezbyt urodziwego chłopaka. Wziąłem ten obrazek za dobrą wróżbę. Kolację zjadłem w znajdującej się najbliżej hotelu pizzerii. Gdy siedziałem w barze z książką sudoku w ręce i czekałem na nadejście snu, podeszła do mnie prostytutka i zaproponowała, że zrobi mi masaż w moim pokoju. Szybko odesłałem jednak namawiającą mnie do zdrady Mistral kokietkę. Kiedy dziesięć minut później kobieta szła w kierunku windy z rozedrganym klientem z Dalekiego Wschodu, uprzytomniłem sobie, że Mistral może leżeć właśnie w ramionach ukochanego, i zaśmiałem się z samego siebie.

Nazajutrz rano w antykwariacie, na wystawie którego zobaczyłem czytającego książkę kościotrupa, kupiłem pozycję Frei Stark zatytułowaną *Rome on the Euphrates*. Aż do nadejścia mojego prywatnego detektywa nie wyszedłem z hotelu. Nedim zdawanie raportu rozpoczął od słów: „Nie mam dla ciebie złych wieści, synu".

– Dotarłem do znajomego mieszkającego na tej samej ulicy – kontynuował – zapytałem też innego znajomego, który ma znajomego na jej wydziale. Twoja pani obecnie z nikim się nie spotyka. Życzliwie o niej mówią. Mieszka sama, a od dziesięciu dni gości ojca, który przyleciał do niej z Aten…

Te słowa przyprawiły mnie o poczucie ulgi, jakie towarzyszy przekroczeniu półmetka.

Nedim mieszkał w miejscowości położonej na przedmieściach w kierunku lotniska, nie zapamiętałem jednak jej nazwy. Prowizoryczny charakter ulicy, na której żyli emigranci z Bałkanów i Somalii, wzbudził moje podejrzenia. Żona Nedima o imieniu skomplikowanym mniej więcej w tym samym stopniu co moje pracowała w piekarni. Ich córce podarowałem perfumy, a synowi, który w tradycyjny sposób ucałował mnie w rękę, na siłę wcisnąłem do kieszeni sto euro. W klaustrofobicznym salonie w wyniku fuzji sprzętów mających szwedzkie i anatolijskie korzenie wytworzył się naiwny wzór kilimu. Dzięki mnie rodzina Arapoğlu znalazła pretekst do radości, choć ich gościnność zaczynała mnie już męczyć. Do końca wieczoru śmialiśmy się, a podczas pożegnania porządnie się uściskaliśmy.

Poprosiłem Nedima, aby zarezerwował dla mnie również wtorek. Z informacji, które mi przekazał, wynikało, że ojciec Mistral co rano o jedenastej udaje się do kawiarni przy Domu Motyli w parku Haga. Ten park położony na przeciwległym w stosunku do uniwersytetu brzegu znajdował się niedaleko ich domu, a ja uważałem, że powinienem poznać pana Costasa z Edremitu.

Kiedy odbywałem poranny spacer po dwustutrzydziestoletnim parku, nagle niczym lodowa fatamorgana wyrosła przede mną nekropolia monarszego rodu. Według Nedima najbardziej efektowny spośród budowli obecnych w parku był pawilon turecki w kształcie osmańskiego namiotu. Dom Motyli, w którym utrzymywano klimat tropikalny, przypominał akwarium z plandeki. Setki motyli, tak różnobarwnych, jakby przyleciały na bal kostiumowy, przyjaźnie przysiadało na zwiedzających. Znajdujące się w pawilonie ptaki i ryby, których gatunkom groziło wyginięcie, miały urok bibelotów. Byłem przekonany, że starały się unikać ludzkich spojrzeń. Jedynym gościem w kawiarni motylarium był przypominający aktora Omara Sharifa Costas Sapuntzoglu. Sprawiał wrażenie, jakby swoim jasnym ubiorem chciał zrekompensować sobie wygląd osiemdziesięciolatka. Bez entuzjazmu przewracał strony leżącego przed nim czasopisma. Gdy ja podchodziłem do sąsiedniego stolika, Nedim wyszedł z kawiarni, aby po chwili zadzwonić do mnie i się rozłączyć. Odebrałem telefon i udawałem, że rozmawiam z matką, równocześnie kątem oka obserwując Costasa.

– Witaj, chłopcze – powiedział, kiedy szybko zakończyłem fikcyjną rozmowę.

Po tych dwóch wypowiedzianych po turecku słowach złączyliśmy stoliki. Okulary do czytania i kaszkiet miały zapewnić mi anonimowość. Część zapoznawczą rozpocząłem, wymawiając swoje imię wspak. Mieszkałem rzekomo w dzielnicy Hisar i byłem wykładowcą na Uniwersytecie Bosforskim. Przyleciałem do Sztokholmu w ramach uniwersyteckiego projektu badawczego. Słuchał mojej krótkiej prezentacji, przygryzając wargi, co ewidentnie świadczyło o tym, że niecierpliwi się, aby w skrócie opowiedzieć mi swoją historię. Rozumiał po turecku, lecz wolał rozmawiać po angielsku. Pytanie, które mi zadał, bardzo mnie zaskoczyło:

– Jak sądzisz, co było największym błędem Atatürka?

– Przedwczesna śmierć?

– Wymiana ludności między Grecją a Turcją – odparł drżącym głosem, a gdy wymówił po turecku słowo „wymiana", wydawał się roztrzęsiony jak małe dziecko, które stara się przekonać wszystkich, że widziało ducha. – Największym po ludobójstwie grzechem ludzkości jest przymusowe przesiedlenie i pozbawienie ludzi ojczyzny. Nikt nie miał prawa wykorzenić nas z regionu Morza Egejskiego, który został podarowany naszym przodkom trzy tysiące lat wcześniej!

Na świat przyszedłem w mieście Edremit w przeddzień proklamowania republiki. Dlatego w rodzinie przezywano mnie Wigiliusz. Kiedy w tysiąc dziewięćset dwudziestym czwartym roku dotarliśmy do Aten, nie miałem jeszcze roku. Sytuacja materialna naszej rodziny, podobnie jak każdej mniejszości utrzymującej się w Imperium Osmańskim z handlu, nie była zła. I tak jak we wszystkich przesiedlonych rodzinach, w naszym domu mówiło się zarówno po grecku, jak i po turecku. Ponieważ urodziłem się jako czwarte dziecko po trzech dziewczynkach, byłem rozpieszczany. Do czasu, gdy mój ojciec został dotknięty paraliżem, raz na dwa lata całą rodziną jeździliśmy do Stambułu. W dzielnicy Pangaltı i na wyspie Büyükada mieliśmy tureckich i ormiańskich przyjaciół bliższych niż niejeden krewny. Tęsknota za ojczyzną, którą odczuwali rodzice i dwie siostry, trwała aż do kresu ich dni. Ja i moja najmłodsza siostra szanowaliśmy ich uczucia. Gdyby nie fakt, że odeszła zeszłego lata, nasze wspólne wyprawy do Stambułu trwałyby nadal. W sześć lat ukończyłem jeden z uniwersytetów w Kalifornii. Zacząłem pracę w firmie zajmującej się transportem morskim w Pireusie. Prowadziłem beztroskie życie, byłem bawidamkiem. Gdy miałem trzydzieści lat, matka zmusiła mnie do małżeństwa z córką pewnego hotelarza, która jednak była tak płytka, że po roku się z nią rozwiodłem. Gdy poślubiłem matkę Mistral, miałem pięćdziesiąt dwa lata. Anna była młodsza ode mnie o dwadzieścia cztery lata i pracowała u skandynawskiego touroperatora w sekcji Morza Śródziemnego. Niemało się za nią nalatałem! Ale ją również zniechęciłem do siebie i gdy nasza córka skończyła szkołę średnią, rozwiedliśmy się. Anna i Mistral wróciły do Sztokholmu. Moja córka czasem przyjeżdżała do mnie do Aten na wakacje, a kiedy odjeżdżała, każdorazowo pogrążałem się w smutku. Anna zmarła na raka, gdy Mistral była jeszcze na studiach. Moja córka zamieszkała ze swoją szwedzką babcią pianistką. Cztery lata temu tamta odeszła. Po śmierci Anny moja relacja z córką się poprawiła. Na szczęście wyrosła na mądrą kobietę i zdolnego naukowca. Ucieszyłem się, kiedy jej flirt z owdowiałym profesorem okazał się krótkotrwały. Jedynym, czego teraz pragnę, to móc pewnego dnia bawić się z wnukami.

Mieszkam w Atenach z owdowiałą córką mojej średniej siostry. Miesiące letnie spędzam z Mistral. Zimą przyjeżdżam, jeśli mnie zaprosi; podobno moja obecność obniża u niej poziom stresu związanego z pracą. Usłyszeć, że po osiemdziesiątce jeszcze się do czegoś nadaję, brzmi jak żart…

Był zadowolony, że słuchałem go z zaciekawieniem. W pewnej chwili zaczął zadawać mi nużące pytania dotyczące moich rodziców.

Kiedy usłyszał, że mój ojciec był Amerykaninem, a w żyłach matki płynie krew turecka, grecka i gruzińska, skwitował:

– Jak widać, synu, ty też nie jesteś do końca czystej krwi Anatolijczykiem.

Zanim wstał, poprosił, bym zanucił mu piosenkę o Stambule, przystał jednak na wysłuchanie poematu. Wyrecytowałem fragment wiersza Bedriego Rahmiego Eyüboğlu zatytułowanego *Destan stambulski.*

Słowo „Stambuł" na myśl mi przywodzi
Kosz pełen gron białych
Na Şehzadebaşı, gdy słońce zachodzi
I zjawia się dziewczyna piękna bezlitośnie
A na koszu trzy świece
Za jej kibić wiotką życie swe poświęcę
Po ustach mięsistych spływa grona nektar
Tryska pożądaniem, miłość ją przepełnia
Wiatru poryw, wić wierzbowa, winem odurzona
W winnej piwnicy pewniej jest zrodzona
Na Şehzadebaşı, gdy słońce zachodzi
Na brzeg szczątki rzucone serca mego łodzi
Słowo „Stambuł" na myśl mi przywodzi
Kryty Bazar i dziewiątą symfonię
co z hymnem algierskim ramię w ramię kroczy
Wyposażony pokój panny na wydaniu
W drodze licytacji czeka na sprzedanie
Tylko na łożu pary młodej brakuje
W rogu pękaty ud leży perłą wysadzany
Dźwięk lutni Cemila Beya dobiega z płyty starej

Po ostatnim wersie Costas z Edremitu szarpnął moje ramię.

– Milcz, na miłość boską – powiedział po turecku.

Wstał, założył płaszcz i czapkę z napisem AEK na przedzie, owinął szyję turkusowym szalikiem i ruszył do wyjścia. Szedł wolnym krokiem, aż nagle zatrzymał się i nie odwracając twarzy, teatralnie uniósł prawą rękę.

Należące do Nedima volvo, które on pieszczotliwie nazywał „swoim kłapouchym", zaparkowaliśmy przy ulicy tak, że po przekątnej widzieliśmy dom Mistral, i zaczęliśmy czatować. Była dziewiętnasta, od jakiegoś czasu padał marudny śnieg, o którym moja babcia powiedziałaby, że jest przesiewany przez sito o małych oczkach. W pewnej chwili przed trzypiętrowym budynkiem pojawił się minibus, a gdy wysiadał z niego starszy mężczyzna, zza otwartych drzwi wydobyła się melodia sirtaki. Wtedy przez furtkę wybiegł Costas. Mężczyźni roześmiali się na swój widok i uściskali. Stanęli obok siebie i obejmując się ramionami, zaczęli tańczyć do skocznej muzyki. Ten trzyminutowy skecz ożywił opustoszałą ulicę. Gdy minibus odjeżdżał, dwóch podstarzałych Greków nadal śpiewało i tańczyło na ulicy.

Kiedy z Nedimem jedliśmy kanapki, pod dom podjechał mały jeep. Gdy z fotela pasażera na przedzie wysiadła Mistral, z dłoni wypadła mi butelka z wodą. Próbowałem możliwie jak najbardziej skulić się w fotelu. Miała zajęte obie ręce i cokolwiek powiedziała do siedzącej za kierownicą kobiety, sprawiła, że tamta wybuchnęła gromkim śmiechem. Dziesięć minut po tym, jak w mieszkaniu na ostatnim piętrze zapaliło się światło, poprosiłem Nedima, żeby zadzwonił do Mistral i szybko się rozłączył, przepraszając, że to pomyłka. Chciałem sprawdzić, czy telefon leży w zasięgu jej ręki. Wymieniając w myślach wszystkich cesarzy Bizancjum, wysłałem do niej wiadomość:

Najdroższa Mistral,
niczym kometa przeleciałaś przez moje życie, a mnie nadal kręci
się w głowie. Tęsknota do Ciebie przywiodła mnie pod Twój dom.
Jestem teraz przed kwiaciarnią naprzeciw Twych okien. Policzę

w myślach do tysiąca i jeden i jeśli zejdziesz do mnie, szeptem
wyrecytuję Ci wersy, jakie skrywałem dla kobiety mojego życia…

H.A.

Dwukrotnie przeczytałem wiadomość i się zawstydziłem. Kiedy niepewnie wciskałem przycisk „wyślij", wiedziałem, że za chwilę rozboli mnie głowa. Podczas gdy ja czekałem przysypywany śniegiem, Mistral nie zadała sobie nawet trudu, by podejść do jednego z okien i zweryfikować treść mojego wyznania. Nedim, który widząc, jak nie otworzywszy parasola, wracam strapiony, zorientował się, co zaszło, i był tak skonsternowany jak gospodarz domu wobec swojego gościa.

– Powiem tyle – rzekł w drodze powrotnej. – Jeśli ta kobieta faktycznie jest taka idealna, jak ją opisujesz, to może po prostu jest lesbijką.

Rozśmieszył mnie tym stwierdzeniem, choć wcale nie było mi wtedy do śmiechu. Przed wejściem do hotelu wymieniliśmy uwagi. Zaczął Nedim:

– Nie na próżno mawiają, synu, że nie ma tego złego, co by na dobre nie wyszło. Jesteś dżentelmenem w pełnym tego słowa znaczeniu. Mam nadzieję, że jest ci pisane być szczęśliwym z uczciwą, przyzwoitą Turczynką. Ja nie widziałem bowiem jeszcze Turka, który poślubiwszy Szwedkę, byłby szczęśliwy.

– Wypominałbym sobie, gdybym nie przyleciał do Sztokholmu i nie wyznał Mistral swoich uczuć – odparłem. – Dziękuję ci za pomoc, Nedimie. Wtórną korzyścią tej wizyty jest to, że poznałem ciebie. Przekaż moje pozdrowienia domownikom. Zadzwonię do ciebie, gdy ustalę plan powrotu. Jeśli nie będziesz zajęty, razem pojedziemy na lotnisko.

Uściskaliśmy się i Nedim odjechał. Ja jednak nie wszedłem od razu do hotelu. Stałem jeszcze przez chwilę na piętnastostopniowym mrozie, jakbym brał medytacyjny prysznic. Usłyszałem, jak mój wewnętrzny głos mówi: „Nie czuj urazy, najjaśniejszy panie. Na Konstantyna XV czeka finał bardziej dostojny".

KSI

Z POWODU WRAŻLIWEJ NATURY mojej cery babcia mawiała: „Wy-
-ka-pa-ny dzia-dek". Gdy tylko zmieniłem piankę do golenia, moje
policzki czerwieniały, a kiedy tłumiłem coś w sobie, zdarzenie to ob-
jawiało się pod postacią afty w moich ustach.

Gdy przebudziłem się rano, afta wielkości aspiryny czaiła się już
na prawej krawędzi mojego języka. Nawet picie wody przysparzało
mi bólu. To był pierwszy nalot tego paskudztwa od czasu, kiedy pogodziłem się z matką. Trwałem w osłupieniu niczym ofiara, która po
latach spotkała swego prześladowcę. Przyczyną tego stanu było zapewne poczucie żalu wywołane posunięciem niegodnym szachowego mistrza. Jeśli wysłanie do niedawno poznanej kobiety kiczowatej
wiadomości miało być miłością, mogłem temu sprostać. Wiedziałem
już, dlaczego nie udaje mi się zdobyć żadnej kobiety. Przyczyna leżała w tym, że moi przodkowie związek małżeński zawierali w drodze
nakazu; gdy tylko ktoś wpadł im w oko, wystarczyło, że wydali stosowną dyspozycję. To rozliczało mnie również z sypiania z luksusowy-
mi prostytutkami. Uśmiechnąłem się na myśl, że gdyby Karacaoğlan
znalazł się na moim miejscu, skwitowałby to, mówiąc: „Błękit krwi
naszej wyblakł na obczyźnie".

Postanowiłem skoczyć do Wenecji. Miałem nadzieję, że Elsa, gdy tylko usłyszy, co mi się przytrafiło, najpierw zapyta: „Chłopie, czy ty jesteś skończonym durniem?", by zaraz potem zacząć mnie pocieszać. Choć dowiedziałem się, że wyjechała do Melbourne na siedemdziesiąte urodziny swojego ojca, nie zrezygnowałem z wyjazdu. Miałem lecieć nazajutrz, z przesiadką w Rzymie. Zrobiłem rezerwację na pięciodniowy pobyt w mającym bardzo długą nazwę hotelu należącym do tej samej sieci co hotel, w którym obecnie przebywałem.

Po śniadaniu poszedłem do miejskiego akwarium. Odpocząłem, obserwując, jak ogromne ryby pogardliwie patrzą na ludzi. W dalszej kolejności miałem jeszcze obejrzeć karłowate budynki, które wznosiły barykady po obu stronach niemającej zamiaru oderwać się od średniowiecza starówki Gamla Stan, i wrócić do hotelu. Zacząłem iść opustoszałą ulicą, podążając za wypełniającym ją dźwiękiem akordeonu. Ciekaw byłem grającego na nim muzyka. Kiedy jednak na drodze stanął mi oddział podstarzałych turystów przemieszczających się drobnymi kroczkami niczym nakręcane kluczykiem na plecach zabawki, zląkłem się i wróciłem do hotelu. W skupieniu oddałem się lekturze książki podróżniczej miłośniczki Anatolii Frei Stark. W nocy kazałem wymasować się dwóm prostytutkom emigrantkom, a w drodze na lotnisko nie zadzwoniłem do Nedima.

NAZWA HOTELU, KTÓRY powstał z przymusowego połączenia dwóch prywatnych pałaców, brzmiąca The Westin Hotel Europa and Regina, spotkała się z moją aprobatą. Nie miałem siły uśmiechnąć się, gdy przyjazny Turkom i Turcji recepcjonista powiedział, że zarezerwował dla mnie najlepszy pokój w hotelu. Znajdujący się nad Canal Grande apartament numer sto sześć przypominał arystokratyczną lożę. Gdy mój wzrok padł na sąsiadującą ze mną po przekątnej bazylikę Santa Maria della Salute, na myśl przyszły mi aforyzmy o Wenecji, które kiedyś napisałem. Stworzyłem je, będąc na studiach, i nie pokazałem ich nawet Elsie:

Da się sfotografować, lecz nie wierszem opisać. Wenecja
swoją duszę przed nami ukrywa.
Być może krzywdzicie ją twierdzeniem, że: „Wenecja jest
najbardziej bliskim rajowi zakątkiem naszej planety". Czy
pewni być możecie, że w raju istnieją sekrety?
Pytacie, czemu woda, co pieczą Wenecję otacza, szybę
przypomina? Nie dostrzegacie, że Wenecja w kuli szklanej się
ukrywa.
Do Wenecji co roku czternaście milionów turystów napływa.
Pięć promili z nich zwiedza Museo Correr, co w swym
środku oryginalne obiekty ukrywa. Cała reszta zaś hałasem
i widokiem swym miasto zaśmieca. Czy Wenecja pokutuje za
grzechy przeszłości?
Nocą chcecie odkrywać weneckie ulice? Czy niczym gondola
między mgłą i echem przemykać umiecie?
Zostało pięćdziesiąt tysięcy wenecjan, przetrwało pięćset
pałaców. Lecz kiedyś liczba mieszkańców zrówna się z liczbą
budowli.
Wenecja to harem, pałace – odaliski.
Pękać w duszy ze śmiechu jak wenecjanie, co dnia każdego
maski zakładają, a turyści sądzą, iż tylko w karnawale za
maską się skrywają.

W pewnej chwili przeszło mi przez głowę, że najlepszym, co mi się przytrafiło dzięki Nomo, było poznanie Mistral. Podczas spaceru po mieście, na który wyszedłem następnego dnia rano w celu odświeżenia naszej znajomości, spostrzegłem, że stopniowo przeobrażam się w adwokata Bizancjum. W architekturze budynków znajdujących się bezpośrednio nad wodą oraz innych kluczowych budowli przeważały wpływy bizantyjskie. Wyobraziłem sobie podobne obiekty stojące wzdłuż pasa między Sarayburnu i Złotym Rogiem; wszystkie zostały zburzone przez szabrowników podczas wspieranej przez Wenecję czwartej krucjaty. Stopy poniosły mnie do bazyliki Świętego Marka, będącej tandetnie strojną kopią Hagii Sophii. Przez dłuższy czas stałem przed znajdującą się na piętrze skradzioną z konstantynopolitańskiego hipodromu rzeźbą czterech koni z kwadrygi. Na tabliczce poniżej napisane było: „Sprowadzono po podbiciu Konstantynopola". Podczas etapu wyprawy polegającego na plądrowaniu miasta Wenecjanie stosowali taktykę „duża masa, duża wartość". Dziwnie się czułem, stojąc przed najsławniejszymi końmi naszej planety; jakbym spotkał swoich krajanów zmuszanych do pracy w cyrku. Ich smutne spojrzenia chwyciły mnie za serce. Sprawiały wrażenie, jakby oczekując na pomoc w powrocie do domu, zdawały sobie sprawę z tego, kim jestem. Ciekaw byłem, jaką karę dla Wenecjan przewidział Konstantyn XI.

Następnie odwiedziłem Museo Correr na placu Świętego Marka, które przez ostatniego charyzmatycznego cesarza Napoleona ogłoszone zostało najpiękniejszym salonem Europy. Sufit znajdującej się tam Biblioteki Marciana jest zdobiony równie bogato co sufit bazyliki. Charakteryzuje ją splendor z pogranicza pałacu i świątyni. Kolekcjoner i bibliofil kardynał Bessarion, żyjący w piętnastym wieku, ofiarował Bibliotece Marciana manuskrypty i unikalne księgi, które zgromadził dzięki artystom i akademikom rozsianym po Europie po upadku Konstantynopola. Basilios Bessarion był mnichem pochodzącym z Trabzonu. Jan VIII mianował go metropolitą Nikei. Po tym, jak cesarzowi nie udało się przekonać prawosławnych Bizantyjczyków, aby przyłączyli się do katolików, Basilios schronił się w Watykanie, gdzie z czasem awansował do rangi kardynała biskupa. Nie udało mi się dokładnie przestudiować dokumentów bizantyjskich pozostałych po tym bibliofilu renegacie. Myśl, że musiałem zapłacić, aby w witrynie złodzieja oglądać kosztowności skradzione z mojego domu, była zbyt natrętna. Pospiesznie udałem się do prawie pustej sali, w której znajdowały się starożytne globusy. Przez chwilę przypatrywałem się drzemiącemu na krześle ochroniarzowi; kiwał się niczym początkujący profeta mający niedosyt proroczego snu. Aż do zamknięcia muzeum ceremonialnie obchodziłem ogromne globusy. Odnalazłem ukrywające się w tunelach czasu moje ulubione miasta. Skarciłem Wenecję. (Byłaś najbardziej zasobnym miastem-państwem na świecie; choć mogłaś działać jak dyplomata wizjoner, ty wybrałaś taktykę złodziejskiego kupca. Zamiast odgrywać rolę kluczowej stolicy Europy, spadłaś na pozycję wesołego miasteczka tego kontynentu).

DUŻY UDZIAŁ W TYM, że Harry's Bar cieszył się mianem najdroższego baru restauracyjnego w mieście, mieli niewątpliwie pracujący tam kelnerzy. Nie tylko pamiętali, jaki jest mój ulubiony sos do sałaty, posiadali również wysublimowane poczucie humoru. (Tym razem mieli zadowolić się jedynie przywitaniem). Po kolacji wróciłem do pokoju i obserwowałem, jak powoli, niczym piasek w klepsydrze, zanika ruch przy położonym na przeciwległym brzegu przystanku *vaporetto*, tramwaju wodnego. Zszedłem do opustoszałego baru w lobby. Zastanowiłem się, który to już raz pianista morduje najnowsze szlagiery, które grał ciągle w tej samej kolejności. Przy akompaniamencie wytrawnego martini miałem poczytać *Viaggio d'Inverno* Attilia Bertolucciego. Barmanka z napisem „stażystka" na piersi, podnosząc z tacy mój kieliszek, upuściła go. Na dźwięk tłuczonego szkła nagle przy stoliku pojawił się barman, któremu od razu powiedziałem, że to moja wina, na co stażystka spojrzała na mnie z politowaniem. (Nigdy chyba nie zrozumiem kobiet). Kiedy kończyłem opróżniać trzeci kieliszek, zadzwonił Eugenio. Sądząc, że jestem w Londynie, poprosił, abym przywiózł mu herbatę dostępną jedynie w Fortnum and Mason.

– Planuję wrócić za trzy, a może nawet i za cztery tygodnie.

– W takim razie przywieziesz mi trzy albo cztery opakowania.

Ten krótki pojedynek na uszczypliwości sprawił, że się odprężyłem. Po chwili zauważyłem, że atrakcyjna uśmiechnięta kobieta w średnim wieku zbliża się do mnie.

– Ilekroć usłyszę zdanie po turecku, mam w zwyczaju przywitać się z tym, kto je wypowiada – powiedziała, a ja zaprosiłem ją do stolika. Wendy Sade dwadzieścia lat temu była nauczycielką w amerykańskim liceum żeńskim w stambulskim Üsküdarze. Teraz towarzyszyła swojej córce wiolonczelistce, która z kwartetem smyczkowym przyjechała do Wenecji dać koncert. Ze względu na zbyt wielką rozbieżność czasową nie udało nam się z nostalgią i do syta powspominać Stambułu. W pewnym momencie charyzmatyczna Wendy z Bostonu, o której wiedziałem tylko, że pracuje dorywczo jako tłumacz, i nie miałem pojęcia, co jest jej właściwym zajęciem, nachyliła się i wyglądając na przekonaną, że się przed nią otworzę, wyszeptała:

– Ty porzuciłeś czy ciebie porzucono?

Swoją historię zacząłem od ckliwych słów:

– Aby zostać porzuconym, najpierw trzeba mieć partnerkę. Ja zostałem wykluczony znacznie wcześniej, bo na etapie składania oferty.

Zamiast porady albo diagnozy bardzo chciałem usłyszeć od niej śmieszną przepowiednię, jakie oferują leciwe wróżki zatrzymujące ludzi na ulicy. Ta noc powinna zakończyć się dowcipem, a ja powinienem potem udać się na polowanie na prostytutki.

– Czy o tym, że brak odpowiedzi na SMS oznacza „nie", dowiedziałeś się z latynoskich telenoweli? Uwierz mi, gdybyś wzbudzał w niej negatywne uczucia, zgładziłaby cię jednym zdaniem. Ta młoda kobieta być może czeka na stosowny moment, żeby do ciebie zadzwonić.

– Wendy, czy do chwili, gdy to nastąpi, mogę nazywać cię ciocią Pollyanną?

– Mam to gdzieś, chłopcze o dziwnym imieniu. Ale pamiętaj, że jeśli pewnego dnia poślubisz tę dziewczynę o pięknym imieniu, spodziewam się, że przyślesz mi nie tylko zaproszenie na ślub, ale też bilet na samolot.

Z wizytówki, którą wręczyła mi przy pożegnaniu, wynikało, że Wendy Sade jest profesorem literatury na Uniwersytecie Stanowym na Florydzie. Czy powinienem był skądś pamiętać tę uroczą badaczkę, którą podejrzewałem o używanie pseudonimu?

Poranek przywitałem w klubie Venerotica. Najpierw jednak, żeby dostać się do lokalu, w którym klienci płci męskiej zmuszeni są nosić maski, na moście Rialto spotkałem się z jednonogim alfonsem i przez dziesięć minut podążałem za nim w podrygach.

W przeddzień karnawału udałem się do sąsiedniej Rawenny, która między szóstym a ósmym wiekiem była stolicą władzy bizantyjskiej we Włoszech. Zatrzymałem się w hotelu Bisanzio i zwiedziłem kościoły, które wystrojem usiłowały konkurować z mozaikami Hagii Sophii. W Piazzo del Popolo poczułem powiew Konstantynopola. W mieście, gdzie swoje ostatnie tchnienie wydał mój krajan Basilios Bessarion, zorientowałem się, że zabytki bizantyjskie zaczynają mnie nużyć. Zupełnie bez przyczyny udałem się do Nicei, w której Reha Ekin popełnił samobójstwo, lecz już następnego dnia miałem dość tego przypominającego kompleks termalny miasta. Wiedziony słowami zapoznanego w lobby hotelu Le Meridien emerytowanego kapitana, który twierdził, że: „Najgorsze, co może spotkać człowieka, to urodzić się ślepcem w Sewilli", pojechałem również tam. W drodze losowania okazało się, że z tego obleganego przez podstarzałych turystów sztucznego miasta uciekać będę do Lucerny. Byłem jeszcze w Hamburgu, gdyż jego nazwa zaczyna się na literę „h", w Nantes, ponieważ kończy się na „s", i w Liège ze względu na liczbę liter w nazwie tego miasta. Kiedy skończyłem lekturę sześciotomowego dzieła Edwarda Gibbona *Zmierzch i upadek Cesarstwa Rzymskiego*, wróciłem do Londynu, gdzie spotkałem się z ekipą. Moja teza, że z historyków byliby nieźli interpretatorzy snów, nie wydała się Askarisowi zabawna.

Kiedy szóstego marca rano zadzwoniła do mnie babka i zrugała mnie, mówiąc: „Przebiśniegi już dawno powiędły, a ty gdzie się ciągle podziewasz, synu parszywego Amerykanina?", układałem właśnie plan pracy w Centrum Badań nad Historią Bizancjum.

OMIKRON

CZUŁEM SIĘ JAK stróż latarni morskiej stojącej pośrodku doliny. Mieszkałem w skalnym hotelu w Uçhisar – jednej z najwyżej położonych miejscowości w Kapadocji. Być może apartament numer dwieście trzydzieści cztery hotelu Cappadocia Cave Resort wydrążyła jakaś duża hetycka rodzina cztery tysiące lat temu. Niezliczoną ilość razy przytulony do okna aż do znużenia przyglądałem się wypełniającym horyzont bajkowym kominom. Wpatrując się kolejno w każdy z nich, jakbym oczyma przesuwał koraliki różańca, wsłuchiwałem się w ciszę kamienia.

Nie wierzę, że te stożkowe formy, nazywane kominami wróżek, dwadzieścia pięć milionów lat temu zostały wyrzucone przez położony w odległości pięćdziesięciu kilometrów wulkan. (Było to podejrzane tak samo, jak wiele kart oficjalnej historii Bizancjum). Być może wulkan, który je wyplół, został zrównany z ziemią niczym ośmiornica, która umiera, gdy jej młode wykluwają się z jaj.

Kiedy chodziłem do liceum, panował zwyczaj, by kominy wróżek porównywać do indiańskiego tipi. Teraz kojarzą mi się z szamanami oczekującymi na rytualną ceremonię. W tym, że chroniły swoje kolory przed fotografami, było coś poetycznego. Pomyślałem, że i słońce darzy szacunkiem paletę melancholijnych barw. Ludzie, minarety i fauna znana z hetyckich reliefów musiały przestrzegać panującej w dolinie zasady ciszy. Byłem świadomy, że znalazłbym się w potrzasku, gdybym zapytał, dlaczego inne wulkany nie nadają swej lawie tak wyrafinowanych kształtów.

Dolina, która z bliska wyglądała jak rzeźbiarski plener, z okien mojego pokoju przypominała bezładnie zastawiony stół. Nie wierzyłem też, że nazwa Kapadocja wywodzi się od perskiego zwrotu oznaczającego krainę pięknych koni. Dla tego oceanu ciszy nie wyobrażałem sobie lepszego symbolu niż wielbłąd.

Kapadocja powstała w przesmyku pomiędzy Mezopotamią a zachodnioanatolijskimi państwami. Hetyci, którzy nadeszli z Kaukazu, osiedlili się w tym strategicznym korytarzu. Historia nie wspomina o tym, że to oni szkolili Greków z zakresu sztuk pięknych. Warto odnotować, że historycy nie są zgodni co do daty ich pojawienia się i upadku. W rzeźbiarstwie rywalizowali z przyrodą. W tej dziedzinie swymi umiejętnościami przewyższali wszystkie pozostałe cywilizacje. Być może dlatego też w siódmym wieku przed naszą erą wyginęli z głodu.

W Kapadocji schronili się pierwsi fundamentaliści, po tym jak Rzymianie ogłosili chrześcijaństwo religią zakazaną, chrześcijanie ze Wschodu uciekający w szóstym wieku przed Arabami oraz chrześcijanie z Bizancjum spłoszeni w ósmym wieku przez ikonoklastów. W stożkowych skałach cierpliwie wykuwali klasztory, kościoły i cele dla mnichów. Szukając schronienia przed najazdami bałwochwalczych armii, zeszli do podziemnych jaskiń.

Przez dwa dni eksplorowałem Kapadocję. Dolina była tajemnicza niczym szachownica o nieznanej liczbie pól i pionków. Natura podniosłością ciszy uświadamiała śmiertelnikom, jak wielką cnotą jest cierpliwość. Im dłużej chodziłem, tym czułem się lżejszy; zupełnie jak balon, który wyrzuca żółć, by móc się wyżej wznieść. Wiedząc, że trzysta ze skalnych kościołów otwartych jest dla zwiedzających, ciekaw byłem liczby świątyń istniejących przed tysiącem lat. Ewangeliczne malowidła powstałe w tych klaustrofobicznych jaskiniach były żywe i wyglądały tak, jakby namalowano je tysiąc dni temu. Tak naprawdę niewiele trzeba by zrobić, by te pogrążone w półmroku pomieszczenia przygotować do wieczornego nabożeństwa. Zdawały się wysyłać wiadomość masywnym, kunsztownie zdobionym kościołom Konstantynopola. W skansenie Göreme, przy wejściu do klasztoru Mniszek, głaszcząca tufowy komin siedemdziesięcioletnia Amerykanka mówiła:

– Dlaczego powierzchnia tego monolitu jest taka miękka? Mam wrażenie, że jeśli mocniej przycisnę do niej dłoń, rozkruszy się. Trudno mi uwierzyć, że ma co najmniej dwadzieścia milionów lat.

Na co jej pomarszczony mąż, ubrany w szorty i koszulkę bez rękawów i sprawiający wrażenie, jakby występował w pokazie mody pod hasłem przewodnim „Brzydota starości", odparł:

– Jeśli pomyśleć, że krokodyle od dwustu milionów lat wiodą rozkoszny żywot w naszych słodkich wodach, można powiedzieć, że te skały potrzebują jeszcze trochę czasu, kochanie.

Milion turystów odwiedzających Kapadocję podobno preferowało przyjeżdżać tu wiosną lub jesienią. Byli to głównie sędziwi chrześcijanie ściągający w to miejsce z każdego zakątka ziemi lub milczący goście z Dalekiego Wschodu. Zanim odejdą z tego świata, chcieli wypełnić wynikającą z wiary powinność. Ożywienie, jakie towarzyszyło im, gdy niczym przywiezione do wesołego miasteczka podekscytowane dzieci z prowincji kreślili zygzaki między kominami wróżek, było dość aluzyjne.

Obrzeża doliny spowijała cisza pustyni lub wewnętrznego morza; w jej najodleglejszych zakątkach panował spokój jak na opuszczonej farmie czy na dziewiczym polu bawełny.

Gdy puchacze obwieszczały nadejście zmierzchu, Kapadocja bardzo powoli i zjawiskowo przeobrażała się w opustoszały monastyr.

Pochodząca z Kapadocji babka zajmującego sąsiedni pokój w hotelu Johna Newberry'ego w 1924 roku została objęta przymusową wymianą ludności. Jej rodzinie nie udało się jednak przystosować do życia w Salonikach, więc wyemigrowali do Melbourne. Będący owdowiałym emerytem John wyszedł na balkon swojego pokoju i ku czci babki, wpatrzony w górę Erciyes, pogryzał prażone pestki dyni z Ürgüp. Kiedy John, dowiedziawszy się, że nie znam australijskiego piłkarza Harry'ego Kewella, wyraził swoje zaskoczenie, spróbowałem wykupić winy, recytując mu strofę wiersza jego rodaka Lesa Murraya.

Nazajutrz w towarzystwie swojej ekipy udałem się do Doliny Ihlara. Kierowca minibusu, którym jechaliśmy, miał na imię Tahir i był drobnym mężczyzną o świetlistej twarzy. Czułem, że gdybym z nim zażartował, zawstydzony opuściłby głowę. Skromność w tym regionie była zapewne pomonasterską spuścizną. Byłem pewien, że gdy wygłoszę moją teorię na temat drobnej budowy ciała mieszkańców Kapadocji (żeby w przeddzień apokalipsy wszyscy zmieścili się w kominach wróżek), Pappas roześmieje się jako pierwszy.

Dolina o poetyckiej nazwie Ihlara znajdowała się w odległości pięćdziesięciu minut jazdy od hotelu. Nie byłem zaskoczony tym, że roztaczający się po obu stronach drogi krajobraz przypominał płaskowyż Patagonii. Kiedy góra Hasandağ – morderca niezliczonej ilości alpinistów – skorzystała z należnego jej prawa wyrzucenia lawy, rzeka Melendiz wypełniła powstałe przed milionami lat pęknięcia, jakby chciała zapobiec powstaniu tam swoistego obozowiska kominów wróżek. W rzeczywistości Ihlara była mistycznym kanionem. Ze względu na jej charakter, począwszy od szóstego wieku, w jej brzegach wykuwano cele dla mnichów, w skałach nieopodal rzeki zaś drążono schrony, kościoły i groby arystokratów.

W miejscu, gdzie z wysokości stu pięćdziesięciu metrów rzeka wyglądała jak cieniutka nić, wysiedliśmy z minibusu, aby jak to ujął Tahir, „popatrzeć sobie na widoki". Nagle przede mną pojawiła się na oko dziesięcioletnia dziewczynka. Miała na sobie wyblakły T-shirt oraz flanelowe spodnie i mogłem iść o zakład, że gdy kładła się spać, ubranie to służyło jej za piżamę. Byłem ciekaw, czy za duża mniej więcej o dwa rozmiary męska czarna marynarka, którą nosiła, miała jej służyć za kamuflaż. Jej jasna cera, podłużna twarz i zielone migdałowe oczy były atrybutami, dzięki którym tysiąc lat temu wśród swoich przodków uchodzić by mogła za bizantyjską piękność.

– Dzień dobry, psze pana – powiedziała, kołysząc się na boki.

– Dzień dobry. Czy twoje imię jest tak samo piękne jak twoja buzia?

– Naile, psze pana.

– Naile, co robisz sama na tym odludziu?

– Jestem przewodnikiem, psze pana.

Roześmieliśmy się chóralnie. Naile się tym nie przejęła. Była zapewne oswojona z tego typu reakcjami.

– Niech więc nam pani opowie, pani przewodnik, jak powstała ta dolina.

Naile naraz złączyła stopy i twarz zwróciła w stronę góry Hasandağ. Miała zachrypnięty, ale pociągający głos. Treść jej imponującej prezentacji pokrywała się z tym, co było napisane w przewodnikach. Kiedy jej słuchałem, poczułem ukojenie. Z drugiej jednak strony myśl, że nie jestem ojcem i nie mogę kochać własnych dzieci, przyprawiła mnie o smutek. Gdy z pieniędzy o małych nominałach próbowałem uzbierać pięćdziesiąt lir, dowiedziałem się, że Naile chodzi do piątej klasy i jeśli uda jej się zdać egzaminy na tyle dobrze, by otrzymać stypendium oraz dostać się do szkoły z internatem, zostanie nauczycielką. Chcąc wziąć naszykowane przeze mnie pieniądze, z trudem wysunęła prawą dłoń ze zbyt długiego rękawa męskiej marynarki.

– Dziecko, dlaczego nosisz marynarkę w taki upał?

– Mama nie pozwala mi wychodzić bez niej, psze pana.

– To ciekawe. Mogę wiedzieć dlaczego?

– Bo nie mam lewej ręki od łokcia w dół, psze pana – odparła, opuszczając głowę, jakby chciała mnie przeprosić. Wzruszyłem się losem tej dziewczynki, która zanim jeszcze obnażyła przede mną prymitywizm skrywanego kalectwa, poruszyła me wnętrze. Miałem wrażenie, że gdy ja patrzyłem na ten rzadki, delikatny kwiat, jakiś bezlitosny wiatr ostrym podmuchem zerwał mu liście i płatki.

Naradziliśmy się z ekipą. Na pół dnia pożyczyłem od nich wszystkie tureckie pieniądze, jakie mieli przy sobie. Razem z tym, co znalazłem w swoim portfelu, uzbierałem dwa tysiące lir i włożyłem je do koperty. Poprosiłem Naile o jej adres; okazało się, że od śmierci ojca mieszkały z matką w domu dziadka hadżiego Alego. Wziąłem ją za rękę i przykucnąwszy na dwóch pobliskich kamieniach, włożyłem kopertę do prawej kieszeni jej marynarki.

– Naile, teraz idź i zanieś moje pozdrowienia hadżiemu Alemu i matce. Powiedz im, że oprowadzałaś dziś czterech panów i że oni polubili cię tak bardzo, że przekazują pieniądze na twoją edukację. Powiedz też hadżiemu, że to czyste pieniądze. I wyjaśnij im, że szefem ekipy był najmłodszy mężczyzna, który tak jak ty dorastał bez ojca i że on teraz musi rozwiązać pewien problem. I że prosi cię o modlitwę i że zapewnia, że jesteś porządną i mądrą dziewczynką, i dlatego twoje modlitwy zostaną wysłuchane. Przekaż, że dodał, że jak już rozwiąże swój problem, to kupi ci protezę i pokryje koszty twojej edukacji aż do momentu, gdy zostaniesz nauczycielką.

Kazałem powtórzyć jej tę tyradę, a gdy się objęliśmy, Pappas zrobił nam zdjęcie. Naile schyliła się i objąwszy moją szyję jednym ramieniem, zaniosła się rzewnymi łzami. Moje oczy również zwilgotniały. Powiedziała: „Bardzo dziękuję, psze pana", po czym zbiegając niczym kózka między kamieniami stromego zbocza, zniknęła nam z oczu.

Gdybym wiedział, że w odpowiedzi nie usłyszę komplementu, zapytałbym Askarisa, który czekał za moimi plecami: „Nie nadaję się nawet na cesarza na uchodźstwie, prawda?". Kiedy szliśmy w stronę minibusu, przypomniałem mu wers z wiersza zmarłego w wieku czterdziestu sześciu lat poety Cahita Sıtkı Tarancı: „Trzydzieści pięć lat połowę znaczy drogi".

– Spotkanie z Naile było dla mnie przełomem – rzekłem. – Uświadomiłem sobie, że mam trzydzieści cztery lata. W przyszłym roku powinienem się ożenić, by móc przytulić własne dzieci.

Po BARDZO DŁUGIM slalomie zjechaliśmy wreszcie do Doliny Ihlara. Tam zjedliśmy lunch w restauracji na świeżym powietrzu na brzegu Melendiz, której status z biegiem lat spadł do rangi strumienia. Dolina była równocześnie trasą spacerową. Przy sąsiednich stolikach siedzieli turyści z Europy, którzy właśnie zakończyli przechadzkę. W większości byli to ludzie w średnim wieku, a na ich twarzach widniał zdecydowanie przejaskrawiony wyraz satysfakcji z wypełnienia misji.

Kiedy we wsi Belisırma przechodziłem przez furtkę będącą początkiem trasy spacerowej, wyszeptałem basmalę. Moim celem był znajdujący się przy głównej drodze kościół Wężowy (Yılanlı Kilise). Zaczęliśmy iść krętą ścieżką, a strumień pozostawał po naszej lewej stronie. Miałem wrażenie, że chcąc podtrzymać mistyczną aurę okolicy, Melendiz płynęła nieskoro, a ptaki ćwierkały jakby szeptem. Chociaż wierzby i topole pięły się niczym armia włóczni, najbardziej atrakcyjną rośliną doliny były oliwniki roztaczające wokół tajemniczy aromat. Roślinność zmieniała się tu co krok i raz po raz drogę przecinały nam drzewa niespotykanych gatunków. Czułem, że idąc śladem motyli wielkości pszczoły, odpoczywam i czuję się coraz lżejszy.

Nie mieliśmy w planach zwiedzania kościoła Kolumnowego (Direkli Kilise), który nagle pojawił się po prawej stronie. Uległem jednak jego wyzywającej postawie i wydałem rozkaz wspięcia się na skałę, w której się znajdował. Pomieszczenie, na pierwszy rzut oka przypominające przestronną jaskinię, w rzeczywistości było zuchwałą świątynią wykutą przez antyobrazoburczych zesłańców. Autor zdobiących sufit i przedstawiających sceny z Ewangelii malowideł ukończył je zapewne w dwie godziny, po czym rzucił się do ucieczki. Znajdowałem się w ściągniętej pod ziemię arce Noego, otoczony wiotkimi kolumnami, wydzieloną niewielką salą i pomieszczeniami schronu. Poszedłem do apsydy, pod kopułą której widniał obraz sądu ostatecznego, a tam naszła mnie ochota, by krzyknąć: „Sezamie, otwórz się!". W pewnej chwili poczułem, że robi mi się słabo. Czy zwisający w narteksie kawałek tynku powinienem odebrać jako zły omen? Roześmiałem się. Gdy wychodziliśmy, moje myśli zaprzątało pytanie, dlaczego w tych skalnych kościołach nie zagnieżdżają się żadne zwierzęta. Schodzący przede mną niepewnym krokiem Pappas nagle poślizgnął się i upadł, więc chwyciłem go za ramię. Podnosząc go, wyszeptałem do jego ucha:

– Nie omieszkam zapytać Nomo, w jakim celu mi ciebie przydzielili, ty worku kartofli.

Z zapałem ruszyłem dalej na wschód. Ścieżka niosła nas niczym potoczysty anonimowy wiersz. Zbliżało się popołudnie i po tym, jak wyminęła nas opieszale wracająca ze spaceru grupa Japończyków, nie spotkaliśmy już nikogo. Tutejsze kościoły, w których znajdowały się malowidła przedstawiające scenę zabicia przez Świętego Jerzego wrogiego religii węża, nosiły miano Wężowych. Powodem natomiast, dla którego wybrałem ten w Dolinie Ihlara, była chęć zobaczenia Jezusa siedzącego po turecku. Ciekaw byłem również wizerunku dwudziestu czterech świętych narysowanych po jednym na każdą z dwudziestu czterech liter alfabetu greckiego.

Kontynuowaliśmy wędrówkę na wschód. Przyroda czaiła się wokół nas. Po moście przypominającym wywróconą do góry dnem łódź przeszliśmy na lewy brzeg strumienia. Kiedy wspinaliśmy się do kościoła Wężowego, odniosłem wrażenie, że ekipa jest już zmęczona. Świątynia pochodząca z dziewiątego wieku była kaplicą wybudowaną na planie krzyża. Spodobało mi się anarchistyczne oblicze jaskini, której przyglądałem się w świetle latarki. Jezus na ścianie nie tylko siedział po turecku, ale na jego twarzy malował się niepokój spowodowany przyłapaniem przez paparazzich w nieoficjalnych okolicznościach. Święci natomiast, z których każdy symbolizował inną literę, wyglądali na zaskoczonych tak bardzo jak podejrzani znani z amerykańskich filmów, stojący w rzędzie podczas okazania i czekający na konfrontację z ofiarą. Anegdoty biblijne miały w sobie coś z uroku kreskówek. Według książki będącej źródłem mojej wiedzy skrzydlaty szatan stojący za Jezusem miał mówić do niego: „Synu Boży, zaproś mnie dzisiaj na świętą wieczerzę". Malowidło, na którym dwa węże kąsają piersi kobiety niekarmiącej swych dzieci, było ostatnim pouczającym obrazem, jaki tam widziałem. Pytaniem: „Czy ta świątynia nie przypomina opustoszałego baru, którego właściciel wykańcza kolejnych barmanów?" rozbawiłem Pappasa.

Podzieliłem się z ekipą radosną nowiną, że nasza wyprawa zwiadowcza dobiegła końca, i ruszyliśmy w stronę rozklekotanego mostu. Nagle Askaris, krzycząc: „Uważaj, panie!", rzucił się na mnie i przewrócił na ziemię, nakrywając moje ciało swoim. Ktoś przyczajony za skałami powyżej kościoła strzelił do nas trzykrotnie. Świst pocisków, które przeleciały nade mną, był bardzo poetycki. Askaris twierdził, że podczas gdy Kalligas wystrzeliwał cały magazynek swojego miniaturowego rewolweru, cień w czarnej kominiarce zdołał uciec.

– Chciałbym wyrazić ci swoją wdzięczność – zwróciłem się do Askarisa, kiedy podnosiłem się z ziemi. – Muszę przyznać, że całkiem nieźle odegrałeś swoją rolę, przeprowadzając test na odwagę Nomo.

To BYŁ MÓJ trzeci dzień w Kapadocji. W bajkach o wróżkach „trzy" jest szczęśliwą liczbą. To, że sobie o tym przypomniałem, nie wróżyło jednak nic dobrego. Czy w krainie kominów wróżek czekało mnie niepowodzenie? Było mi to obojętne. Zaczęła nużyć mnie już ta partia szachów, do rozgrywania której zostałem zmuszony. Być może przyczyną tego stanu był syndrom sztokholmski, od którego się jeszcze nie uwolniłem.

Nie obejrzałem wschodu słońca. Około czterdziestu balonów turystycznych zanieczyściło niebo. Nie mogłem sobie wyobrazić podekscytowania ludzi w kolorowych balonach przez pół godziny tkwiących w zawieszeniu w tym samym miejscu. Byłem przekonany, że nie dostrzegają poetyzmu wznoszenia się w przestworza dzięki łasce płomienia. Śniadanie zjadłem w pokoju. Musiałem zaczekać, aż kościoły uwolnią się od inwazji porannej zmiany turystów. Otworzyłem więc zbiór poety Birhana Keskina *Ba*.

Do skansenu w Göreme dotarliśmy, gdy rozbrzmiewało wezwanie na południową modlitwę. Wejście do kościoła Sprzączki – symbolu Kapadocji – przywodziło na myśl nieugiętość muru oporowego. Malowidła przedstawiające sceny z Ewangelii, które widziałem w odwiedzonych dotychczas ośmiu kościołach, miały tkankę ryciny, szkicu; tu natomiast pierwszoplanową cechą fresków w trzech pomieszczeniach było malarstwo olejne. Jakby będący ich autorami malarze w imieniu pozostałych rysowników prosili Ewangelię o wybaczenie. Dzięki zastosowaniu lazurytowego tła kościelne freski zostały wmalowane w katalog boskiej wystawy. Zdaniem Seferisa malowidła te odzwierciedlały pełną epopeję chrześcijaństwa.

Poza mną w kościele była jeszcze rozmawiająca ze sobą szeptem para Anglików. Oni również z latarką w ręku cierpliwie analizowali ściany i sufity. Kiedy znalazłem fioletowy kwadracik, byłem jednak sam. Czekał na mnie na stole ostatniej wieczerzy. Umieszczono go w środkowym pomieszczeniu w miejscu styku kopuły ze ścianą. Znalezienie sposobu, dzięki któremu mogłem dosięgnąć do fresku wysokiego na około trzy i pół metra, nie zajęło mi dużo czasu. Wyjąłem z torby srebrną szkatułkę i ostatnią pustą kwadratową przegródkę podsunąłem dokładnie pod przymocowany do fresku kwadracik, który w niecałe dwie sekundy spłynął z sufitu do szkatułki niczym boskie objawienie. Obok kwadracika pojawił się napis: „Hagia Sophia, Konstantynopol".

– Zdziwiłbym się, gdyby w tej bizantyjskiej krzyżówce zabrakło Hagii Sophii – wyszeptałem i zamknąłem szkatułkę. Nie wyszedłem jednak od razu z kościoła. Czułem w sobie niepokój przedwczesnego osiągnięcia celu. Jakby tknięty przez skrzydlatego diabła z Doliny Ihlara, ponownie skierowałem światło latarki na niekończącą się od tysiąca i stu lat wieczerzę. Zgodnie z opisem znajdującym się w źródle, z którego korzystałem, dotyczącym kolejności, w jakiej apostołowie siedzą przy stole, ostatni kwadracik wyrwałem z dłoni zdrajcy – Judasza Iskarioty. Moje serce biło coraz szybciej, czułem, że swędzi mnie czoło. Zacząłem chodzić tam i z powrotem po półmrocznym pomieszczeniu. Czy po wczorajszym teście na odwagę dziś poddawano mnie próbie blefu? Czy uratowawszy mnie wczoraj przed zamachem, dziś obwieszczano, że zdrajca depcze mi po piętach? A może testowano moją odporność na stres?

PI

CZY KWADRACIK, KTÓRY wyrwałem z dłoni zdradzieckiego apostoła Judasza Iskarioty, miał charakter ukrytej wiadomości? Gdyby wśród członków mojej ekipy był zdrajca, unieszkodliwienie go było zadaniem Nomo. Myśl, że powinienem sporządzić listę podejrzanych z najbliższego otoczenia, wprawiła mnie w lęk. Chwała instynktowi! Pomyślałem o liście mojego ojca, którą odkryłem wśród rzadkich zbiorów dziadka. Teraz jednak nie znalazłem tego przypominającego mozaikową krzyżówkę dokumentu.

– Gdybym był bohaterem powieści, znalazłbym go i wygenerował kilka tajemniczych wskazówek – westchnąłem i się uśmiechnąłem.

Na kwiecień zaplanowałem dwa turnieje szachowe, które miały odbyć się na półkuli południowej. W noc, kiedy chciałem rozpocząć procedurę zgłoszeniową, zadzwonił Nedim z Kulu. Miał niespokojny głos.

– Synu, muszę ci o czymś powiedzieć, lecz wpierw obiecaj, że nie będziesz na mnie zły.

– O co chodzi? Czym mógłbyś mnie rozgniewać?

– Posłuchaj, synu. Od samego początku wzbudziłeś moją sympatię. Jesteś dobrym człowiekiem. Po tym, jak się pożegnaliśmy, przez dwa dni nie mogłem zasnąć. Nie myśląc wiele, pojechałem na uczelnię kobiety, która złamała ci serce. Poprosiłem ją o dziesięć minut rozmowy i tysiąckrotnie przepraszałem za to, że temat, który poruszę, dotyczy jej życia osobistego. Przyznałem, że jeździliśmy za nią przez dwa dni. Wyjaśniłem, jak ważna jest dla ciebie. Przysiągłem również, że nic nie wiesz o mojej wizycie. Powiedziałem: „Pani Mistral! Jeśli odrzucasz mojego rodaka tylko dlatego, że go dobrze nie znasz, popełniasz największy z błędów! To prawdziwy mężczyzna, jakiego nawet w raju trudno byłoby ci znaleźć. Gdybym nie przyjechał cię uprzedzić, miałbym wyrzuty sumienia, ilekroć klękałbym do modlitwy". Myślałem, że będzie zaskoczona, ale to ja się zdziwiłem, gdy zareagowała śmiechem. „Masz piękne imię – powiedziała. – Ma jakieś znaczenie?". Odparłem, że po arabsku oznacza bliskiego przyjaciela, a moje nazwisko, Arapoğlu, znaczy „syn Araba". Odparła: „Ach, wy Turcy!" i dodała: „Ja też jestem twoim rodakiem, w połowie z Anatolii, a w połowie ze Szwecji, dlatego zdradzę ci tajemnicę, oczywiście pod warunkiem, że jej nikomu nie wyjawisz. W styczniu dowiedziałam się, że dopadła mnie okropna choroba kobieca. W czasie, gdy mnie śledziliście, byłam przygnębiona, ponieważ choć zaprosiłam do siebie ojca, żeby mu o tym powiedzieć, nie byłam w stanie tego zrobić. Moja mama bardzo młodo zmarła na tę samą dolegliwość. Teraz głowę zaprząta mi walka o życie". Synu, gdy Mistral przekazywała mi tę smutną wiadomość, zapałałem do niej sympatią. To porządna, dzielna dziewczyna. Powiedziałem: „Jeśli choroba, z którą walczysz, jest zmorą możliwą do pokonania, to na pewno ci się powiedzie. Będę się za ciebie modlił i pamiętaj, że kiedy tylko będziesz potrzebowała taksówki, twój rodak Nedim jest na twoje rozkazy".

Wezwała mnie kilka razy. Nawet jeśli miałem wolne, nie odmówiłem jej, tylko zawiozłem, dokąd potrzebowała. Wczoraj odebraliśmy z lotniska jej ojca, który przyleciał z Aten. Gdy dowiedział się o chorobie córki, bezwładnie padł w moje ramiona. Ocknął się, gdy udzielono mu pierwszej pomocy; płakał przez całą drogę, ja zresztą też ledwo powstrzymywałem się od łez. Za trzy dni Mistral zostanie poddana ciężkiej operacji w szpitalu uniwersyteckim. Nie ma nikogo, kto zaopiekowałby się nią i jej rozhisteryzowanym ojcem. Costas Efendi nie zna szwedzkiego, a jego turecki nie wystarczy, żebym mógł mu pomóc. I wiesz, synu, w Szwecji ludzie czują się skrępowani, nawet gdy mają poprosić o pożyczenie łyżki soli.

Jeśli to nie problem, błagam, przyleć tu jak najprędzej. Gdy dziewczyna, jadąc na blok operacyjny, zobaczy, że jesteś przy jej ojcu, poczuje się silniejsza. Zrozumie też, że jesteś jej prawdziwym przyjacielem...

Z każdym kolejnym słowem Nedima czułem, że coraz bardziej ściska mnie w dołku. Byłem zły na siebie, że wysyłając Mistral tamtą wiadomość, skazałem ją na dodatkowy stres. Zanotowałem szczegóły dotyczące operacji.

– Przylecę bezzwłocznie, spotkamy się w szpitalu, a do tego czasu nie zostawiaj ich samych, Nedimie – powiedziałem.

Nagle przyszło mi do głowy, żeby zadzwonić do Askarisa. Przekazałem mu informacje na temat operacji. Choć mu o tym nie wspominałem, odniosłem wrażenie, że o mojej „przygodzie z Mistral" wie znacznie więcej niż ja sam.

– Chcę zobaczyć, ile Nomo jest w stanie zrobić dla leżącego na łożu śmierci bizantynologa – oznajmiłem i się rozłączyłem.

OKAZAŁO SIĘ, ŻE W środku wiosny miasto jest malowanym pastelami pejzażem; wystarczyłby jeden podmuch, żeby delikatne barwy zniknęły, zamieniwszy się w obłok pyłu. Sztokholm był magiczny niczym plan zdjęciowy, pod niebem którego Piotruś Pan szybował beztrosko. Założenie, że w czasie spaceru po opustoszałych ulicach zmógłby mnie sen, wydawało się dość kuszące. Miałem wrażenie, że mieszkańcy przedmieść kiedyś uroczyście przysięgli, że jeśli Uniwersytecki Szpital Karolinska zostanie postawiony w Solnie, będą siedzieli cicho jak mysz pod miotłą. Kompleks szpitalny z naprzeciwka przypominał budowlę z klocków Lego. Byłem w stanie sobie wyobrazić, że jego wnętrza zostały urządzone jak salon wystawowy Ikei.

Z Nedimem z Kulu wyściskaliśmy się przed głównym wejściem. Gdy powiedział: „Twój przyjazd przyniósł nam szczęście. Do ekipy dołączył najlepszy chirurg", zrozumiałem, że Nomo interweniowało w tej sprawie. W zespole chirurgicznym była Halime – pielęgniarka również pochodząca z Kulu. Ta krzepka dziewczyna widziała we mnie niemającego pojęcia o powadze sytuacji chłopaka Mistral. Z wyjaśnień, jakich udzieliła mi w języku będącym mieszanką tureckiego i szwedzkiego, wynikało, że pacjentka zostanie poddana dwuipółgodzinnej operacji macicy.

– Nawet jeśli operacja przebiegnie pomyślnie i pacjentka wyjdzie z niej cało, nigdy nie będzie mieć dzieci – wyszeptała, patrząc na mnie ze współczuciem, by po chwili obarczyć mnie misją uwolnienia mającej za dziesięć minut jechać na blok operacyjny Mistral od jej ojca.

Uchyliłem drzwi do sali numer pięćset dwadzieścia siedem na szerokość kilkunastu centymetrów. Leżąca w łóżku i wpatrująca się w jeden punkt na suficie Mistral wyglądała na bardzo osłabioną. Ojciec siedział przy niej i płakał. Nie musiałem długo się zastanawiać, czy zakłócić tę scenę. Przypomniałem sobie, jaką pasją Costasa Sapuntzoglu było wędkowanie, i wyszeptałem dwa wersy *Destanu stambulskiego:*

Słowo „Stambuł" na myśl mi przywodzi
olbrzymie sieci zastawione w morzu.

Kiedy mnie spostrzegł, przestał płakać, a jego usta zaczęły drżeć. Stanąłem przed nim i kontynuowałem:

Niektóre na Beykoz rozpięte
Jak rdzawa sieć pajęcza
Niektóre w Fenerbahçe

Unoszą fale miękko
Czterdzieści tuńczyków w sieci
Jak młyńskie koła się kręci
Tuńczyk sułtanem jest wśród ryb
Gdy pocisk oko jego przebije
Dno morskie drzew dywanem się kryje
Krwią zajdą sieci oczy, zmąci się tafli zieleń
Za jednym zamachem czterdzieści tuńczyków
Kapitan zaniemówił z tej radości wielkiej
Wtem mewa przysiadła na jednym z palików
Makrelę łyka w locie
Nie czeka na kolejną, do nieba się wznosi
Rybak uśmiecha się ciepło
Mówi, tę mewę zwą Marika
Niezmiennie tak przylatuje i od razu znika.

Gdy umilkłem, objął mnie za szyję i zapytał po turecku:
– Skąd się tutaj wziąłeś, Turku z Galaty?
– Nie zakończyłem tu wszystkich swoich spraw, tato Costasie.
Po spotkaniu z tobą poznałem na uczelni twoją córkę i można powiedzieć, że się zaprzyjaźniliśmy. Wspomniała, że będzie operowana. Wpadłem sprawdzić, czy może się na coś przydam.

Chwyciłem go pod ramię i przekazałem czekającemu przed drzwiami Nedimowi, po czym osunąłem się na stojące przy łóżku Mistral krzesło. Ponieważ nie znalazłem chusteczki, dłonią wytarłem pot, który zebrał się na moim czole. Mistral nie była w stanie mówić, lecz zauważyłem, że nieco szybciej mruga powiekami.

– Doktor Sapuntzoglu – zacząłem – będzie pani operowana przez najlepszych chirurgów w kraju. Jeśli nie zauważyłaś, leżysz w sali numer pięćset dwadzieścia siedem; to rok, w którym cesarski tron objął Justynian Pierwszy Wielki. Do czasu, aż wyzdrowiejesz, nie ruszę się spod tych drzwi i nie zostawię twojego ojca bez opieki. Ponieważ później mogę nie mieć okazji, powiem to teraz: wybacz mi, że w tak nieodpowiednim momencie wysłałem tę nieodpowiednią wiadomość.

Próbując się uśmiechnąć, delikatnie uniosła prawą dłoń i zamknęła oczy. Jej twarz była piękna niczym popiersie bogini. Nie mogłem się powstrzymać. Opuszkami palców musnąłem jej lewy policzek. Poczułem, jak trudno będzie mi usunąć ją z mojego życia. Kiedy wieziono ją na noszach do windy, tata Costas zasłabł. Po koniecznej interwencji medycznej lekarz kazał nam wyprowadzić go poza teren szpitala. Zanim w towarzystwie Nedima wysłałem go do domu jego córki, obiecałem, że zostanę w Sztokholmie do momentu, aż Mistral poczuje się lepiej.

Operacja trwała trzy godziny, tata Costas dzwonił do mnie co godzinę. Chirurdzy wycięli Mistral jajniki i nie widzieli konieczności dalszej interwencji. Kiedy odwozili ją z powrotem do pokoju, powiedzieli, że pacjentka wróci do siebie w ciągu dwudziestu czterech godzin. Poprosiłem Nedima, aby wyjaśnił to tacie Costasowi w trakcie drogi do szpitala. Gdy wysiedli z windy, uścisnęliśmy się w biegu.

– Costasie z Edremitu, mam dla ciebie dobrą i trochę złą wiadomość – powiedziałem do niego po turecku, na co on odparł po angielsku:

– Tylko mi nie mów, Turku z Galaty, że moja córka przeżyła, lecz będzie kaleką do końca życia!

– Twoja córka przeżyła, ale nie będzie mogła mieć dzieci. Jeśli chcesz, uznaj mnie za swojego wnuka, a z radością będę się do ciebie zwracał „dziadku Costasie".

Na te słowa Costas westchnął, a gdy powiedział: „Chciałbym mieć takiego zięcia jak ty", uścisnąłem go po raz kolejny.

– Twoja córka zasługuje na mężczyznę lepszego niż ja, ale nie stoi to na przeszkodzie, żebyś lubił mnie bardziej od swojego zięcia – dodałem.

Ponownie odesłałem Costasa Sapuntzoglu do domu. Było wczesne popołudnie. Siedziałem na korytarzu i właśnie zacząłem czytać zbiorek poezji Henrika Nordbrandta, gdy w pokoju Mistral nastąpiło poruszenie. Podbiegła do mnie Halime i krzyknęła:

– Wystąpiły komplikacje, jaką masz grupę krwi?

Nasze grupy się zgadzały, kiedy jednak moja krew nie wystarczyła, wezwaliśmy Nedima.

– No tak! Przecież cały regiment Turków ma tę samą grupę krwi – rzuciła ze złością Halime.

Dwa dni spędziłem, dyżurując pod drzwiami Mistral. Gdy poczuła się lepiej, cieszyłem się niczym ogrodnik, który widzi, jak kiełkuje rzucone przez niego ziarno. Przywykłem do szpitalnego systemu. Czytałem w spokojnej atmosferze, z respektem pozdrawiałem spotykanych na korytarzu pacjentów i ich bliskich. Trzeciego dnia rano Halime przykucnęła przy mnie.

– Byłam dla ciebie niesprawiedliwa.

– O czym mówisz, Halime?

– Myślałam, że kiedy dowiesz się, że twoja dziewczyna nie będzie mogła mieć dzieci, zostawisz ją i się ulotnisz. Jedną z ułomności tureckich mężczyzn jest to, że traktują kobiety jak wylęgarki. Ale widzę, że cenisz swoją ukochaną i że gdyby zaistniała taka potrzeba, oddałbyś jej nawet swoje organy. Jeśli uważacie, że dzieci dopełniają małżeństwo, możecie skorzystać z adopcji. To piękny gest, poza tym adoptowane dzieci są serdeczniejsze.

Nie miałem odwagi opowiedzieć Halime, jak było naprawdę. Być może obawiałem się, że mnie skarci. Lekarz dyżurny obwieścił nam, że pacjentka za dwie godziny będzie w stanie zobaczyć się z bliskimi. Zadzwoniłem do Costasa, chociaż bałem się, że biegnąc tu w te pędy, znowu zasłabnie. Odciągnąłem Nedima na stronę.

– Posłuchaj, nie chcę, żeby Mistral, gdy już dojdzie do siebie, zobaczyła mnie przy swoim boku. Może jej się wydawać, że czegoś od niej oczekuję, albo nadweręży się, chcąc mi się odwdzięczyć.

– Cóż mam powiedzieć, synu? Jesteś szlachetnym człowiekiem i zawsze do każdego tematu podchodzisz świadomy wielości jego aspektów. Niech Bóg ci sprzyja. Mam nadzieję, że kiedyś zostaniesz prezydentem naszego kraju.

Uścisnęliśmy się po raz ostatni. Do kieszeni jego kurtki wsunąłem plik banknotów o wartości równej czterokrotności jego dniówki. Obiecując, że wrócę, gdy tylko trochę odpocznę, poprosiłem Costasa o zgodę na oddalenie się. Uregulowałem dodatkowe koszty związane z pobytem w szpitalu, w pierwszej napotkanej kwiaciarni kupiłem dla Mistral i Halime po bukiecie kwiatów, które kazałem przesłać na oddział, i wróciłem do hotelu.

Zdaniem pochodzącego z Serbii taksówkarza, który nazajutrz rano odwoził mnie na lotnisko, idealną porą na wizytę w Sztokholmie jest lipiec. Mieszkańcy stolicy udają się wtedy do ciepłych krajów, a ulice pozostawiają obywatelom świata. Zaniechałem skwitowania jego słów żartem, że: „Poza Nagrodą Nobla za niepowodzenia w zdobywaniu kobiety swojego życia nic nie sprawi, że wrócę do tego miasta". Najpierw pomyślałem, że słaby angielski kierowcy nie pozwoli mu na zrozumienie mojego dowcipu. Po chwili zauważyłem, że jego błyszczące od żelu włosy czynią go podobnym do Aleksandra Wielkiego. Moja nieszczęsna babcia ze strony ojca, o której nie wiedziałem, czy żyje, również była Serbką. Ja jednak nie powinienem wyruszać w maraton po gałęziach naszego drzewa genealogicznego. Moja przeszłość była przeklętym labiryntem próbującym połknąć swój ostatni zakręt.

Z Londynu poleciałem do São Paulo – miasta, które nosiło imię Pawła z Tarsu. Lotnisko o odrażającej nazwie Guarulhos było niczym mało wydajny ul. Wnętrze taksówki mającej odwieźć mnie do hotelu Intercontinental pachniało wanilią. Ciekaw byłem, co zapach ten miał zakamuflować. Poruszający się z kokieterią kierowca Sandro nie zapytał mnie, skąd pochodzę, czym bardzo mnie zaskoczył. Kiedy zauważył, że przyglądam się mijanym przez nas, przypominającym gnuśny jarmark ulicom, swoim kulawym angielskim przeszedł do prezentacji miasta:

– São Paulo zostało założone w szesnastym wieku... Jest najnowocześniejszym miastem w Brazylii... Liczba mieszkańców przekracza dwanaście milionów...

Później przez chwilę przyglądał się mojemu odbiciu we wstecznym lusterku, a gdy zaczął mówić o seksualnych zasobach miasta, jego angielszczyzna zdecydowanie się polepszyła:

– Drogi panie, czy chciałbyś spędzić noc z kobietą bardziej atrakcyjną niż te, które widuje się podczas karnawału w Rio?

– Jeśli mówią po angielsku, chciałbym poznać je obie, Sandro.

Dobrze zbudowane Mulatki, które wieczorem odwiedziły mnie w pokoju, raczej nie znały twórczości Machado de Assisa, jednego z wiodących w ich kraju poetów. Na szczęście kobieta z paznokciami pomalowanymi na żółto zapytała, skąd jestem.

– Pochodzę z tego samego kraju co święty, którego imię nosi wasze miasto.

– Czyli z raju? – zapytała druga dziewczyna żująca gumę, po czym wszyscy wybuchnęliśmy śmiechem.

Wziąłem udział w turnieju szachowym rozgrywanym w czterech grupach w hotelu Intercontinental. Pokonawszy sześciu rywali, byłem liderem w mojej grupie. Z trzema pozostałymi zwycięzcami, z przesiadką w Buenos Aires, polecieliśmy do Ushuaia. W tym spokojnym i najbardziej wysuniętym na południe mieście kuli ziemskiej spotkaliśmy się z liderami grup równoległego turnieju organizowanego w Limie. Pokonany w finale przez emerytowanego strażaka z Petersburga Vlada Godunova, zająłem drugie miejsce. Gdy w końcu rozgryzłem technikę jąkającego się Rosjanina, wiedziałem już, gdzie upchnąłem listę ojca.

Egzemplarz opatrzony autografem przetłumaczonej na turecki książki Garriego Kasparowa *Moi wielcy poprzednicy* znalazł dla mnie niegdyś Selçuk Altun. Kartkę z listą ojca schowałem między kartkami rozdziału poświęconego Capablance. Słowo „geniusz" zawsze kojarzyło mi się z José Raúlem Capablancą (1888–1942). Gry w szachy nauczył się w wieku pięciu lat i zmarł, przyglądając się partii szachów. Nie trenował intensywnie jak jego rywale, nie naśladował mistrzów. Zamiast prowadzić psychologiczny pojedynek z rywalem, skupiał się na ruchu. Jego taktyczne improwizacje wzbudzały lęk. Styl Capablanki porównywałem do idealnego, przejrzystego wiersza. Kolejne kroki w labiryncie Bizancjum stawiać miałem, rzekomo biorąc z niego przykład.

W Ameryce Południowej zabawiłem do początku maja. Dość dwuznaczne było, że nie dostałem od Mistral nawet wiadomości z podziękowaniami. Czy Wendy Sade nie skwitowałaby tego zdaniem: „Milczy dla dobra sprawy"? Gdyby o wszystkim usłyszała moja babcia, powiedziałaby: „Parszywa Greczynka!".

RHO

Kartkę papieru, którą dziewięć miesięcy temu, uznawszy ją za przejaw dziwactwa dziadka, wcisnąłem między strony książki o historii szachów, teraz rozłożyłem przed sobą z myślą, że to jedno z dziwactw mojego ojca.

Podczas gdy wewnątrz czterech z pięciu trójkątów w nakreślonej przy linijce gwieździe znajdowały się szyfry zbudowane z liter i cyfr, ostatni wypełniało zdanie po arabsku. Dwa z szyfrów rozwiązałem metodami przemieszczenia i zastąpienia, pozostałe dwa – kompilując obie te metody. Żeby odczytać napisane po arabsku zdanie, musiałem zobaczyć jego lustrzane odbicie. W ciągu trzech godzin pojawiło się przede mną pięć zdań. Życzeniem ojca było najwyraźniej, żeby lista trafiła w ręce jego radzącego sobie z łamigłówkami syna i na coś się przydała. Chcąc tym razem rozszyfrować znaczenie poszczególnych zdań, ułożyłem je jedno pod drugim:

1. Y.A.: Miałem wrażenie, że ten naiwny człowiek, który wręcz błagał, żebym poślubił jego córkę, w jakiejś tajemniczej kwestii oczekiwał ode mnie wybawienia.

2. A.A.: Okazało się, że zamiast z arystokratką ze Wschodu ożeniłem się z wiedźmą.

3. Mój syn: Dużo wycierpiałem z powodu ojca. Powierzam go E.G., żeby on wycierpiał mniej z mojego powodu.
4. Wszystko zaczęło się, kiedy imiona wzbudziły moje wątpliwości.
5. Musiałem uzyskać zadośćuczynienie.

Mój dziadek, którego Nomo nie postrzegało jako wybrańca, nie cieszył się także szacunkiem swojej żony i córki. Mieszkańcy Galaty serdecznie jednak wspominali Yahyę Asila, który doprowadzał do ruiny finansowej każdy interes, jakiego się imał. Moim zdaniem, wydając córkę za porządnego mężczyznę, chciał przysposobić dobrze rokującego dziedzica do tronu na uchodźstwie. Jego amerykański lokator wydawał się idealnym kandydatem. Do chwili, w której pozbyłem się wątpliwości, czy i za tym działaniem nie stało Nomo, dopuszczałem myśl, że moi rodzice uciekli się do metody in vitro. Wiedziałem, że jeśli nie osiągnę statusu wybrańca i nie dowiem się wszystkiego, zginę w mroku.

Nie zaskoczył mnie fakt, że ojciec przyjaźnił się z Eugeniem Geniale. Mogłem więc wysłuchać jego historii o Paulu Hacketcie i jako osobę trzecią poprosić go o naświetlenie mi relacji matki i ojca.

Gdy dowiedziałem się, że jestem Konstantynem XV, odkryłem, że imiona babci i dziadka były zaaranżowanymi na tureckie brzmienie imionami Ioannes (Jan) i Sophia. Jeśli mojemu ojcu bez żadnej wskazówki udało się rozwikłać zagadkę tych imion, ja powinienem domyślić się, do czego miało to doprowadzić.

W zdaniu „Musiałem uzyskać zadośćuczynienie” bardziej niż mocne postanowienie pobrzmiewała chęć szybkiego znalezienia jakiejś wymówki. Gdyby moja matka wiedziała, że ojciec po tym, jak został wyrzucony z domu, odszedł, zabierając coś ze sobą, nieustannie mówiłaby o tej kradzieży, robiąc z igły widły. Przypuszczam, że matka niczego się nie domyślała. Zrozumiałem, że ojcu zależało na tym, żebym w razie oskarżeń na jego temat spojrzał na sytuację również z jego perspektywy.

Kiedy z meczetu Bereketzâde Ali Efendi, będącego pierwszą świątynią wybudowaną po zdobyciu Konstantynopola, dobiegało wołanie na popołudniową modlitwę, wstałem od biurka i podszedłem do balkonu. Patrzyłem na rozciągający się przede mną wycinek miasta uchodzący za serce Konstantynopola. Czekałem, aż natchnienie przyjdzie mi z odsieczą. Zauważyłem mgielną zasłonę; w swych drganiach była niczym zwiastun kryjącej się za nią magii. Zniszczył ją chrypliwy krzyk stada mew. Wtedy moje myśli zaprzątnęły pseudonimy członków towarzyszącej mi ekipy.

SIGMA

Nie tylko wprosiłem się na kolację do Eugenia, lecz także narzuciłem mu menu. Kiedy zgryźliwie zapytał, czy życzę sobie jeszcze taniec brzucha na przystawkę, odparłem:

– Wolę taniec z wilkami.

Poprosiłem go, żeby opowiedział mi o ojcu i jego związku z mamą. Zdziwił się.

– Myślałem, że dzięki staraniom twojej rodziny już dawno się od ojca odżegnałeś – powiedział. – Twoją matkę znam od czasu studiów – podjął po chwili i fakt, że przyjął oficjalny ton, ucieszył mnie, bo świadczyło to o próbie zachowania bezstronności. – Stroiła się i wywyższała, trzymała się z dziewczynami z zamożnej mniejszości dzielnicy. Nazywano ją Księżniczką. W przeciwieństwie do swojego ojca w życiu zawodowym była ambitna, zacięta i bardzo skuteczna. Pewnie dlatego pan Yahya rozpuszczał córkę. Kiedy zapytałem ją, dlaczego nie zostanie deputowaną z ramienia partii prawicowej, odpowiedziała: „Bo nie zagwarantują mi teki ministra".

Trzydzieści lat temu kamienica Doğan była popularna wśród przyjeżdżających do Stambułu cudzoziemców, miłośników bohemy. Gdy mieszkający ze mną po sąsiedzku angielski dziennikarz w pośpiechu musiał wracać do Londynu, twój ojciec wprowadził się do jego mieszkania. Był sympatyczny i posługiwał się tureckim w takim stopniu, by samemu radzić sobie w mieście. Mieszkańcy dzielnicy mieli go za tajnego agenta. Tolerowali jednak Paula pod pretekstem, że walczy przeciw ich wspólnemu wrogowi. Był inteligentnym, tajemniczym podróżnikiem. Z twoim dziadkiem poznali się podczas turnieju tryktraka. Od tego czasu przy każdej sposobności siadali do gry i palili fajkę wodną. Kiedy w kamienicy twojego dziadka zwolniło się mieszkanie z widokiem na morze, Paul przeprowadził się do Ispilandit, płacąc symboliczny czynsz. Zdziwiłem się, gdy usłyszałem, że zaczął flirtować z twoją matką, ale ponieważ nie pytał mnie o zdanie, milczałem. Postanowili się pobrać, wiedziałem jednak, że to małżeństwo nie przetrwa długo. Twój ojciec był już znużony pracą. Chciał skończyć doktorat i wykładać stosunki międzynarodowe na jednej ze stambulskich uczelni. Jako zięć Yahyi Asila nie miałby problemów finansowych i nie musiałby rezygnować z miasta, które darzył sympatią.

Zaraz po miesiącu miodowym Księżniczka Akile zdjęła karnawałową maskę. Zaczęła wywierać na męża presję. Po pół roku małżeństwa twój ojciec uciekł z domu, schronił się u mnie i podjął decyzję o rozwodzie. Po interwencji twojego dziadka młodzi rzekomo się pogodzili, ale mleko już się rozlało. Żyli pod jednym dachem jak dwoje obcych ludzi. Po twoich narodzinach matka próbowała obarczyć opieką nad tobą jedną ze służących. Wtedy twój ojciec przejął pałeczkę. Zaniedbując obowiązki zawodowe, był dla ciebie matką i ojcem jednocześnie. Po śmierci Yahyi związek Paula i Akile się rozpadł. Paul powiedział wtedy: „Kiedy żył jej ojciec, Akile traktowała mnie jak intendenta, teraz ma mnie za swojego sługę".

Twoja matka była kobietą płytką i zazdrosną. Choć byłem przyjacielem Paula, nie wiedziałem o jego romansie z sekretarką z Kanady. Gdy ktoś przysłał Księżniczce ich zdjęcie, doszło do wiadomego końca. Twój ojciec, zanim opuścił Stambuł, powierzył cię mojej opiece.

Kilkakrotnie próbował spotkać się z tobą, lecz goryle twojej matki mu to uniemożliwili. Raz w roku wysyłałem mu twoje zrobione potajemnie zdjęcie i dołączałem do niego krótkie sprawozdanie na twój temat. Na ile mogłem, dawałem ci do zrozumienia, że jestem gotów udzielić ci wszelkiej pomocy, jeśli tylko będziesz jej potrzebował. Dorastałeś pod troskliwymi skrzydłami babci. Byłeś inteligentny, poczucie kruchości spowodowane osieroceniem nie odcisnęło piętna na twojej osobowości.

Zawsze uważałem, że jesteś szczęściarzem, bo odziedziczyłeś pozytywne cechy swojego ojca, matki, dziadka i babci.

– Co dobrego mam po matce?

– Dzięki Bogu, nie jesteś chorobliwie ambitny jak ona, lecz umiesz konsekwentnie dążyć do obranego celu.

Do listy pytań, jakie chciałem zadać Nomo, kiedy już stanę przed jego obliczem, dopisałem jeszcze jedno: „Dlaczego wysłaliście mojej matce zdjęcie ojca z jego kochanką?".

TAU

— Halo? Gdzie jesteś?

— Byłem w towarzystwie Lady Jane, Miny, Yasemin, Priscilli Drugiej, Wiosny i dwóch tuzinów innych dam, których imiona teraz nie przychodzą mi do głowy, Hayal.

— Byłeś na wyścigach konnych?

— Gdybym od ludzi otrzymywał należną mi uwagę, nie chodziłbym na hipodrom.

— Mam nadzieję, że wygrałeś dostatecznie dużo, żeby kupić mi pierścionek Bulgari.

— Iskender Abi ledwo uratował spodnie, a mnie częściowo okradziono.

— Zdziwisz się, ale to prawda. Tu również zostałeś okradziony.

— Mogłabyś mówić jaśniej?

— Jakiś nieogarnięty złodziej wszedł do twojego mieszkania, zabrał kilka srebrnych ramek, jedwabny dywanik modlitewny i radio. Niestety nie skusił się na tego szpetnego ptaka Tristana.

— Gdyby Tristan zniknął, i tak podejrzewałbym tylko ciebie, zazdrosna gołąbeczko.

— Przyjeżdżaj szybko i zajmijmy się tym, synu parszywego Amerykanina.

Wsiadając do windy, modliłem się, żeby rzekome włamanie nie było jedynie przykrywką dla innego tajemniczego przedsięwzięcia. Otworzyłem drzwi, a wtedy Hayal wybiegła z mieszkania, krzycząc: „Zapomniałam okularów!". Kiedy wszedłem do salonu, pomyślałem, że moje serce stanie. Na fotelu najbliżej balkonu siedziała Mistral. Podniosła się.

– Ani kroku dalej, rycerzu! – powiedziała. – Po paru zdaniach wyjaśnienia wyrecytuję ci dziewięciowersowy wiersz. Po twojej ucieczce ze Sztokholmu czekałam, aż wrócisz do Stambułu. Ponieważ miałam ci do przekazania coś więcej niż tylko podziękowania. Gdy Hayal poinformowała mnie o twoim powrocie, napisałam wiersz. Po angielsku. Mam nadzieję, że słuchając go, nie nabierzesz znowu ochoty na ucieczkę do Patagonii:

Słowo „Stambuł" na myśl mi przywodzi
Kogoś tajemniczego bardziej niż Bizancjum
Dumniejszego od synów Osmana
Przyjaznego jak Anatolia
Mądrego i wrażliwego
Zabawnego i nieśmiałego
Jak zimorodek atrakcyjnego
Słowo „Stambuł" na myśl mi przywodzi
Halâsa mego kochanego.

Stałem nieruchomo niczym kocię oświetlone reflektorami samochodu. Pomyślałem o Wendy Sade, której słowa sprawdzały się co do joty.

– Rycerzu, mam wyrecytować wiersz od początku, czy wyjaśnić tylko te wersy, których nie zrozumiałeś?

– Jestem zajęty liczeniem w myślach do dziesięciu, Mistral. Jeśli w tym czasie nie usłyszę wersu, z którego wynikać będzie, że sobie ze mnie żartujesz, wezmę cię w ramiona i nigdy już z nich nie wypuszczę.

MOJE IMIĘ HALÂS to po arabsku „wybawienie". Czytane wspak, czyli Salâh, w tym samym języku oznacza „pokój, wygodę lub przywiązanie do religii". Ta dwoistość podoba mi się ze względu na jej zbieżność z duszą Bizancjum i jego symboliką wyrażoną przez dwugłowego orła. Najważniejsze, żeby babcia nie dowiedziała się, że Grecy słowem „Hellas" określają swój kraj.

IPSYLON

MISTRAL RÓWNIEŻ BYŁA przekonana, że zrobiłem sobie roczną
przerwę na uczelni. Po tym, jak w lipcu zakończę współpracę z nieznaną nikomu spółką inwestycyjną, do jesieni mieliśmy być razem.
Ona wróciła do Sztokholmu, ja tymczasem zamknąłem się w swoim
pokoju. Możliwość, której wagę umniejszałem, mówiąc, że to tylko
przesadna hipoteza, zaczęła mnie nużyć. To, że znaleziony przeze
mnie bez trudu ostatni kwadracik został umieszczony w dłoni zdrajcy Judasza, nie mogło być zbiegiem okoliczności, lecz Nomo nie po-
przestałoby na ostrzeżeniu: „Uważaj, zdrajca depcze ci po piętach".
Czy chcieli ogłosić, że jestem poddawany egzaminowi wewnątrz
egzaminu, czy też podkreślali istnienie sytuacji, nad którą nie mają
kontroli? Poza podejrzewaniem wszystkich wokół i panikowaniem
przy najmniejszym nawet hałasie istniał tylko jeden sposób, w jaki
mogłem zapewnić sobie bezpieczeństwo. Musiałem przeprowadzić
dochodzenie na temat trzech mężczyzn, którzy choć nie znałem ich
prawdziwych imion ani nie mogłem pytać o ich przeszłość, odpo-
wiadali za moją ochronę. Być może miałem więcej szczęścia niż mój
ojciec, który napisał: „Wszystko zaczęło się, kiedy imiona wzbudziły
moje wątpliwości". Nagroda za wychwycenie jakiejkolwiek wskazówki z któregoś z pseudonimów mogła mną wstrząsnąć.

Zdziwiłem się, gdy wyszukiwarka internetowa pokazała niezliczoną ilość wyników dla haseł „Pappas" i „Kalligas", ale nie znalazła nawet jednego Askarisa. (Nie byłem w nastroju, żeby śmiać się z informacji, że *Ascaris* to medyczne określenie pasożyta). Chcąc dowiedzieć się, czy może być to forma tureckiego słowa *asker* – „żołnierz", które zniekształcone do postaci *askergil* weszło do języka greckiego, zadzwoniłem do poligloty antykwariusza Püzanta.

– Gdyby chodziło o ormiański, przyznałbym ci rację, ale po grecku nie – odpowiedział, a w moim mózgu doszło do zwarcia elektrycznego.

Krążyłem po pokoju, wypiłem dwie podwójne whisky słodowe. Zarezerwowałem bilet na pierwszy samolot do Londynu następnego dnia. Musiałem odnaleźć Askarisa, który kiedyś uratował mi życie i którego adresu nie znałem.

Podczas mojego poprzedniego pobytu w Anglii Askaris kilkakrotnie wspomniał o Winchesterze. Fakt, że mógł mieszkać w tym liczącym czterdzieści tysięcy mieszkańców i położonym na południowy wschód od Londynu mieście, które było stolicą dwóch królestw, nie wydał mi się dziwny. Miałem też wystarczająco przekonujący kamuflaż, na wypadek gdybym w oddalonym od metropolii o godzinę jazdy pociągiem Winchesterze natknął się na Askarisa. Podczas studiów doktoranckich odwiedziłem znajdującą się tu najdłuższą w Europie katedrę, lecz wtedy nie wywarła ona na mnie wrażenia. Tym razem, kiedy spacerowałem po ulicach aż tętniących od rodzimych turystów, wielkość budynków przyciągnęła moją uwagę. Dzięki temu, że przy stawianiu nowych obiektów odnoszono się z respektem do zabytkowych budowli, Winchester przemienił się w miasto makietę. Poczułem się jak Guliwer, który ocknął się w Krainie Liliputów. Znużony masą turystów, schroniłem się w katedrze. Informację, że w świątyni znajduje się grób pisarki Jane Austen, przyjąłem bez większych emocji. Nie byłem przekonany co do metod badawczych, jakie mogę zastosować, a to wprowadziło mnie w stan dezorientacji. Kierowany niepokojem, że słowa: „Witaj, młody człowieku!"

mogą być skierowane do mnie, odwróciłem się. W oczach sędziwego duchownego z wyhaftowanym na piersi napisem *Visitors Chaplain*, czyli „kapelan zwiedzających", musiałem być najbardziej ponurym gościem katedry. Nie mogłem powstrzymać się przed myślą, że w konsekwencji jakiegoś popełnionego przezeń błędu przydzielono mu tę funkcję. Kiedy usłyszał, że pochodzę ze Stambułu, obwieścił radośnie, że jego szwagier pracował podczas budowy mostu Bosforskiego. Pod koniec geograficznej pogawędki z rozmownym kapelanem zapytałem go, jak mogę odnaleźć starego znajomego, którego nazwiska nie pamiętam, ale mam jego zdjęcie, i który prawdopodobnie mieszka w Winchesterze. Duchowny lekko potrząsnął moim ramieniem.

– Twoją jedyną szansą jest nasz odwieczny kelner z przykatedralnej kawiarni. Nazywa się Alan Paxton – odparł, po czym odszedł w stronę kłócącej się przed nami pary otyłych małżonków.

Ciężki zapach mięsa wydobywający się z kawiarni wypełniał również sąsiadujący z nią sklep z pamiątkami. Właśnie rozpoczęła się pora lunchu, i miałem wrażenie, że pierwsi goście wybrali te same dietetyczne dania. Pomyślałem, że serwowane tu ziemniaki są zapewne niedogotowane, by ich kolor dobrze współgrał z mięsem. Sterczący niczym struś Alan odpowiedzialny był za puste tace i szklanki. Jak żywy peryskop przyglądał się stolikom i z zapałem ruszał w ich stronę, gdy tylko siedzący przy nich ludzie wstawali. Obserwując ten przypominający plan zdjęciowy do filmu Felliniego lokal, od razu poczułem się lepiej. Poczekałem na odpowiedni moment i podetknąłem pod nos Alana mój telefon komórkowy ze zdjęciem Askarisa.

– Od siedemdziesięciu czterech lat w świętym Winchesterze nie żył tak szpetny mężczyzna – powiedział po uwerturze w postaci słabego gwiździęcia, po czym odwrócił się tanecznym krokiem, co także było bardzo felliniowskie.

Oznaczało to, że posługujący się doskonałą burżuazyjną angielszczyzną i – co zwróciło moją uwagę – swobodnie przemieszczający się po stolicy Askaris ukrywał się w Londynie. Kiedy byłem już w hotelu, zadzwoniłem na numer jego prywatnej komórki. Zanim jednak zaprosiłem go do swojej pizzerii na Knightsbrigde, wyjaśniłem mu, że przyleciałem na urodzinowe przyjęcie niespodziankę mojego znajomego ze studiów doktoranckich. Wiedziałem, że będzie zaniepokojony, gdy usłyszy: „Muszę ci o czymś opowiedzieć". Askaris biegiem wpadł do Il Pomodoro. Wiedziałem też, że uspokoi się, kiedy powiem mu, że informacja, którą chcę się z nim podzielić, dotyczy mojego związku z Mistral. Korzystając z jego chwilowego rozprężenia, zapytałem:

– Na którą z wysp greckich poleciłbyś mi zabrać moją ukochaną w dniu jej urodzin?

– Na Rodos – odparł bez namysłu i chociaż szybko wymamrotał jeszcze nazwy Santorini, Mýkonos i Paros, były to już próżne starania.

Kiedy podczas naszego pobytu w Atenach siedzieliśmy z Askarisem w barze i ten, przyznawszy się, że spędził nieszczęśliwe dzieciństwo na jednej z greckich wysp Morza Egejskiego, w panice przepraszał mnie za tę informację, nie miałem wątpliwości, że coś się za tym kryje. Czyli tym rzekomym rajem na ziemi był Rodos. Nadszedł czas, aby udać się tam i odkryć prawdziwe personalia Nikosa Askarisa. Nie zamierzałem nawet się zastanawiać, dokąd zaprowadzi mnie kolejny krok. Jedyną moją nadzieją była myśl, że być może to wszystko mi się śni.

O dwudziestej pierwszej jednoosobowa orkiestra Il Pomodoro szykowała się do wejścia na scenę. Pamiętałem o tym, żeby płacąc rachunek, uspokoić nieco Askarisa.

– Spośród miejsc, które wymieniłeś, powinienem wybrać Paros – powiedziałem. – Przypomniałem sobie, że to ulubiona wyspa pochodzącego z Izmiru poety Seferisa.

Z Marmaris na Rodos popłynąłem sfatygowanym greckim promem. Pasażerowie ogarnięci byli znużeniem, jakie towarzyszy powrotowi z pikniku. Kiedy z powodu dobiegającego mnie głośnego chrapania jednego z pasażerów musiałem oderwać się od poezji Vladimíra Holana, zacząłem przypatrywać się siedzącej naprzeciwko mnie rodzinie. Na widok sędziwej kobiety, która mimo lipcowego upału miała chustkę na głowie i ubrana była w długi płaszcz, zaczął swędzieć mnie kark. Trudno mi było uwierzyć, że ze swym prostackim synem, rozbawioną synową i pięcioletnim wnukiem płynie na wyspę, żeby spędzić tam wakacje. Jej wnuk wybuchał śmiechem za każdym razem, gdy spiętrzone fale kołysały promem, a jego babcia szeptała słowa wyznania wiary. Chłopiec o wdzięcznym imieniu Candancan w ciągu dwóch godzin śmiał się więcej niż ja w trakcie całego swojego trzydziestoczteroletniego życia. Jego matka, która żuła gumę w sposób, jaki Iskender Abi określiłby mianem „rowerowej przejażdżki clitoris", dłonią wskazała mnie swojemu niesfornemu synowi i burknęła:

– Ten pan jest rzezakiem, ale jakby co, na mnie nie licz!

Chłopiec z włosami postawionymi na jeża powoli się do mnie przybliżył.

– Jesteś rzezakiem?

– Jestem i rzezakiem, i królem!

– A znasz Króla Lwa?

– Król Lew na mój widok daje nogę.

– A masz rumaka galopującego po morzu?

– Mam błękitnego rumaka, który galopuje po morzu i robi fikołki, szybując w przestworzach. Czeka na mnie na przystani. Jeśli będziesz grzeczny, pozwolę ci go dosiąść.

Candancan nie ruszył się z miejsca do końca podróży, przez co jego rodzina spoglądała na mnie podejrzliwie, co było nawet zabawne. Kiedy dopłynęliśmy do Rodos, mały spał na kolanach swojej babci. Nie czekając, aż się obudzi, zszedłem z pokładu. Podniosłem wzrok i moim oczom ukazał się panoramiczny obraz wyspy. Przyjęte z góry założenie, że szybko się z nią oswoję, teraz wzbudziło we mnie lęk.

W powietrzu unosił się delikatny zapach moreli, a mnie wydawało się, że jakaś przebiegła ośmiornica chwyciła mnie jedną ze swych macek i powoli przyciąga ku sobie. Kamienny motel na Starym Mieście wybrałem ze względu na jego nazwę – Splendid. Rosnące w ogrodzie monumentalne drzewo karobowe skojarzyło mi się z posągiem wznoszącego ku niebu ramiona wirującego derwisza. Nabrałem ochoty, by poczytać pod nim Ritsosa. Czułem, że jeżeli zaraz po zakwaterowaniu się w motelu nie ruszę na obchód miasta, nie będę w stanie przygotować planu działania. Było przyjemne, ciepłe popołudnie i zdaniem recepcjonisty przekonanego, że po angielsku mówi z akcentem londyńskiej burżuazji, powinienem nacieszyć się Starym Miastem, dopóki hałaśliwe tabuny turystów wylegują się jeszcze na plaży.

Na mapie Rodos kojarzył mi się z ogromnym liściem położonym na tafli wody. Kiedy ta zielona bryła zetknęła się z morzem, powstała na niej warstwa jasnożółtej ziemi. Jeśli twierdza wieńcząca wzgórze była pasterzem, a magazyny w porcie pasterskimi psami, to ściśle poupychane między nimi budynki przypominały stado owiec i jagniąt. Mieszkańcy miasta byli kapryśni niczym roślina rosnąca jedynie na tej wyspie i obojętni, jakby zmęczeni czekaniem na nienadchodzącą wiadomość. Ich fizjonomia wydawała się w równym stopniu grecka, co turecka, a ich postawa była dystyngowana. Błądziłem po wąskich uliczkach wolnych od sklepików z pamiątkami. Kiedy turyści zaczęli schodzić się na starówkę na wieczorny chillout, kontynuowałem wędrówkę, chodząc ulicami połączonymi ze sobą tunelami czasu. Mieszkańcy miasta znikali, odjeżdżając po pracy swoimi samochodami, jakby ścigali się na śmierć i życie. Wszystkie zegary, zarówno wewnątrz, jak i na zewnątrz budynków, wskazywały złą godzinę. Gdyby powiedziano mi, że po zakończeniu drugiej wojny światowej zapomniano znieść tu nakaz zaciemniania miasta, uwierzyłbym.

Tawerny i kawiarnie znajdujące się poza turystycznym szlakiem oblegali miejscowi. W każdym barze, do którego wstąpiłem, widziałem ikony. W napisach na szyldach i tablicach zastosowano podejście tureckie. W wyniku dosłownego tłumaczenia każdego wyrazu powstały tragikomiczne faksymilia. Właściciel restauracji, którą mi polecono, miał na imię Theo, pochodził z Izmiru i twierdził, że po sposobie, w jaki usiadłem na krześle, poznał, że jestem Turkiem. Kelner Albańczyk nie uwierzył, gdy powiedziałem, że czytałem powieść jego narodowego pisarza Ismaila Kadarego. Kiedy Theo zapytał mnie, co mam zamiar robić na wyspie w pojedynkę, zbyłem go, mówiąc, że przyjechałem tu służbowo i korzystając z okazji, chcę zwiedzić okolicę. Mistral zaś myślała, że mam na Rodos spotkanie z arabskim biznesmenem.

Śniadanie zjadłem wcześnie. Ruszyłem w górę ulicy Ekâbir Sokratous, aż znalazłem się w tureckiej części wyspy. Czytałem, że żyje tu tysiąc pięciuset Turków i pozostało mniej więcej trzydzieści meczetów. Podążałem opustoszałymi uliczkami wyłożonymi kamieniami, które wyrzucane na brzeg zostały wystylizowane przez morze i wiatr. Niskie domy, które farby nie widziały od dnia, w którym zostały postawione, i w których nigdy nie wymieniono zamków, przypominały mi walczące o przetrwanie górskie wioski w regionie Morza Egejskiego. Przez uchylone firany spoglądałem do środka domów; były surowe niczym koczownicza jurta. Nadstawiałem uszu i wsłuchiwałem się w szeptane dialogi; brzmiały jak książkowy turecki sprzed czterdziestu lat. Nawet w zabawie dzieci na ulicy widać było melancholię. Na chwilę ogarnęło mnie poczucie winy.

Czyżbym znalazł się pośrodku wystawy plenerowej zatytułowanej *Urok ruin i wycieńczenia*? Pomyślałem, że rolą tych obtłuczonych, zniszczonych, zardzewiałych, przewróconych, podziurawionych, popękanych lub połamanych obiektów było skłonienie wędrowca do przeprowadzenia rachunku sumienia. Czy czas najbardziej sponiewierał niewykończone mury? Byłem przekonany, że oplatające je ramię bluszczu podciąga mury w górę, by zapobiec ich zawaleniu.

Próbowałem przypomnieć sobie, kto był cesarzem na uchodźstwie, kiedy w 1530 roku meczet Ibrahima Paszy został oddany na użytek wiernych. W jego projekcie pod uwagę wzięto przede wszystkim wymiary znajdujących się na wyspie kościołów. W tej przyjaznej niczym osiedlowy meczet świątyni siedział staruszek o świetlistej twarzy. Być może nie wstał po porannej modlitwie i postanowił zaczekać na południową. Pozdrowiłem go i natychmiast wyszedłem z meczetu targany dylematem, że jeśli zwierzę mu się w trzech zdaniach, polubię go, a gdy potem wysłucham historii jego życia, wzbudzi ona we mnie smutek.

W otwartej w 1793 roku bibliotece Hafiza Ahmeta Agi, który wspiął się do rangi oficera świty Selima III, znajduje się ponoć blisko tysiąc ksiąg spisanych ręcznie. Eksponowana w prymitywnych warunkach kolekcja Agi i jego syna poddana została bezlitosnej próbie czasu. Przypomniałem sobie, że dwa rzekomo skradzione stąd egzemplarze napisanego ręcznie Koranu zostały sprzedane na aukcji w Londynie. Wraz ze skromnym dziedzińcem i oficyną budynek biblioteki przypominał rezydencję paszy skazanego na zesłanie. Staruszka o aksamitnej twarzy siedząca w zacienionym miejscu na szerokiej poduszce mogła mieć sto lat. Byłem pewny, że jej rodzina od czterech pokoleń para się tu dozorcostwem. Nagle dziedziniec wypełniło solo grane na neyu*. Gdyby w dziesiątej minucie melodia nie zaczęła stawać się monotonna, zostałbym dłużej. Schodziłem ku labiryntowi ulic, a po mej głowie krążyła anegdota dotycząca skradzionych Koranów; poczułem swędzenie na karku.

Telefon od Theo nieco mnie uspokoił. Kiedy poprzedniego dnia po kolacji popijaliśmy kawę, poprosiłem go, aby znalazł dla mnie doświadczonego przewodnika z dobrą znajomością angielskiego. To jemu miałem zlecić tropienie Askarisa, a sam chciałem pozostać na

---

* Ney – popularny w muzyce bliskowschodniej tradycyjny flet wytwarzany z lasecznicy trzcinowatej; główny instrument muzyki sufickiej.

drugim planie. Mikis, z którym w porze lunchu spotkałem się w lokalu Theo, powiedział:

– Tak, wiem, że jak przeczyta się moje imię od tyłu, to po turecku wyjdzie fiut.

Ten na pierwszy rzut oka wyglądający na pięćdziesiąt lat, drobnej budowy mężczyzna o jękliwym głosie był emerytowanym nauczycielem języka angielskiego. Odznaczał się życzliwością i wylewnością. Gdy usłyszał, że czytałem poezje Odiseasa Elitisa, zapytał mnie, czy na pewno jestem Turkiem.

W pierwszej kolejności udaliśmy się z Mikisem na Mury Rycerzy, czego wymagała ode mnie konieczność zachowania wizerunku biznesmena, który pospiesznie pragnie zwiedzić wszystkie historyczne miejsca na wyspie. Kupa kamieni z czternastego wieku nie wzbudziła jednak mojego zainteresowania. We wzgórzu, za zdobycie którego podobno czterdzieści tysięcy wojowników armii osmańskiej miało zapłacić życiem, było coś sztucznego i naruszającego tkankę wyspy. Obiekty, które zwiedzaliśmy jako muzea archeologiczne i bizantyjskie, w rzeczywistości okazywały się galeriami sztuki. Naiwność stylu ikon przywożonych tu ze znajdujących się na wyspach Morza Egejskiego bizantyjskich kościołów zaczęła mnie drażnić. Północne wybrzeże wyspy, dokąd udaliśmy się małym samochodem Mikisa, okupowane było przez masywne hotele postawione tam z myślą o turystach należących do niższej klasy średniej. Były jeszcze bardziej odrażające niż ośrodki wakacyjne budowane w Turcji dla pracowników sektora publicznego.

Podczas kolacji, którą zjedliśmy w lokalu Theo, przeszliśmy z Mikisem na ty. Otwierając drugą butelkę wina i zachowując pozory, jakobym właśnie sobie o tym przypomniał, podsunąłem mojemu przewodnikowi pod nos telefon ze zdjęciem Askarisa.

– Poznałem go w zeszłym miesiącu w Kapadocji, kiedy oprowadzałem mojego gościa. Mówił, że pochodzi z Rodos, ale nie pamiętam jego imienia. Zaimponowała mi jego mądrość i tajemniczy sposób bycia. Znasz go?

Jeśli hipoteza, że Askaris pochodzi z Rodos, jest prawdziwa, Mikis musiał go znać. Byli mniej więcej w tym samym wieku, a Rodos był niewielkim, pięćdziesięciotysięcznym miastem. Kiedy prosiłem Theo o polecenie doświadczonego przewodnika, moim celem było zwiększenie swoich szans. Mikis wziął ode mnie telefon i oddając go po pięciu sekundach, odparł:

– Po raz ostatni widziałem go może dwadzieścia lat temu, ale to Kuzgun Yannis. W szkole podstawowej był cztery klasy wyżej ode mnie. Jego matka była Greczynką, a ojciec Turkiem. Ojciec alkoholik i Turcy z Rodos nazywali go Melik. W liceum opuścił wyspę i wrócił tu tylko raz, na pogrzeb swojej matki. Gdy wyjechał, mówiono, że jest profesorem albo szpiegiem. Jego ojciec był rybakiem i jeśli się nie mylę, zginął na morzu...

– Dałeś mi tak mało informacji, że moja ciekawość wzrosła jeszcze bardziej. Jeżeli uda ci się jutro umówić mnie na spotkanie z jakimś krewnym Yannisa, zasłużysz na najwyższy napiwek w swoim życiu.

SIEDZĄC W CIENIU DRZEWA karobowego, jadłem śniadanie złożone z soku grejpfrutowego, melona, białego sera i dwóch kromek chleba skropionego oliwą z czerwoną papryką. Byłem już znużony zaczepnością wiatru, który co chwila zawiewał krótkimi, urywanymi podmuchami. Gdy właśnie westchnąłem w duchu, że to odpowiedzialny za Morze Egejskie bóg grecki maluje obraz krótkimi pociągnięciami pędzla, pojawił się Mikis z uśmiechem na twarzy. Ojcowie Yannisa i Raciego Cemala żyjącego w oddalonej o piętnaście minut drogi wsi Koskinou byli kuzynami. Z emerytowanym wykładowcą umówił nas na siedemnastą. Mieliśmy odwiedzić go w drodze powrotnej z Lindos.

Lindos położone było na wschodnim wybrzeżu wyspy. Przypominało osaczoną niezliczoną ilością autokarów turystycznych osadę, w której piękno przyrody zostało zadeptane, a zabytki splądrowane. Kiedy do tego doszedł jeszcze pustynny skwar, nie zostaliśmy tam nawet do pory lunchu, tylko postanowiliśmy wracać, zatrzymując się w nabrzeżnych wioskach wielkości obozów wakacyjnych. Wieś Koskinou sprawiała wrażenie, jakby udała się na wieczną sjestę, a domy usytuowane na wzgórzu koloru zielonych migdałów wyglądały tak, jakby na czyjś rozkaz padły na ziemię. Na ulicach tak wąskich, że dwie osoby przechodziły nimi z trudem, nie widziałem ani jednego kota. Weszliśmy do ogrodu należącego do domu wieńczącego ślepą uliczkę. Długi, przypominający karawanę dom stał pośród niezbyt wysokich oliwkowych drzew. Raci Cemal wyglądał na siedemdziesiąt lat; jego długa biała broda nie pasowała do krępej budowy ciała, a wypłowiałe ubrania, które miał na sobie, nosił zapewne niezmiennie od dwudziestu lat. Pachnący mydłem dom był skromnie urządzony i zadbany. Zostaliśmy zaproszeni do gabinetu. Znajdująca się tam biblioteczka, którą oblegały wydawnictwa akademickie i dzieła klasyki, wzbudziła we mnie lęk. Pan Raci mieszkał z młodszą siostrą. Uporczywość w częstowaniu nas czymkolwiek oraz niekończące się pytania tej kobiety, której lekki garb był zapewne wynikiem małżeństwa krewniaczego, bardzo mnie wtedy zmęczyły.

Raci Cemal doktoryzował się z socjologii na Uniwersytecie Minnesoty i do czasu przejścia na emeryturę pracował jako wykładowca na prowincjonalnych uniwersytetach. Kiedy powiedział, że nigdy się nie ożenił, gdyż jego świętej pamięci matka powierzyła mu pod opiekę młodszą siostrę, nabrałem nadziei, że będzie skłonny opowiedzieć mi również o swoim kuzynie Yannisie. W ciągu najbliższych pięciu lat planował ukończyć książkę, którą zaczął pisać pięć lat temu, gdy przeszedł na emeryturę. Książkę pisał po angielsku, a jej tytuł brzmiał: *Nie wykreowałem bohatera, który został milionerem, aby móc napisać powieść, lecz piszę tę książkę, ponieważ dzięki wygranej w lotto jestem milionerem.* Mój komentarz, że sam tytuł już brzmi jak wiersz, zrobił na panu Racim wrażenie. Pani Rana przed wyjściem do sąsiadki podarowała mi białą chusteczkę, której koronkowe brzegi wyszydełkowała własnoręcznie, oraz obiecała, że na pewno do mnie zadzwoni, jeśli kiedyś przyjedzie do Stambułu. Gdy z gospodarzem domu zaczęliśmy rozmawiać po turecku, Mikis oddał się lekturze wziętej z biblioteczki książki z angielskimi aforyzmami. Sytuacja, w której mój przewodnik raz po raz wybuchał śmiechem, na co pan Raci reagował ponurą miną, wydała mi się zabawna. Wtedy też napomknąłem o Askarisie. Powiedziałem, że ten mężczyzna, którego poznałem w Kapadocji, zaimponował mi swoją osobowością i że zdawało mi się, iż pochodził z Rodos. Ponieważ często latam służbowo do Londynu, byłbym wdzięczny za podanie jego adresu, jeśli oczywiście on tam mieszka.

Kiedy pan Raci odparł, że nie widział swojego kuzyna od dnia pogrzebu jego matki, pokazałem mu fotografię Askarisa, którą miałem w telefonie. Przez chwilę mamrotał coś niezrozumiale i prawą dłonią skubał końcówki włosów. Wiedziałem, że niepodzielenie się wiedzą byłoby sprzeczne z zasadami tureckiej gościnności.

– Stryj Arif był beztroskim bawidamkiem. Gdy będąca starą panną Greczynka Tina zaszła z nim w ciążę, zmuszony był ją poślubić. Tina była tak brzydka, że za jej plecami żartowano, że „jest córą bizantyjskiego pałacu". Dwa lata po narodzinach Melika Tina i Arif się rozeszli. Melik został przy matce. W porównaniu z innymi wyspami na Rodos relacje turecko-greckie są na dość cywilizowanym poziomie, mimo to Turcy mieli chłopca za Greka, Grecy zaś traktowali go jak Turka. Ze strony ojca to ja byłem mu najbliższy. Jedyne, czego pragnął, to uciec z wyspy przy najbliższej sposobności. Był pracowity, ambitny i zamknięty w sobie. Nieustannie czytał książki historyczne. Mieszkał z matką i z niewidomą ciotką. Utrzymywali się z pieniędzy przysyłanych przez wuja, którego nikt nigdy nie widział. Tego roku, kiedy miał iść do liceum, wyjechał do tego właśnie wuja, by tam rozpocząć naukę, i nie wrócił nawet na pogrzeb ciotki. Dwadzieścia lat

temu przyjechał, by pochować matkę, a ponieważ był to okres wa-
kacyjny, przebywałem akurat na wyspie. Yannis był wyniosły i milczący. Mnie również potraktował chłodno, więc ograniczyłem się do
złożenia mu kondolencji. Jeśli wziąć pod uwagę przebrzmiewający
w jego wypowiedziach angielski akcent, musiał mieszkać w Anglii.
Słyszałem, że tym, którzy odważyli się zapytać go, czym się zajmuje,
udzielał różnych odpowiedzi. Większości wydał się impertynencki;
już dawno wymazałem go z pamięci...

– Drogi Raci, Yannis mówił, jak brzmi jego nazwisko, ale chyba
źle je zapamiętałem; czy to mogło być Askaris?

– Jesteś bardzo blisko. Nazywa się Laskaris.

Niestety, na Rodos przyjechałem, żeby usłyszeć właśnie te słowa. Ioannes Laskaris, czyli Jan Laskarys, było równocześnie pełnym
brzmieniem imienia i nazwiska ostatniego władcy z rodu piastującego
urząd cesarza Bizancjum na uchodźstwie w Nikei. Kiedy jego ojciec
Teodor II zmarł w młodym wieku na astmę, on jako siedmiolatek objął tron. Założyciel dynastii Paleologów Michał w wyniku okrutnej
intrygi został mianowany regentem Jana Laskarysa IV i kiedy młody władca miał jedenaście lat, kazał oślepić chłopca oraz uwięzić go
w zamku w Gebze nad morzem Marmara. Pamiętałem każde słowo
opisywanej w książkach historii młodziutkiego cesarza. Świadomy
cierpienia, na jakie został skazany, oraz tego, z jaką wyrozumiałością
jego dziadek odniósł się do Michała VIII Paleologa, byłem zażenowany tą traktującą o zdradzie opowieścią.

Tego, w jaki sposób Michał VIII potraktował cesarza, nie wyba-
czyło mu również społeczeństwo Bizancjum. Według rosyjskich źródeł Jan Laskarys pogodził się z losem i zmarł na zesłaniu. Jego życie
przypominało żywoty świętych. Pamiętałem, że w *Zmierzchu Imperium*, najobszerniejszym opracowaniu na temat dynastii Paleologów,
napisane było, że przy oślepianiu młodego cesarza zastosowano me-
todę najbardziej humanitarną. Rzekomo źrenice Jana IV nie zostały

wypalone rozgrzanym żelazem, lecz wystawione na działanie ostrego światła słonecznego. Historyk Michael Geanakoplos, posiadający zazwyczaj zdanie sprzeczne z powszechnie obowiązującym, podkreślał nawet prawdopodobieństwo, że Laskarys w dorosłości odzyskał wzrok i zbiegł na Sycylię.

Przypomniało mi to, jak lękający się Imperium Osmańskiego europejscy władcy przetrzymywali sułtana Cema w areszcie domowym, by mieć w szachu jego brata sułtana Bajezyda. Być może król Sycylii długo podejmował u siebie Jana IV, aby nie stracić swego rodzaju środka zapobiegawczego, z którego mógłby skorzystać w sporze z Bizancjum. Urozmaiciłem nieco tę hipotezę: być może, chociaż Janowi IV nie było dane ponowne objęcie bizantyjskiego tronu, ożenił się i przedłużył swój ród. A jego prawnuk, noszący to samo imię oraz będący prawdopodobnie ostatnim przedstawicielem dynastii, pragnął zasiąść na tronie, który odebrano jego pradziadowi. Jedyną zaś drogą, która by mu to umożliwiła, było zlikwidowanie mnie. Nomo, które dopiero teraz dostrzegło grożące mi niebezpieczeństwo, próbowało mnie ostrzec, nie mogło jednak w żaden sposób interweniować. Oni również byli bezsilni wobec zasady „woli nieba", z powodu której Bizancjum wiele razy utknęło w martwym punkcie. Być może Jan Laskarys, gdyby udało mu się mnie wyeliminować, byłby dla Cesarstwa Bizantyjskiego bardziej pożyteczny niż ja; nie powinno się stawać mu na drodze. Fatalizm ten był czarną chmurą, jaką Justynian nieumyślnie ściągnął nad głowę Bizancjum. Skoro jednak Nomo musiało zachować bezstronność, ostatni z Laskarysów nie mógł wiedzieć, że go zdemaskowałem. Musiałem wykorzystać tę przewagę i wyłączyć go z dalszych działań. To był najczarniejszy scenariusz, na który musiałem się przygotować. Zacząłem też być ciekaw spisu krzywd, jakie ten brzydszy i bardziej niż ja bizantyjski, mściwy i żądny władzy człowiek wyrządził mojej rodzinie.

CHI

Wszyscy ci, którzy nie musieli zostać w mieście, rozpierzchli się w cieplejsze zakątki północnej półkuli. W letnich ubraniach mieszkańców, którzy w czerwcu pozostali na przymusowym dyżurze, dawał się zauważyć designerski potencjał; ciekaw byłem ich strojów plażowych. Nagłe zniknięcie z ulic najbardziej wyzwolonej stolicy świata śmiejących się w głos lub rozmawiających ze sobą ludzi było jak żart, a to, że w toku codziennych zdarzeń nie pojawiały się strukturalne przeszkody nieustannie wzbudzało moje zdziwienie. Przyszło mi na myśl, że jeżeli delektujący się chaosem stambulskiego ruchu drogowego Selçuk Altun widział kiedyś Sztokholm, musiał dojść do wniosku, że raj jest bardzo nużącym miejscem.

Tym razem w stolicy Szwecji spędziłem trzy dni. Grafik Mistral był bardzo napięty, a Nedim i jego rodzina wyjechali na wakacje do Kulu. Odniosłem wrażenie, że sąsiad Mistral, emerytowany bibliotekarz Lennart Espmark, oprowadzając mnie po pomijanych przez turystów zakamarkach Sztokholmu, spłacał jakiś dług. Swój angielski szlifował, zapewne czytając powieści Charlesa Dickensa. Nie czułem potrzeby, aby powiedzieć mu, że posiadam zbiorki poezji dwóch szwedzkich poetów: Lennarta Sjögrena i Kjella Espmarka. Był współwłaścicielem domu letniskowego w Marmaris, z którego corocznie wraz z żoną korzystał w sierpniu, i nie mógł zdecydować, czy turecka gościnność jest boską nagrodą ofiarowaną temu narodowi, czy też karą. Kiedy się żegnaliśmy, mój przewodnik, według którego miejskie wzgórza również nie były pozbawione wdzięku, poprosił, abym jednym zdaniem opisał swoje wrażenia z wędrówki po mieście o niezachwianej harmonii przestrzeni, barwy i dźwięku.

Mistral była zadowolona z faktu, że mnie podoba się miasto, a ja podobam się jej znajomym. Chwile, w których odpływałem pogrążony w myślach o pojedynku, jaki miałem stoczyć w nieznanej mi jeszcze formie z Janem Laskarysem, nie umknęły jej uwadze.

– Czyżbyś rozgrywał sam ze sobą partię szachów, rycerzu? – zapytała mnie któregoś dnia. (Miałem przeczucie, że jeśli próbowałbym się dowiedzieć, dlaczego nazywa mnie rycerzem, wpadłbym w zasadzkę).

Zmuszona była uwierzyć w moją wymówkę, że powodem tej zadumy są sprawozdania, które muszę przygotować do końca przyszłego miesiąca. Żałowałem, że nie mogę przekonać samego siebie, iż jestem bohaterem powieści, który w zamian za zejście się z ukochaną zrzeka się swego tronu.

Nie zastałem Lennarta ani jego żony, gdy przed powrotem do Stambułu poszedłem się z nimi pożegnać. W torbie z Ikei, którą zawiesiłem na klamce ich mieszkania, była butelka koniaku i jednozdaniowa impresja: „Kiedy arka Noego pojawi się znowu, nie będziesz mógł dociec, czy jesteś przystanią, czy pasażerem, Sztokholmie".

Nie okłamałem Iskendera Abi, gdy pożyczając od niego automatyczny pistolet kalibru 7,65 mm, powiedziałem, że chcę kogoś postraszyć. Planowałem zagrozić bronią Janowi Laskarysowi i zmusić go do mówienia oraz kazać zaprowadzić się do jego przełożonego. Gdyby nie chciał tego zrobić, miałem odebrać mu telefony komórkowe i zaczekać na telefon od jego zwierzchnika. Ponieważ nie posiadałem jeszcze statusu wybrańca, fakt, że jedynym moim kontaktem z Nomo był w rzeczywistości mój śmiertelny wróg, mógł być świetnym wątkiem powieści kryminalnej.

Dwudziestego drugiego czerwca wieczorem, pod pretekstem omówienia ważnej kwestii, wezwałem oczekującego mnie w mieście Laskarysa do sali rozmów w podziemiach pałacu Porfirogenetów. W torbie, którą zabrałem ze sobą, wyruszając na spotkanie, miałem pistolet, sznurek, nożyczki i taśmę klejącą. Chociaż wzmocniłem się podwójnym koniakiem, nie umiałem opanować drżenia. Kiedy po raz ostatni ściskałem dłoń Laskarysa, drgawki ustały, lecz na ich miejscu pojawił się ból głowy. Kreatura, która moim zdaniem ze względu na swoje wybałuszone wielkie oczy i zakrzywiony nos zasługiwała na miano kruka, również przejawiała oznaki niepokoju. Laskarys zachowywał się jak menadżer, który przeczuwszy, że zostanie zwolniony, postanowił uprzedzić bieg zdarzeń i złożyć wymówienie. Gdy zająłem miejsce na fotelu przy stole, wyciągnąłem z torby pistolet.

– Usiądź naprzeciwko mnie – rzuciłem – i opowiedz o wszystkich podstępnych posunięciach, o których powinienem wiedzieć, czcigodny Janie Laskarys!

Zrobił to, co kazałem, i uśmiechnął się wyzywająco. W chwili gdy już miałem otworzyć usta, na karku poczułem dotyk lufy. Laskarys wybuchnął szyderczym śmiechem, zapewne od pięćdziesięciu lat czekał na ten moment. Śmiał się tak bardzo, że z jego oczu zaczęły płynąć łzy. Zmęczył się i głośno sapiąc, doszedł w końcu do siebie.

– Nie odwrócisz się, żeby przywitać swojego przyszłego kata, zdesperowany wnuku niewdzięcznego zdrajcy Michała? – zapytał.

– Zanim się odwrócisz, odłóż pistolet na stół – odezwał się przytłumiony głos, a mnie włosy stanęły dęba. Głos należał do Iskendera Abi.

Odwróciłem się ciekawy jego prawdziwego oblicza. Wydawało się, że mężczyzna, którego od dwudziestu lat miałem za brata i powiernika, teraz zagryza wargi, by nie wybuchnąć śmiechem. Na jego twarzy nie było śladu zawstydzenia.

– Niech cię szlag trafi, parszywa kreaturo – wycedziłem, splunąłem mu w twarz i odwróciłem się do Laskarysa.

– Zanim wyślę cię do piekła, wyłącznie dla mojej przyjemności wysłuchasz znacznie więcej, niż chciałbyś wiedzieć, samozwańczy cesarzu! – zaczął Laskarys. – Ostatni cesarz z dynastii Laskarysów, mój pradziad Jan Czwarty, na próżno czekał, by z Sycylii powrócić na bizantyjski tron. Nie zaistniały konieczne ku temu okoliczności i umarł na zesłaniu, będąc mężem wysoko urodzonej Sycylijki, z którą miał jednego syna.

Ci sami historycy bizantyjscy, którzy rozpowszechnili kłamstwo, jakoby Konstantyn Jedenasty poniósł śmierć w walce, napisali, że Jan Czwarty zmarł na zesłaniu w zamku w Gebze. Tym samym chciano zapobiec ponownemu objęciu tronu przez Laskarysa.

Mój dziadek, wuj i ja, ukrywając z rozkazu Nomo naszą prawdziwą tożsamość, szukaliśmy dowodu na piśmie, który pozwoli nam odzyskać to, co do nas należy. Dzięki pomocy wuja studiowałem historię na Uniwersytecie Cambridge. Wuj cieszył się respektem Nomo, po ukończeniu studiów przez jakiś czas pracowałem dla niego. Marzył o przejściu na emeryturę. Zmarł w wyniku niewydolności serca.

Działam w strukturach Nomo od czterdziestu lat. Moja misja, aby nawiązać kontakt z twoim dziadkiem, trwała sześć lat. Bizancjum posiadało najlepiej udokumentowaną historię swojej świetności. Kiedy z jednej strony cierpliwie szukałem dowodu, innym moim celem było nie dopuścić, aby znaleziono godnego tronu Paleologa. To nie było trudne, twój dziadek, mimo że był uczciwy, okazał się nieudolnym, marzycielskim i rozwiązłym pasożytem. Ilekroć bankrutował, podnosił się tylko dzięki pomocy Nomo. Gdy skończył sześćdziesiąt lat, w zamian za wycofanie się z handlu zakupiono dla niego nieruchomości w Stambule, z wynajmu których miał czerpać odpowiednio wysokie zyski, i przekonano do przeprowadzki do Galaty.

Jestem przekonany, że zatajono przed tobą informację na temat tego, w jaki sposób zginął twój dziadek. Pewnej zimowej nocy przed nocnym klubem, z którego wyszedł pijany, został potrącony przez uciekający przed policją skradziony jeep. Po tym wypadku w Nomo doszło do kilku zadziwiających zdarzeń. Jeden z członków, który przestał już pokładać nadzieję w Paleologach, podniósł kwestię, by zaproponować objęcie tronu zięciowi twojego dziadka Paulowi Hackettowi. Po chwilowej konsternacji pomysł ten przypadł do gustu również pozostałym członkom; Hackett był wykształconym Amerykaninem, historykiem, który fascynował się zarówno Wschodem, jak i Zachodem, oraz, jakby tego było mało, był agentem wywiadu. Gdy poproszono mnie o przygotowanie raportu na temat jego życia osobistego, poczułem ulgę.

Musiałem sprawić, żebyś ty został mianowany cesarzem zamiast twojego ojca. Gdyby mi się to udało, do czasu objęcia przez ciebie tej funkcji zyskałbym dwadzieścia pięć lat, dzięki czemu wzrosłyby moje szanse na znalezienie odpowiedniego dowodu. W spreparowanym przeze mnie raporcie napisałem, że twoja matka, dowiedziawszy się o kochance twojego ojca, szykuje się do rozwodu. Nie minęło dużo czasu, a oszczerstwo stało się prawdą. Wśród zamieszkującej Stambuł społeczności angloamerykańskiej była niesamowicie atrakcyjna dziewczyna z Kanady. Rozstała się ze swoim tureckim narzeczonym i podejmowała różne tymczasowe prace. Zmuszona była spłacić kredyt, jaki wzięła z banku, by móc wrócić do kraju, lecz nie miała na to wystarczających środków. Korzystając z pośrednika, złożyłem jej ofertę: w zamian za spłatę kredytu oraz bilet lotniczy w pierwszej klasie do Kanady miała uwieść twojego ojca. Kiedy twoja matka zobaczyła fotografie, na których jedzą kolację we dwoje lub spacerują po parku, trzymając się za ręce, wpadła w szał. Cztery miesiące po śmierci twojego dziadka Akile i Paul się rozwiedli.

Żebyś ty został wybrany cesarzem, dorzuciłem do raportu nieco jakże uwielbianego przez Bizantyjczyków numerycznego bełkotu. Gbur Angelos, który jest moim zwierzchnikiem, fakt, że urodziłeś się dzień po upadku Konstantynopola, o mały włos uznałby za znak od Boga.

Nie spodziewałem się jednak, że twój ojciec zakocha się w podstawionej dziewczynie. Razem wrócili do Kanady, a ja za przyzwoleniem Nomo kazałem ich śledzić. Twój ojciec nie był alkoholikiem, lecz lubił wypić, a po dwóch kieliszkach wina rozwiązywał mu się język. Przy każdej sposobności szydził ze swojego pożycia małżeńskiego. Ze śmiechem powtarzał, że imiona jego teścia i żony były zmodyfikowanymi imionami bizantyjskiej arystokracji i że przed wyjazdem odebrał zadośćuczynienie w bizantyjskim stylu. Trzy lata trwało, zanim emigrant z Salonik, któremu kazałem śledzić Paula, zaprzyjaźnił się z nim i dowiedział, że zanim twój ojciec opuścił dom teścia, ukradł z niego rzadkie egzemplarze książek o tematyce bizantyjskiej. Mój człowiek przedstawił mnie wtedy Paulowi jako antykwariusza interesującego się książkami o Bizancjum. Kiedy pięć minut po tym, jak uścisnęliśmy sobie ręce, Paul zagadnął mnie: „Skądś chyba pana znam. Wydaje mi się, że ze Stambułu", opuściłem bar, w którym się spotkaliśmy. Podczas kolejnego spotkania z moim człowiekiem twój ojciec powiedział ponoć: „Jestem pewny, że twojego osobliwego przyjaciela widziałem w mieszkaniu teścia". To zdanie stało się dla Paula wyrokiem śmierci. Podzielił los twojego dziadka. Gdy pewnego wieczoru wyszedł z baru, jego również potrącił tajemniczy jeep.

Z tego, czego dowiedziałem się od mojego człowieka, wszystkie unikatowe książki z biblioteczki twojego dziadka zostały sprzedane. Poza jedną. Antykwariusz z Toronto wykupywał je podczas aukcji w imieniu Centrum Badań nad Historią Bizancjum. Ostatnią książkę… nie wiem, kiedy żona Paula Hacketta ją sprzedała… udało mi się znaleźć w dwa tysiące siódmym roku w Londynie u pewnego stukniętego antykwariusza. Autorem tego manuskryptu jest Manuel Drugi, ojciec Konstantyna Jedenastego. Dzieło, w którym najwięcej filozofujący spośród cesarzy bizantyjskich władca opisywał swoje osobiste przeżycia i obserwacje, było również źródłem poszukiwanego przeze mnie pisemnego dowodu. Mówiąc w skrócie, można tam przeczytać, że Jan Czwarty Laskarys zapuścił korzenie na Sycylii, a informacja ta została podparta datami i nazwami miejsc. Kupiłem tę książkę i ją ukryłem. Gdybym przekazał ją Centrum, wścibscy historycy natychmiast wydobyliby tę wiedzę na światło dzienne. A mnie odkrycie tej historycznej prawdy przydatne byłoby jedynie w chwili, kiedy zwolni się tron Bizancjum. Pisemne wyznanie Manuela Drugiego wystarczało, abym to ja objął tron. Dzięki drzewu genealogicznemu, którego przygotowanie zleciła moja babka, i odpowiednim zapisom z ksiąg kościelnych nietrudno byłoby udowodnić moje pochodzenie.

Pomysł, żeby Iskender otoczył cię ochroną i był ci jak brat, wyszedł od Nomo. Ale to ja go wybrałem. Jego babka, Greczynka, była sąsiadką mojej matki. Ojciec Iskendera, Turek z Rodos, po śmierci żony zabrał syna i osiedlił się w mieście Muğla. Iskender jest mi bardzo oddany, lecz on także niedawno dowiedział się, że to ja jestem prawowitym pretendentem do tronu Bizancjum.

Jak już mówiłem, dzieło Manuela Drugiego wpadło w moje ręce w dwa tysiące siódmym roku. W raporcie, jaki przygotowałem dla Angelosa, zaproponowałem, aby cesarstwo zostało ci powierzone w dwa tysiące ósmym; tego roku wypadała pięćset pięćdziesiąta piąta rocznica upadku Konstantynopola, a ty byłeś już gotowy podejść do egzaminu.

Decyzję o tym, żeby się przed tobą zabezpieczyć, podjąłem, gdy byliśmy w Trabzonie. Zaskoczyłeś mnie, pokazując kwadracik, na który rzekomo natknąłeś się w swoim pokoju. Gdyby rzeczywiście został tam podłożony z rozkazu Nomo i miał służyć próbie sprawdzenia cię, mogłem nie zaraportować im twojej reakcji, przez co znalazłbyś się w sytuacji trudnej do wyjaśnienia. Jeśli natomiast byłaby to twoja inicjatywa, a ja bym nie zareagował, nie wpadłbym w twoją pułapkę. Zapytasz zapewne, jak spróbowałem odzyskać twoje zaufanie po tym, jak zacząłem dostrzegać dwuznaczną zmianę w twoim spojrzeniu. To Iskender trzykrotnie strzelał do ciebie z oddali, gdy byliśmy w Kapadocji, a ja, rzucając się na ciebie, udawałem, że ratuję ci życie. Nie zauważyłem jednak żadnej zmiany w twoim stosunku do mnie, więc poprosiłem Iskendera, żeby od tego momentu śledził każdy twój ruch. Kiedy usłyszałem, że wybierasz się na Rodos, wiedziałem, że mnie zdemaskujesz.

Gdybyś nie udał się na Rodos, to ja przed wyprawą do Hagii Sophii zaprosiłbym cię tutaj i ta scena rozegrałaby się niemalże w identyczny sposób. Gdybym mógł wywołać ducha Jana Czwartego, zapewne kazałby mi cię uśmiercić dwoma strzałami między oczy. Niestety, istnieje scenariusz, którego muszę się trzymać; wynająłem na twoje nazwisko małą motorówkę. Ty pozbawiony przytomności zostaniesz przeniesiony na przystań, gdzie będzie na ciebie czekała słowiańska prostytutka. W raporcie, jaki przekazałem Angelosowi, napisałem, że jesteś amatorem seksu i lubisz, pływając w nocy po Bosforze, kochać się z prostytutkami na łodzi, którą sam prowadzisz. Wlejemy w wasze gardła whisky i gdy w miejscu, gdzie często dochodzi do wypadków, motorówka roztrzaska się o przybrzeżne skały, już na zawsze opadniecie na bosforskie dno. W gazetach zaś napiszą, że będąc pod wpływem alkoholu, straciłeś panowanie nad łodzią.

Po miesiącu księga Manuela Drugiego zostanie podarowana Centrum, by w końcu Nomo mogło zaoferować mi tytuł cesarza. A ja będę sprawiał wrażenie bardzo zaskoczonego tym niespodziewanym rozwojem zdarzeń i obiecam, że zrobię wszystko, co w mojej mocy, aby być godnym tego zaszczytu...

Laskarys ubarwiał swoją tyradę zamaszystymi gestami, co wyglądało tragikomicznie. Im dłużej go słuchałem, tym bardziej mój lęk malał. Czułem się tak, jakbym po tej sztuce teatru jednego aktora, która zupełnie nie przypadła mi do gustu, miał za chwilę wstać i opuścić widownię. Laskarys, mówiąc po grecku władczym tonem, wydał Iskenderowi rozkaz. Gdy ten zbliżył się do mnie ze szmatką w dłoni, nie wytrzymałem.

– Czy ty nigdy nie oglądałeś kryminałów? Ten wykolejeniec zabije również ciebie, głupku, przy pierwszej nadarzającej się okazji!

Sługa Laskarysa nachylił się tuż przy moim uchu.

– Na tym świecie są rzeczy, o których nie wiesz, synu parszywego Amerykanina – powiedział, a ciepły ton jego głosu bardzo mnie zaskoczył.

Myślałem, że moje serce przestanie bić, kiedy Iskender, pochwyciwszy leżący na stole pistolet, opróżnił magazynek, strzelając do stojącego pięć kroków dalej Laskarysa. Poetyckość świstu pocisków wypluwanych przez tłumik pistoletu wzbudziła we mnie zazdrość. Iskender Abi przytulił mnie i ucałował moje włosy.

– Przysięgałem, że będę cię chronić, choćbym miał to przypłacić życiem, Halâsie – rzekł. – Jesteś moim bratem i przyjacielem, i każdy, kto spróbuje cię tknąć, będzie miał ze mną do czynienia.

Wtedy do sali weszło trzech mężczyzn. Kalligas trzymał w ręku zdaje się torbę na zwłoki, Pappas zaś miał ze sobą butelkę wody. Stojący przed nimi siwowłosy, wysoki i wyglądający na mniej więcej sześćdziesiąt pięć lat mężczyzna odezwał się po angielsku:

– Nazywam się Basil Angelos, panie. Pozwolisz, że będę mówił po angielsku, gdyż w tym języku wysławiam się precyzyjniej.

Miał amerykański akcent i dystynkcję dyplomaty. Gdy my siadaliśmy przy stole, poruszony Pappas podawał mi wodę, a Iskender Abi i Kalligas, stękając, upychali zwłoki do worka.

– Jak słusznie powiedział zdrajca Laskarys, byłem jego zwierzchnikiem i pracuję bezpośrednio dla Nomo, panie – kontynuował Angelos. – Jego prawdziwe oblicze wyszło na jaw, kiedy w Trabzonie nie przekazał mi twojej wiadomości. Ustaliliśmy jego prawdziwą tożsamość, po czym nawiązaliśmy dialog z pracującym dla niego Alexandrem, przepraszam, Iskenderem. Od tej pory, wykonując polecenia

Laskarysa, miał nas o wszystkim informować. Laskarysowi przez długi czas nie udało się spłacić zaliczki, którą podjął na zakup unikatowej książki. Kiedy ci towarzyszył, panie, jego dom w Londynie został przeszukany, a rękopis czcigodnego Manuela Drugiego trafił w nasze ręce. Dogłębnie przeanalizowano treść księgi i stwierdzono, że Laskarys nie ma racji. Ponieważ wiadomo było, że zdrajca nie opuści tej ziemi żywy, wzięta przez niego zaliczka została uregulowana, a książka przekazana do biblioteki Centrum. Czekaliśmy na wasze spotkanie w cztery oczy; możliwe było, że tobie, panie, powie, co będziesz chciał usłyszeć, i wyjaśni to, czego nam nie udało się ustalić. Jeśli pozwolisz, usuniemy zwłoki. Jak wiesz, za dwa tygodnie upływa termin zakończenia egzaminu. Będę zaszczycony, mogąc towarzyszyć ci, gdy udasz się do świętej Hagii Sophii. Nie mam wątpliwości, że przejdziesz i ten etap, po czym osiągniesz status wybrańca. Po ceremonii przedyskutujemy proces realizacji ostatniego postanowienia testamentu. Jeśli pozwolisz, panie, chciałbym wręczyć ci mój prywatny numer telefonu…

Kiedy wyszliśmy na zewnątrz, czułem wszechogarniający mnie niepokój, jakbym właśnie wybudził się z koszmarnego snu. Omal się nie przewróciłem, gdy delikatny powiew letniego wiatru smagnął moją twarz. Wskoczyłem do pierwszej przejeżdżającej taksówki, jakby była moim kołem ratunkowym. W aptece kupiłem środki uspokajające. Gdy kładłem się do łóżka, dwa szczegóły zaprzątały moje myśli. Czy skoro Laskarys zataił fakt, że w pokoju hotelowym znalazłem kwadracik, a ja nie miałem na sobie podsłuchu, oznaczało, że Angelos dostał tę informację od Pappasa lub Kalligasa? Czyżby oni również nie byli zwykłymi ochroniarzami? Zamiast łączyć ze sobą elementy mozaiki przeszłości, powinienem zacząć szykować się na niespodzianki, które przyniesie przyszłość. Jeśli jestem prawdziwym Bizantyjczykiem jak Manuel II i cesarscy synowie, pod skrzydłami Nomo mogłem czuć się bezpiecznie. Czy aby na pewno?

PSI

„(…) Na panoramicznych widokówkach Stambułu kościół wszystkich kościołów wygląda niewinnie niczym drewniana zabawka. Świątynia sprawia wrażenie jakby przyczajonej w obawie, że ktoś może wyrządzić krzywdę powierzonemu jej skarbowi, który trzyma w ramionach. Farba w odcieniu jasnej cegły, którą pomalowano elewacje i która zdawało się, że spłynie wraz z pierwszym deszczem, była tam od tysiąca pięciuset lat. Zgromadzenie materiałów budowlanych trwało siedem i pół roku, wybudowanie kościoła zaś pięć lat (532–537). To Szekspir pośród kościołów. Mająca trzydzieści dwa metry średnicy kopuła, której najwyższy punkt znajduje się na wysokości sześćdziesięciu metrów od ziemi, nigdy nie przegrała z żadną klęską naturalną, z trzęsieniem ziemi na czele. Dzięki swym symbolizującym wieczność symetrycznym arkadom i podniebnym kopułom pnie się do Boga, a jej ozdobne kolumny i barwne ornamenty zbliżają ją do człowieka. Nie widziałem dotąd kościoła, który dorównywałby jej pod względem wymiarów, architektury i estetyki wykończenia wnętrz.

(…) Świątynia, która w 1934 roku została przekształcona w muzeum, wyglądała tak, jakby przewidziała swój los. Każdy znajdujący się w niej labirynt mozaik charakteryzował się innym bogactwem, lecz nie brakowało w nich zjednoczenia religii i sztuki. Dostrzegałem w niej bajkowy pałac, czyściec, przedmieście raju, tunel czasu, karawanseraj, niewidzialne gorące źródła i pracownię sztuk pięknych.

(…) Pijani szabrownicy czwartej wyprawy krzyżowej, mając przyzwolenie doży Wenecji na plądrowanie Konstantynopola, nie zapomnieli też o niej. Ci, którzy nie odnotowali, że łupieżcy w towarzystwie prostytutek oddawali się tam rozpuście, zgrzeszyli, zmyślając, że kiedy miasto skapitulowało przed armią osmańską, ze świątyni wystrzeliły w niebo jęzory ognia.

(…) Gdyby w którejś milenium na Ziemię mieli zawitać przybysze z innej planety, Hagia Sophia będzie wspólnym przesłaniem ludzkości".

Te wersy należały do mojego ojca. Kiedy spostrzegłem krzyżyki przy każdym akapicie, liryczne strofy wydały mi się zbyt przesadne. Przeglądając je ponownie w oczekiwaniu na wyprawę do Hagii Sophii, wyznaczyłem również pierwszy punkt, w który musiałem się udać w poszukiwaniu ostatniego ogniwa testamentu.

W innej notatce ojciec ubolewał nad wielością luk i błędów w historii Bizancjum. Dla przykładu pominięcie informacji, że matematyk Antemiusz i znawca geometrii Izydor, którym cesarz Justynian powierzył odbudowę świątyni, byli autorami jej projektu, wydawało się istotnym brakiem. Nie było też nikogo, kto znałby lepiej ode mnie kolejne dwie pomyłki: cesarz Konstantyn XI nie zginął w walce, lecz umożliwiono mu ucieczkę z miasta, a ostatni cesarz dynastii Laskarysów Jan IV w chwili śmierci znajdował się nie w Gebze, a na Sycylii. Nadmieniający o tym historycy czy duchowni, których można by policzyć na palcach jednej ręki, albo byli karani, albo nimi gardzono.

KOLEJKI DO KASY biletowej Hagii Sophii, będącej najczęściej, bo aż przez ponad dwa miliony turystów rocznie, odwiedzanym muzeum w mieście, wzbudziły we mnie lęk. Od otwarcia emerytowanej świątyni nie minęło jeszcze dziesięć minut, a stojący przede mną w upale półnadzy podstarzali turyści już zakłócali moje wizualne doznania. W czasie kiedy przekonywałem samego siebie, że jestem cesarzem w fazie kamuflażu, kolejka stopniała. Na dziedzińcu panował chaos dzielenia turystów na grupy. Podczas gdy przewodnicy usiłowali zebrać w jednym miejscu rozpierzchłych na wszystkie strony przybyszów znad Morza Śródziemnego, grupki z Japonii, które nigdy się nie rozchodziły, obserwowały wszystko w zdziwieniu. Dostrzegłem Pappasa i Kalligasa – przechadzali się nerwowo przed głównym wejściem. Miałem ich już dosyć. Kiedy wchodziliśmy do środka, przywołałem do siebie Pappasa.

– Jutro kończy się twoja misja, zapaśniku – powiedziałem. – Nadal nie wiem, jakie jest twoje zadanie, ale naprawdę cię polubiłem. – Nie mogąc się powstrzymać, uszczypnąłem go w oba policzki.

Kiedy wyszeptując słowa basmali, przez Wrota Cesarskie wchodziłem do świątyni, zadzwonił Angelos. Poinformował mnie, że gdybym potrzebował jego pomocy, będzie w kawiarni czekał na moje rozkazy. Zacząłem się pocić. Byłem chyba najszybciej nudzącym się cesarzem na uchodźstwie w historii. Nagle uświadomiłem sobie, że testament mojego pradziada już mnie nie interesuje. Nie chciałem też czerpać korzyści z zaszczytu, którego dostąpienia nie mogę się zrzec. Nie byłbym jednak do końca szczery, gdybym stwierdził, że jedyną korzyścią, jaką odniosłem z całego procederu, było poznanie Mistral. To, że włączyłem Bizancjum do mojego świata, było dla mnie bardzo ważne.

Powoli zmierzałem w stronę kopuły, a przestrzeń wokół mnie stawała się coraz jaśniejsza. Z każdym moim krokiem kolumny oddalały się, a okazała kopuła unosiła się coraz wyżej ku niebu. W jednej chwili poczułem radość życia i szacunek do śmierci. Na zdobiącym piętro oraz sufit pozłacanym tle znajdowały się pozostawione przez kolejne cywilizacje intarsje, inkrustacje i wzory. Ta symbioza porywała, dawała ukojenie. Zacząłem obracać się wokół własnej osi; tkwiłem w przestrzeni, która wykraczała poza świątynię, muzeum czy pałac. Poczułem, że moje wnętrze wypełnia chłód, moje oczy zrobiły się ciężkie. Czyżby święty z naściennej mozaiki na jedno skinienie Jezusa miał zacząć śpiewać psalm swym zachrypniętym głosem? Zawtórowałby mu doniosły chór, a cesarze pochyliliby głowy. Otrząsnąłem się, gdy tuż nade mną gołąb zatrzepotał skrzydłami. Podszedłem do Omphalionu, czyli miejsca koronacji cesarzy. Kiedy czubkiem buta dotykałem jego granicy, ponownie z żalem przypomniałem sobie o największym upośledzeniu Bizancjum wynikającym z nieusystematyzowanej procedury wyboru cesarza. Obok mnie jak spod ziemi wyrósł około siedemdziesięcioletni otyły mężczyzna. Jasne było, że nie dostrzega dostojeństwa Hagii Sophii. Sposób, w jaki się wysławiał, zdradzał, że pochodzi z amerykańskiej prowincji.

– To tutaj trzeba ustawić się w kolejce, żeby zasiąść na tronie? – zapytał i dość odrażająco zaśmiał się, potrząsając brzuchem.

Udzielenie mu odpowiedzi wersem z wiersza jego rodaka Ezry Pounda: „Jedynie marzenia są prawdziwe" uznałem za pozbawione sensu.

Po krętej rampie wyłożonej ostrymi i śliskimi kamieniami weszliśmy na piętro. Elegancka kobieta z grupy francuskich turystów, przez którą się przedzierałem, powiedziała:

– Nie wiedzieć czemu, ta droga skojarzyła mi się ze sztuką *Upiór w operze*.

Zbliżyłem się do Deesis, uchodzącej za arcydzieło wśród mozaik. Dolna połowa monstrualnego dzieła była zniszczona. Jezus umieszczony między Maryją a Janem Chrzcicielem zdawał się ożywiony niczym barwny posąg. Ta mozaika musiała być Mona Lisą wśród ikon przedstawiających Jezusa. Mimo tabliczki z zakazem i ciągłego upominania kobiety z ochrony, która grzmiała: „Nie używać lampy błyskowej!", legiony turystów bez cienia litości wobec wrażliwej mozaiki wciskały spusty migawek swoich aparatów. Jasne było, że ten tłum za nic ma zanieczyszczanie środowiska.

Wydało mi się, że Jezus spojrzeniem i delikatnie uniesioną prawą dłonią wskazuje mi coś, co znajdowało się naprzeciw niego. Kiedy minąłem dwie kolumny, drogę przeciął mi grobowiec. Spoczywał w nim doża Wenecji i rzeźnik Konstantynopola Enrico Dandolo (1107–1205). (Co za ironia). Armia czwartej wyprawy krzyżowej, otrzymawszy przyzwolenie wroga Bizancjum Dandolo, splądrowała będący stolicą świata Konstantynopol. Unikatowy kompleks pałacowy, uchodzący za perłę epoki na miarę Mediolanu trakt Mese oraz skopiowane przez Wenecję wybrzeże Złotego Rogu zostały zrównane z ziemią; od miecza ginęli zarówno zamożni, jak i biedni, gwałcono dziewczęta i siostry zakonne. Była to największa masakra, jakiej doświadczyła cywilizacja! Dwulicowy Zachód pozostawał ślepy na te wydarzenia, a Wenecja na kartach historii zapisała je jako „podbój Konstantynopola".

Nie miałem wątpliwości, że listę zemsty cesarza Bizancjum zamyka właśnie Wenecja. Byłem przekonany, że „zlecenie" odnajdę pod płytą nagrobną Dandolo. Na marmurowej tablicy o wymiarach metr na metr siedemdziesiąt widniał napis HENRICUS DANDOLO. Kiedy pochylałem się nad tym cieszącym się znikomym zainteresowaniem turystów zabytkiem, w ostatnim momencie powstrzymałem się przed splunięciem na niego. Moją uwagę przyciągnęły trzy niewielkie poczerniałe kostki marmuru pod tablicą nagrobną. Odniosłem wrażenie, że znajdują się tam wyryte ostrzem igły wskazówki. Przepełniony nadzieją przytknąłem do nich palec wskazujący lewej dłoni i zacząłem przesuwać go tam i z powrotem. Każda z kostek kryła w sobie podobne znaki. Wstałem i podekscytowany opuściłem muzeum. Wróciłem do domu, wziąłem długi medytacyjny prysznic, zażyłem środki uspokajające i się położyłem. Kiedy godzinę przed zamknięciem wróciłem do muzeum, miałem ze sobą lupę i słownik angielsko-grecki.

Liczba turystów odwiedzających górną kondygnację stopniowo malała i nikt nie zwracał uwagi na to, że przy użyciu lupy przyglądam się tablicy nagrobnej. Tłumaczenie trzech zapisanych literami greckiego alfabetu słów, które przelałem na papier, brzmiało: „Spal Pałac Dożów". Pierwszy raz w życiu dopadł mnie atak śmiechu. Śmiałem się tak bardzo, że z moich oczu popłynęły łzy, jednak przyniosło mi to ulgę. Młoda Japonka, która nie chciała przegapić sceny „mężczyzny z lupą w ręku śmiejącego się nad grobem", pstryknęła mi trzy zdjęcia, po czym uciekła.

Po wyjściu ze świątyni nie poinformowałem ekipy o rezultacie poszukiwań. Domyśliliby się po wyrazie mojej twarzy. Po historii z Laskarysem vel Askarisem powinienem wprowadzić do naszej relacji pewien dystans. Opuściłem dziedziniec i tym razem spojrzałem na Hagię Sophię okiem potencjalnego nabywcy. Czy Turcy, stawiając u jej podnóża cztery minarety, próbowali uniemożliwić jej ucieczkę? W dwoistości budowli będącej i kościołem, i meczetem nie było nic rażącego. Na myśl przyszła mi wcielona w życie pod wodzą sułtana Mehmeda Zdobywcy koncepcja Imperium Osmańsko-Bizantyjskiego. Taki był przekaz ukryty w symbolu dwugłowego orła panującego zarówno na Wschodzie, jak i na Zachodzie. Imperium stanowiłoby bowiem potęgę scalającą Europę i Azję nie w drodze rywalizacji, a tolerancji, dzięki czemu świat uporałby się z licznymi problemami natury geopolitycznej.

Przypomniałem sobie, że w przyszłym tygodniu mam spotkać się z członkami Nomo. Powinienem przygotować scenariusz, aby uchronić Wenecję przed gniewem tej organizacji. Tym razem nie mogłem liczyć na pomoc ojca.

OMEGA

W ODPOWIEDZI NA MOJE zaproszenie Mistral i jej ojciec złożyli mi wizytę pod koniec sierpnia. Moja ukochana była ze mną przez cały czas, tata Costas zaś po trzydniowym pobycie w Galacie spędził tydzień na wyspie Büyükada. Za to, że odszukałem wszystkich jego żyjących dawnych przyjaciół, otrzymałem jego błogosławieństwo. Oczywiście po turecku. Zazdrościłem mu, że wciąż droczy się i żartuje z córką. Tego samego dnia, gdy Costas wrócił do Aten, my polecieliśmy z Mistral do Sztokholmu. Żegnając się z córką, powiedział:

– Jeśli ty nie wyjdziesz za Turka, ja poszukam sobie tureckiej Greczynki, ożenię się i zamieszkam na wyspie.

Po spotkaniu w Londynie z Basilem Angelosem miałem udać się na zebranie z Nomo, podczas którego mój los zostanie przesądzony. Do Londynu przyjechałem dwa dni przed planowanym terminem. Jakbym musiał rozwiązać jakiś problem, zanim trafię między młot a kowadło. Poszedłem do uczęszczanego przez sędziwych Żydów stambulskich nostalgicznego klubu szachowego w Golders Green. Salvador z Balat, który zaprosił mnie na partyjkę, gdy tylko spostrzegł, że próbuję go pokonać, nie pozwolił mi na to. Krążyłem metrem między zacisznymi stacjami o tajemniczych nazwach. Kadr po kadrze przypatrywałem się twarzom siedzących w wagonie pasażerów. Z twarzy młodego Latynosa wyczytałem historię zakazanej miłości, a z oblicza Etiopki pełen nadziei sonet. Dzieciom przyglądałem się z daleka; mógłbym wyrzec się tronu, aby tylko połaskotać smarkatą dziewczynkę, która próbowała mnie opluć. W antykwariatach, sklepach z antykami i księgarniach kartograficznych wdychałem zapach kadzidła z tunelu czasu. W zoo oraz w miejskim oceanarium oddałem się medytacyjnej drzemce. (Czy iskra, która miała dać mi siłę w starciu z Nomo, czekała na mnie w sennym koszmarze?)

Zatrzymałem się w Le Meridien, którego byłem stałym bywalcem. Z Angelosem spotkaliśmy się w pogrążonym w półmroku barze hotelowym. Zanim opuściłem Stambuł, przyznano mi status wybrańca. Angelos w zapieczętowanej kopercie przekazał Nomo rozszyfrowane przeze mnie w Hagii Sophii ostatnie postanowienie testamentu, a gdy informacja została porównana z oryginałem ostatniej woli, potwierdzono, że pomyślnie ukończyłem egzamin. Wiedziałem, że na przełomie pięciuset lat trzech arystokratów, którzy osiągnęli status wybrańca, zostało wyeliminowanych w finalnej części wypełniania postanowień testamentu.

Zgodnie z prawem obowiązującym w Wielkiej Brytanii dopełniłem również formalności związanych z powołaniem mnie na prezesa zarządu holdingu o nazwie Monodia. Byłem o krok od wzięcia Nomo w cugle.

Czy słowo „monodia" nie oznaczało solowej melorecytacji w tragedii greckiej? Andronikos Kallistos, który po upadku Konstantynopola schronił się we Włoszech, napisał lament pod takim tytułem. Literat ten zmarł w Londynie, a w swym dziele bardziej niż utratę stolicy opłakiwał odejście „mądrzejszego od Cyrusa, sprawiedliwszego od Radamantysa i dzielniejszego od Herkulesa cesarza Konstantyna". (Nie wymyśliłbym stosowniejszej nazwy dla firmy, która została powołana, aby finansować realizację postanowień z listy zemsty).

Angelos z paczki, którą przyniósł ze sobą, wyjął grubą kopertę i teczkę. Zanim udałem się do swojego pokoju, aby je przestudiować, kupiłem w Tesco butelkę wódki. W napisanym odręcznie po turecku liście, który wyjąłem z koperty, znajdowała się również opowiedziana pokrótce historia Nomo. W tej jego części wyczytałem, że w czteroosobowym zarządzie Monodii wraz z cesarzem wybrańcem zasiada po jednym reprezentancie rodu Paleologów, Kantakuzenów i Komnenów. Przewodzący zarządowi cesarz poza likwidacją Nomo może dowolnie kierować działalnością holdingu. Dla wszczęcia procesu likwidacji wymagane jest wsparcie co najmniej jednego z pozostałych członków organizacji. Przedstawiciel Paleologów powinien być lojalnym sprzymierzeńcem cesarza. Podczas jego absencji posiadał pełnomocnictwo do pełnienia funkcji prezesa zarządu.

Monodią zarządzano zgodnie z obowiązującym w Wielkiej Brytanii prawem gospodarczym. Poprzez zapisy prawne zapobieżono zawiązaniu spisku handlowego przeciwko cesarzowi. Jednym ze środków zaradczych było na przykład złożenie przez trzech członków zarządu nieopatrzonej datą rezygnacji. Prezes zarządu, dymisjonując pozostałych członków w wyznaczonym przez siebie terminie, mógł uniknąć niepożądanych zdarzeń.

W opasłej teczce znajdowały się sprawozdania finansowe siedmiu spółek, z których najdawniejsze opatrzone było datą trzydziesty czerwca 2009 roku. Sześć z nich należało do Monodii. Nazwy spółek inwestycyjnych założonych w Nowym Jorku, Hongkongu, Frankfurcie, Tokio, Mediolanie i Edynburgu zapożyczone zostały od nazw liter alfabetu greckiego obowiązującego w Bizancjum. Na zyski tych spółek składały się przychody z najmu nieruchomości, których były współwłaścicielami, oraz procent z lokat bankowych i obligacji państwowych. Suma aktywów każdej z nich nie przekraczała miliarda funtów. W ten sposób uniknięto ściągnięcia na spółki globalnego zainteresowania. Zsumowany bilans Monodii wynosił pięć i pół miliarda funtów, kapitał własny – cztery miliardy dwieście milionów, a zysk netto z ostatniego półrocza – sto osiemdziesiąt trzy miliony. Im dłużej przyglądałem się sprawozdaniom, tym bardziej się spinałem. Zdałem sobie sprawę, że zupełnie jak matka marszczę czoło. Najpierw zaczęła swędzieć mnie twarz, potem całe ciało. Wstałem od biurka i zacząłem chodzić po pokoju w tę i z powrotem. Wypiłem kolejną podwójną wódkę z lodem i wróciłem do papierów. Bardziej niż ulgę czułem radość z odnalezienia sposobu na rozwiązanie skomplikowanego równania. Po raz pierwszy w życiu miałem zachować się jak syn Akile Asil i zapędzić Nomo w kozi róg. Znalazłem iskrę, której szukałem. Z zapałem rozpocząłem wnikliwą lekturę sprawozdań, robiąc krytyczne uwagi dotyczące nieudolnie zarządzanych spółek.

Po śniadaniu zadzwoniłem do Angelosa. Kiedy informowałem go, że chciałbym, aby jutrzejsze spotkanie zaczęło się nie o dziesiątej, a o ósmej trzydzieści, moją uwagę zwrócił niepokój w moim głosie. Kierując się jedynie tym, że sklep Hackett nosi nazwę tożsamą z nazwiskiem mojego ojca, kupiłem tam garnitur i krawat na czekające mnie spotkanie. Gdy wróciłem do hotelu, w lobby zobaczyłem wysiadającego z windy Selçuka Altuna i jego żonę. Byłem tak zaskoczony, że kiedy przechodzili obok mnie, odwróciłem się i podniosłem torby z logo sklepu Hackett. Myśl, że być może zobaczę Selçuka Altuna jutro wśród przedstawicieli Nomo, przez jakiś czas nie dawała mi spokoju.

Canary Wharf położone jest w miejscu, gdzie Tamiza w odcieniach zmierzchu wkracza od wschodu do miasta. Do wbitych w jej pierś w latach osiemdziesiątych dwudziestego wieku wieżowców najpierw wprowadziły się instytucje finansowe. Lancaster Tower znajdująca się przy Churchill Place przypominała wyczyszczone i postawione pionowo do wyschnięcia akwarium. Jedna piąta tego trzydziestoczteropiętrowego wieżowca należała do Monodii, a siedziba zarządu znajdowała się na najwyższej kondygnacji. Kiedy w towarzystwie Angelosa wsiadałem do windy, wyobraziłem sobie, jak za dwie godziny jadę nią w dół, ustąpiwszy z urzędu.

Kondygnacja, na której pracowały dwadzieścia cztery osoby, nie zrobiła na mnie dobrego wrażenia. Była przygnębiająca niczym urząd państwowy, którego odrestaurowanie odwlekano ze względu na cięcia budżetowe. Zostałem skierowany do gabinetu zarządu.

Umeblowane wyszukanymi antykami panoramiczne pomieszczenie w rzeczywistości było siedzibą cesarza na uchodźstwie. Przez chwilę czułem podekscytowanie faktem, że to do mnie należy atrybut bycia jego prawowitym właścicielem. Popsułbym całą zabawę, gdybym nie zasiadł w inkrustowanym masą perłową fotelu. Przez cały czas próbowałem powstrzymać się od śmiechu. Angelos ceremonialnie złożył przede mną dwie teczki. W jednej znajdowały się nieopatrzone datą listy rezygnacyjne tworzących Nomo członków zarządu Monodii, druga zaś zawierała ich krótkie życiorysy.

Przedstawiciel dynastii Paleologów Theofanis Torosidis urodził się w 1963 roku. Ukończył historię na Uniwersytecie Oksfordzkim. Posługiwał się płynnie czterema językami, w tym tureckim, i od jedenastu lat był członkiem zarządu.

Urodzony w 1949 roku przedstawiciel Kantakuzenów Stelios Moras był absolwentem nauk politycznych na Uniwersytecie Georgetown. Trzy języki opanował w stopniu idealnym, turecki zaś w średnim. Od osiemnastu lat był w zarządzie.

Pochodzący z dynastii Komnenów Dimitrios Ninis urodził się w 1940 roku. Studiował ekonomię w Yale. Znał trzy języki na poziomie bardzo dobrym i od dwudziestu sześciu lat był członkiem zarządu.

Moja drużyna A była zwarta i gotowa, by mnie poznać.

– Ty ich do mnie przyprowadź – zwróciłem się do Angelosa.

Jako pierwszy do mojego gabinetu wszedł znany mi jako Theo Pappas Theofanis Torosidis. Miałem wrażenie, że uśmiechając się, próbuje mnie przeprosić.

– To znowu ty, parszywy Theo? – powiedziałem i wytarmosiłem go za policzki. Kontynuowałem już po angielsku: – Doskonale wypadłeś w roli tragikomicznego błazna. Bez wątpienia jesteś świetnym szefem i historykiem.

Nie musiałem już dłużej dochodzić, kim jest osoba, która rozmieszczała fioletowe kwadraciki i która uratowała mnie przed Laskarysem. Historyk z Oksfordu przez rok był moim egzaminatorem, obserwatorem i protektorem.

Moras sprawiał wrażenie uległego pantoflarza, Ninis zaś miał w sobie coś z pracownika naukowego. Na pierwszy rzut oka nie wydawali się antypatyczni. Ich również przywitałem serdecznie.

Agenda przewidywała dyskusję na temat wiadomego punktu testamentu, potem miało się rozpocząć posiedzenie zarządu. Poprosiłem Angelosa, żeby wyszedł, i zachęciłem członków Nomo, by zajęli miejsca przy kwadratowym stole. Ostentacyjnie podarłem na ich oczach listy rezygnacyjne.

– Chciałbym teraz omówić kwestię testamentu – odezwałem się po angielsku. – Jeśli moja propozycja spotka się ze sprzeciwem, nie będę mógł wziąć udziału w kolejnym posiedzeniu. Podarłem wasze wymówienia, abyście nie czuli lęku, przedstawiając mi swoje opinie. Jeżeli mam przewodzić zarządowi Monodii, od nikogo nie będę wymagał pisemnej rezygnacji. Ten, kto z jakichś względów będzie musiał odejść, zrobi to, co do niego należy.

Po tych słowach zamilkłem i spojrzałem na Nomo. Byli jak zahipnotyzowani.

– Pragnę wam podziękować. Jednak nie dlatego, że zaoferowaliście mi dostąpienie tego zaszczytu, lecz za to, że dzięki wam między mną a Bizancjum wytworzyły się nierozerwalne więzi. Zarówno wam, jak i waszym przodkom, którzy poświęcili swoje życie powierzonej nam sprawie, należą się wyrazy mojej wdzięczności.

Panowie, Konstantyn Jedenasty, zamykając swój testament poleceniem „Spal Pałac Dożów", nie przewidział, że cały proces zakończy się po upływie pięciuset lat. Sądził, że któryś z jego wnuków dopełni misji w czasie, kiedy Wenecja istnieć będzie jeszcze jako państwo. Podczas gdy jego spadkobiercom nie udało się zapewnić spokoju duszy cesarza, Republika Wenecka w tysiąc siedemset dziewięćdziesiątym siódmym roku straciła swoją suwerenność, nie jak się wszystkim wydawało na rzecz Francji, lecz Austrii. W roku tysiąc osiemset sześćdziesiątym szóstym została przyłączona do Zjednoczonego Królestwa Włoch. Od tego czasu zamiast doży na jej czele stał gubernator, a jego przypominający budynek bizantyjskiej łaźni pałac miał przeobrazić się w muzeum. Realizacji ostatniego postanowienia testamentu Wenecja dokonała własnoręcznie. Podjęcie się tego po tysiąc osiemset sześćdziesiątym szóstym roku byłoby równoznaczne ze strzelaniem do wyciągniętego z grobu trupa.

W kwestii Wenecji muszę dodać specjalny paragraf; znam ją lepiej niż Stambuł i jestem do niej przywiązany w stopniu nie mniejszym niż do Stambułu. Są dwie Wenecje; pierwsza z nich, która niegdyś była najzamożniejszym miastem-państwem na Ziemi, obecnie pełni funkcję lunaparku dla płytkich turystów. Ta druga stanowi fascynujący fragment spuścizny bizantyjskiej. W każdym przewodniku można przeczytać, że w wybudowanych tam w średniowieczu świątyniach i obiektach użyteczności publicznej widoczne są wpływy Bizancjum. Nie wiadomo, czy Canal Grande, wzdłuż którego stawiano pałace niczym nanizane na sznur perły, nie jest klonem bizantyjskiego Złotego Rogu. Gdyby armia łacinników za przyzwoleniem weneckiego doży nie splądrowała Złotego Rogu, świat stałby się świadkiem tego odwzorowania. Całe szczęście, że wywiezione z Konstantynopola arcydzieła eksponowane są w weneckich muzeach jako bizantyjskie. Unikatowe bizantyjskie manuskrypty są przechowywane pod kluczem w Bibliotece Marciana. Dlatego też uważam, że choćby z tego powodu Nomo powinno wziąć Wenecję pod swoje skrzydła.

Krótko mówiąc, ostatnia wola Konstantyna Jedenastego została spełniona samoistnie w drodze samoeutanazji księstwa. Jego prawnuk zaś, rozszyfrowując testament, w dwa tysiące dziewiątym roku uwolnił wreszcie duszę swego przodka od męki. Musicie wiedzieć, że nie noszę się z zamysłem zlikwidowania Monodii. Wręcz przeciwnie, po konsultacji z wami chciałbym wyznaczyć jej zupełnie nową misję.

Torosidis zgłosił chęć zabrania głosu, miał akcent charakterystyczny dla aktorów teatru szekspirowskiego. Chciał przemawiać na stojąco, zwróciłem się jednak do niego po turecku:

– Mów na siedząco i zwięźle, Pappas Efendi.

Ekipa opuściła głowy, próbując ukryć śmiech. Torosidis wydawał się zadowolony, że nie przestałem się z nim droczyć.

– Zaszczyciłeś nas, panie, chcąc poznać nasze opinie. Przychylamy się do każdego twojego słowa. Czcigodny Konstantyn Jedenasty będzie mógł już spoczywać w spokoju dzięki temu, że spuścizna po nim trafiła w ręce jego uczonego i uczciwego prawnuka.

Podczas gdy pozostali z szacunkiem kiwali głowami, zapytałem Torosidisa:

– Czyim pomysłem było nadanie mi przydomka Konstantyn?

– Mojego teścia, Vasilisa Spiropoulosa, mój panie. Pański dziadek, który poznał go w nocnym klubie w Monte Carlo, miał go za pochodzącego z Izmiru rentiera. W rzeczywistości był on poprzednim przedstawicielem Paleologów w Nomo. Jeśli pozwolisz, panie, niech tę opowieść przytoczy pan Ninis, który z nim współpracował.

Gdy zorientowałem się, że Dimitrios Ninis czeka na moje przyzwolenie, żeby zabrać głos, zachęciłem go gestem dłoni. (Przebieg ceremoniału nie powinien napawać mnie lękiem). Najstarszy z Nomo odezwał się po turecku tonem kaznodziei:

– Pan Spiropoulos często odwiedzał twojego czcigodnego dziadka, panie. Po jego śmierci raz lub dwa razy w roku bywał w waszym domu, aby z bliska kontrolować sytuację. Pokładał w tobie nadzieje;

mawiał, że kiedy twoi rodzice się rozwiedli, ty, zamiast doznać traumy, przeszedłeś ten etap w sposób bardzo dojrzały. Przywodziłeś mu na myśl Manuela Drugiego, lecz był przekonany, że będziesz od niego bystrzejszy.

Przypomniałem sobie tajemniczego Spiropoulosa, który choć nie kulał, podpierał się ozdobną laską. Byłem wobec niego podejrzliwy, gdyż swoją słabą turecczyzną prawił mojej mamie komplementy. Reakcja Nomo mnie uspokoiła i jakby podkuszony przez diabła, zapytałem Torosidisa:

– Co byście zrobili, gdybym jednak rozkazał zburzyć Pałac Dożów?

Torosidis nie spuścił wzroku.

– Przysięgaliśmy bezwarunkowo wypełniać twoje rozkazy, panie, dopóki nie będą one sprzeczne z misją powierzoną nam przez Konstantyna Jedenastego. Jeżeli to jest twoim życzeniem, mogę w ciągu najbliższych siedemdziesięciu dwóch godzin kazać zrównać pałac z ziemią.

Z mojej miny mógł wyczytać, że nie podoba mi się pożądliwy ton jego głosu. W końcu z poczuciem ulgi przeszedłem do punktu drugiego.

– Po krótkim wprowadzeniu złożę wam propozycję – zacząłem. – Jeżeli na nią przystaniecie, być może rozpoczniemy nową erę w historii Nomo. W dysponowaniu zasobami majątkowymi Monodii stosowano dotąd podejście dość konserwatywne. W zestawieniu zysków i strat nie zauważyłem innych przychodów niż odsetki i czynsze. Gdyby natomiast obracano akcjami spółek z sektora telekomunikacyjnego, przemysłu farmaceutycznego czy energetycznego lub zainwestowano kapitał w złoto, zyski byłyby teraz być może nawet pięciokrotnie wyższe. W biznesie zawsze istnieje czynnik ryzyka. Popatrzcie, w czasie globalnego marazmu wartość niektórych z naszych nieruchomości, które postrzegane były jako bezpieczna inwestycja, spadły nawet o dwadzieścia procent, obniżyły się również dochody z czynszów.

Przyjaciele, moim celem jest dwukrotny w ciągu najbliższych siedmiu lat wzrost bilansu Monodii, czyli osiągnięcie kwoty jedenastu miliardów funtów. Dlatego też każdego roku musimy co najmniej podwoić zyski naszego holdingu. W atmosferze przedłużającej się stagnacji instytucja, która posiada takie rezerwy gotówkowe, jest w stanie osiągnąć ten cel. Rzecz jasna nagromadzone zyski spożytkowane zostaną w służbie prawdy o Bizancjum. To nowa misja Monodii. Podczas gdy z jednej strony nasze aktywa przeznaczane będą na odnowę obiektów, których odrestaurowania dotąd z różnych przyczyn unikano, z drugiej nie zapomnimy o osobach i instytucjach, które powinny ponieść karę.

Mamy czas na przygotowanie listy, w najbliższej przyszłości jednak nie powinniśmy pozostać bezczynni. Wspomnę tylko o zażenowaniu, jakie poczułem w Atenach, widząc upchniętą za plecami posągu pewnego biskupa i przypominającą dekoracyjną figurkę Sancho Pansy rzeźbę Konstantyna Jedenastego.

Udzieliłem Nomo subtelnej nagany.

– Jeżeli nikt nie chce zabrać głosu, spotkanie uważam za zakończone – powiedziałem i wstałem od stołu.

Fotografie nieruchomości, których holding był współwłaścicielem, okupowały ściany gabinetu niczym pajęcza sieć. Z odrazą omiotłem wzrokiem te pomniki brzydoty. Podczas posiedzenia zarządu, przytaczając uwagi, jakie poczyniłem w trakcie analizy sprawozdań finansowych oraz sprawozdań z działalności, wywołałem panikę w kadrze zarządzającej spółek i holdingu. Wpłynąłem na podjęcie decyzji o stworzeniu działu odpowiedzialnego za kupno i sprzedaż akcji, funduszy inwestycyjnych i metali szlachetnych. Postanowiono również zmienić wystrój wnętrz Monodii, ale tylko pod warunkiem, że ja zaakceptuję projekt.

Nadszedł moment ustalenia wysokości mojego wynagrodzenia. Torosidis, delegowany członek zarządu, który codziennie stawiał się w pracy, dostawał miesięcznie trzydzieści tysięcy funtów, Ninis i Moras zaś otrzymywali po piętnaście tysięcy. Zgodnie z postanowieniami umowy holdingu przysługiwała im także premia z zysków. Moje wynagrodzenie w wysokości dziewięćdziesięciu tysięcy funtów kazałem obniżyć o połowę.

– Nie zgodziłbym się i na tę kwotę, gdybym nie planował ufundować z jej części stypendiów dla dzieci z ubogich rodzin – wyjaśniłem.

Na miejsce posiedzenia po trzecim kwartale wyznaczyłem hotel Four Seasons stojący na podwalinach Wielkiego Pałacu i ustaliłem datę spotkania na dwudziesty drugi listopada, po czym zakończyłem zebranie.

Zaprosiłem Nomo na kolację do The Providores. Nie miałem zamiaru zadawać im osobistych pytań podczas tego integrującego wieczoru. Nie wytrzymałem jednak i zapytałem Torosidisa:

– Parszywy Theo, z której części Stambułu pochodzisz?

Moje pytanie rozbawiło siedzących przy stoliku obok cypryjskich Turków. Torosidis, moja prawa ręka, okazał się jedynym dzieckiem zakrystiana z dzielnicy Fener. Zbyteczne było pytać, jak to możliwe, że ukończywszy greckie liceum w Fener, dostał się na Oksford.

Kiedy wsiadałem na pokład samolotu do Sztokholmu, czułem, że choć w tunelu czasu przybyło mi pięć lat, wzrosła też moja pewność siebie. Mistral miała Monodię za średniej wielkości spółkę inwestycyjną, w której przyjaciel mojego dziadka był wspólnikiem.

– Teraz rozumiem, skąd u ciebie ten chód z uniesionymi ramionami – powiedziała, gdy usłyszała, że zostałem prezesem zarządu.

– Daj mi znać, jeśli znasz jakąś ślicznotkę, która zgodzi się na życie w Bizancjum, bo planuję się jej oświadczyć – oznajmiłem, a ona zarzuciła mi ręce na szyję.

– Znam jedną starą pannę gotową iść za tobą nawet na koniec świata – odparła, po czym zadzwoniła do taty Costasa. – Tato! Halâs poprosił mnie o rękę! Widzisz, a mówiłeś, że Turcy nie żenią się z kobietami, które nie mogą mieć dzieci!

Odnalazłem kobietę moich marzeń, lecz miałem nigdy nie zaznać słodyczy ojcostwa. Był to bizantyjski dylemat godny najwyższych sfer. Być może los nie chciał wynosić na karty historii kolejnego po mnie sułtana Bizancjum.

Ślub zaplanowaliśmy na koniec semestru zimowego. Mistral miała kontynuować karierę naukową na jednym z prywatnych uniwersytetów stambulskich, ja zaś miałem poszukać tam etatu dla zachowania pozorów.

Chciałem podzielić się tymi wieściami z mamą i Hayal. Nie były zaskoczone, gdy do nich zadzwoniłem.

– Sam musisz obwieścić tę radosną nowinę babci – powiedziała Akile. – Da mi popalić, jeśli dowie się ode mnie.

Od Hayal zaś usłyszałem:

– Niech Mistral włoży do ślubu pantofle na płaskim obcasie. Nie jest przecież niższa od ciebie.

W Stambule natychmiast udałem się przed oblicze babci. Kiedy usłyszała nowinę, zaczęła szybciej przesuwać koraliki różańca. Głowę zaprzątała jej inna niż bezpłodność wada przyszłej panny młodej.

– Drogi Halâsie, przed ślubem zaprowadź ją do imama i każ wypowiedzieć wyznanie wiary. A gdy będzie już przechodziła na islam, niech wybierze sobie jedno ze świętych imion: Emine lub Ayşe.

– Babciu, gdy oświadczałem się Mistral, poprosiłem ją jedynie o to, żeby przeniosła się do Stambułu. Być może z czasem, kiedy będzie już tobą oczarowana, sama postanowi przyjąć naszą religię.

– Synu parszywego Amerykanina, kogo próbujesz oszukać?! – krzyknęła hadżi Ulviye, a ja chwyciłem w locie różaniec, którym we mnie rzuciła. Wybuchnęliśmy śmiechem. Podszedłem do niej i mocno objąwszy, ucałowałem jej pachnące wodą różaną policzki.

Obudziłem się nad ranem, czując orgazmiczną przyjemność. Śniło mi się, że wraz z Nomo dosiedliśmy skradzionych przez Wenecjan z Konstantynopola rumaków i lecieliśmy na nich do Stambułu. Jechałem na przedzie kawalkady i miałem na sobie fioletowy kaftan. W nasze śmiechy wplatało się radosne rżenie dobiegające z kwadrygi. Na tabliczce pozostawionej w należącym do koni zakamarku katedry Świętego Marka było napisane: „Wszędzie dobrze, ale w domu najlepiej".

Poszedłem do salonu i przyglądałem się, jak topnieje półmrok. Mewy i pradawny wiatr Galaty ucichły, a w trzech tysiącach meczetów rozpoczynało się poranne nawoływanie do modlitwy. Pobiegłem do mojego gabinetu i wyjąłem z szafy bogato zdobiony zeszyt weneckiej roboty. Kiedy na pierwszej stronie pisałem: „Zadania domowe dla B.", dostałem ataku śmiechu. Na kolejnej kartce narysowałem szachownicę, a w niej uwielbianym przez państwa włoskie w piętnastym wieku szyfrem polialfabetycznym umieściłem napis: „Uwolnić kwadrygę". Czyżbym zamiast rozwiązywać zagadki, odkrył przyjemność z ich komponowania? Wróciłem do łóżka. W dzieciństwie, gdy nie mogłem zasnąć, powtarzałem trzy krótkie modlitwy, których nauczyła mnie babcia, po czym mocno zaciskałem powieki. Tym razem na mych ustach zagościła przepełniona dylematem strofa:

W dolinie jej piersi białych tryska źródło Zamzam,
Napiję się, to mnie stracą, nie wypiję – skonam.

(marzec 2009 – lipiec 2010)